★NEW★
2022
완전정복

간호사 국가시험

파워 파이널 완성

10주

문제

심정은 김묘연 최성희 장효열 류정림 김향하 박선영

KOONJA

**2022
간호사 국가시험
파워 파이널**

10주 완성_문제

1판 1쇄 인쇄 | 2018년 08월 20일
1판 1쇄 발행 | 2018년 08월 31일
2판 1쇄 인쇄 | 2021년 09월 06일
2판 1쇄 발행 | 2021년 09월 17일

저   자 심정은, 김묘연, 최성희, 장효열, 류정림, 김향하, 박선영
발 행 인 장주연
기   획 한인수
책 임 편 집 임유리
표 지 디 자 인 양란희
편 집 디 자 인 유현숙
발 행 처 군자출판사(주)
　　　　　 등록 제 4-139호(1991. 6. 24)
　　　　　 본사 (10881) **파주출판단지** 경기도 파주시 회동길 338(서패동 474-1)
　　　　　 전화 (031) 943-1888　팩스 (031) 955-9545
　　　　　 홈페이지 | www.koonja.co.kr

ISBN 979-11-5955-756-9
　　　 979-11-5955-755-2(SET)
가격 25,000원
※ 단권으로는 판매하지 않습니다.

2022
간호사 국가시험
파워 파이널
10주 완성_문제

담당교수	과목	경력
심정은	성인간호학	한양대학교 간호학과 석사학위 한양대학교 간호학과 박사학위 현) 경민대학교 간호학과 성인간호학 강의전담 교수
김묘연	성인간호학	이화여자대학교 간호학과 석사학위 한양대학교 간호학과 박사수료 현) 삼성의료원(강북) 파트장
최성희	지역사회간호학, 간호관리학	충남대학교 간호학과 석사학위 한양대학교 간호학과 박사수료 현) 해커스 공무원 간호직, 보건직 대표 교수 현) 원광대학교 간호학과 지역사회간호학 외래교수
장효열	정신간호학, 의료법규	대전대학교 석사학위 대전대학교 박사학위 현) 전북과학대학교 정신간호학 교수
류정림	모성간호학	원광대학교 의과대학교 간호학과 석사학위 충남대학교 간호학과 박사학위 현) 군산간호대학교 모성간호학 교수
김향하	아동간호학	전북대학교 간호학과 석사학위 전북대학교 간호학과 박사학위 현) 전남과학대학교 아동간호학 교수
박선영	기본간호학	현) 아산병원(정읍) 간호사 현) 전북과학대학교 겸임교수

KOONJA

Preface

시험을 준비하고 있는 간호대학생 여러분, 안녕하세요.

본 교재는 최신 기출 경향과 사회적인 현상을 반영하여 방대한 간호학의 핵심 포인트를 중심으로 한 번에 정리할 수 있는 모의고사 형태로 제작하였습니다. 문제 속 지문만 자세히 읽어도 질환의 핵심 개념을 파악할 수 있도록 기출문제 중심으로 지문을 구성하였고, 다빈도 출제 문제를 바탕으로 다양한 핵심문제를 발췌하여 2022년 국가시험 100% 합격을 겨냥한 모의고사입니다.

각 전공 전문가 교수님들이 출제한 모의고사는 매년 조금씩 변화되어가고 있는 국가고시 문제를 대비하기 위하여 문제의 형식과 사례 중심 문제를 다양하게 출제함으로써 실전연습을 통한 최고의 성적을 예상할 수 있도록 하였습니다.

가장 효율적인 대상 수험생
1. 시간이 많이 없는 수험생
2. 기출문제 영역만 보고 싶은 수험생
3. 정말 출제될 것 같은 부분만 보고 싶은 수험생
4. 마무리하고 시험장에 가고 싶은 수험생

본 교재를 통하여 수험생 여러분의 마무리에 도움되시길 바라며 이 책을 선택한 수험생들의 건승을 기원합니다.

살아있는 이론과 실제의 만남! 고득점의 지름길을 안내하겠습니다.

"왕관을 쓰려는자, 그 무게를 견뎌라."

2021.08
간호학 교수진 일동

Contents 목차

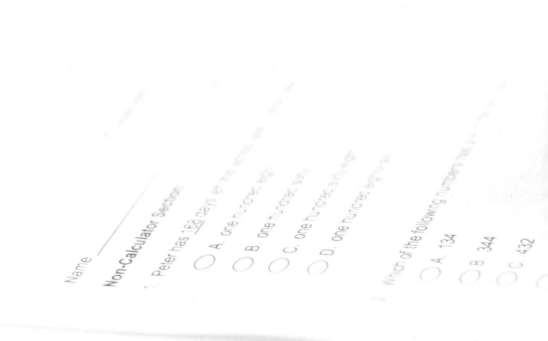

Name _____

Non-Calculator Section

1. Peter has <u>168</u> days in the whole set ...

    ○ A. one hundred, eig...

    ○ B. one hundred, sixty...

    ○ C. one hundred, sixty-eight ...

    ○ D. one hundred, eighty-on...

Which of the following numbers has a ...

    ○ A. 134

    ○ B. 344

    ○ C. 432

시험 준비 및
책 구성 소개

[구성 및 활용]

1 **진단편** 기출 동형 문제로 내 실력은 어느 정도인지, 약점은 어느 부분인지 진단하세요.

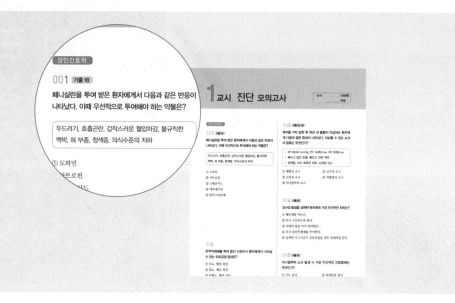

2 **공략편** 지난 10년간 기출 동형 문제를 풀이하고, 빈출문제가 무엇인지 파악함으로써 고득점 전략을 세우세요.

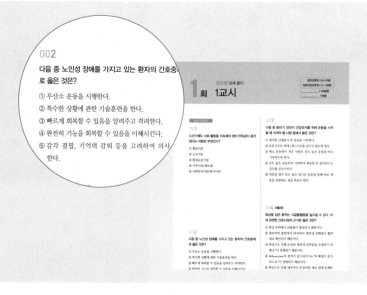

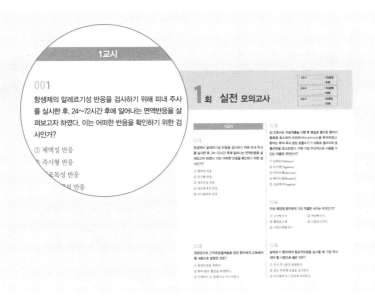
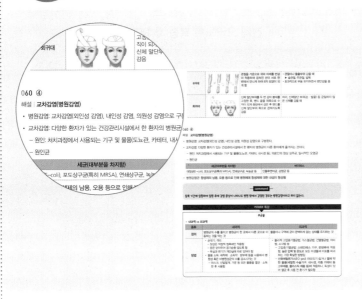

 완벽 정복

회차	학습일			학습 시간	학습 파트	점수
Week 1	월	일	요일		진단 모의고사 풀이	
Week 2	월	일	요일		진단 모의고사 오답노트 복습	
Week 3	월	일	요일		공략 문제 1회 풀이	
Week 4	월	일	요일		공략 문제 2회 풀이	
Week 5	월	일	요일		공략 문제 3회 풀이	
Week 6	월	일	요일		공략 문제 오답노트 복습	
Week 7	월	일	요일		실전 모의고사 1회 풀이	
Week 8	월	일	요일		실전 모의고사 2회 풀이	
Week 9	월	일	요일		실전 모의고사 오답노트 복습	
Week 10	월	일	요일		전체 오답노트 복습 후 RELAX!	

1 시험 과목

시험 과목 수	문제수	배 점	총 점	문제형식
8	295	1점/1문제	295점	객관식 5지선다형

2 시험 시간표

구분	시험과목(문제수)	교시별 문제수	시험형식	입장시간	시험시간
1교시	1. 성인간호학 (70) 2. 여성건강간호학 (35)	105	객관식	~ 08:30	09:00~10:35(95분)
2교시	1. 아동간호학 (35) 2. 지역사회간호학 (35) 3. 정신간호학 (35)	105	객관식	~ 10:55	11:05~12:40(95분)
점심시간 12:40 ~ 13:40(60분)					
3교시	1. 간호관리학 (35) 2. 기본간호학 (30) 3. 보건의약관계법규 (20)	85	객관식	~ 13:40	13:50~15:10(80분)

▶ 보건의약관계법규:「보건의료기본법」,「지역보건법」,「국민건강증진법」,「감염병의 예방 및 관리에 관한 법률」, 「후천성면역결핍증예방법」,「검역법」,「의료법」,「응급의료에 관한 법률」,「혈액관리법」,「마약류 관리에 관한 법률」,「국민건강보험법」과 그 시행령 및 시행규칙

3 합격자 결정

전 과목 총점의 60% 이상, 매 과목 40% 이상 득점한 자로 하며 매 과목마다 40% 이상 득점하지 못하는 과락이 나올 경우 불합격 처리됩니다.

[응시자 유의사항]

1 시험 시작 전 유의사항

① 준비물: 신분증, 응시표 출력본, 필기도구

② 입장시간까지 시험장에 도착 후 본인 좌석에 착석

③ 시험시작 타종 후 시험실 입실 불가

④ 본인 시험장이 아닌 곳에서는 응시 불가(시험장 확인 필수)

⑤ 교실 앞쪽에 소지품 비치

> ▶ 이때 개인 통신기기 및 다기능 시계 등 모든 전자기기의 전원을 반드시 끈 상태로 가방에 넣어
> 교실 앞에 제출하도록 합니다.

⑥ 예비마킹은 중복답안으로 판독될 수 있음, 답안 카드에 낙서 및 훼손 금지

⑦ 모든 기재 및 표기사항은 "컴퓨터용 흑색 수성 사인펜"만 사용하며 올바른 표기는 "●"

> ▶ '◉', '◑', '◔' 표기 금지

⑧ 시험 직종, 시험 교시, 문제 유형, 성명, 응시번호를 정확히 기재

⑨ 응시번호 끝자리가 홀수일 경우 홀수형, 짝수일 경우 짝수형 표기

⑩ 감독관 서명란에 감독관 서명이 되어있는지 반드시 확인

신분증 인정범위	시험 중 소지 금지 물품
 ● 주민등록증 ● 운전면허증 ● 여권 ● 외국인 등록증 ● 청소년증 ● 장애인등록증/장애인복지카드 * 학생증은 신분증으로 인정 불가	● 휴대전화/스마트폰 ● 태블릿 PC ● 스마트 시계 ● 전자계산기/전자사전 ● 디지털카메라 ● PMP/MP3 플레이어 ● 다기능시계 * 적발 시 해당 시험 무효 등의 처분을 받게 됨

2 **시험 기간 중 유의사항**

① 인적사항, 문제유형 등 답안카드 기재사항을 모두 기재

② 답란에 표기하는 중 잘못 기재하였을 경우 답안카드를 교체하거나 수정테이프를 사용하여 답란 수정 가능

　　▶ 수정액이나 수정스티커는 사용 불가

③ 시험 중 답안카드를 교체해야 할 경우 조용히 손들고 답안카드 교체를 요구

④ 시험 종료 타종과 함께 답안카드를 제출해야 하기 때문에 답안카드를 교체하는 경우 답안 표기 시간이 부족할 수 있음을 유념

⑤ 시험 중 화장실 사용 불가

⑥ 시험 종료 10분 전, 5분 전에 남은 시간을 방송 또는 시험 감독관이 예고

⑦ 시험 종료 타종 후 모든 응시자는 답안카드를 작성할 수 없음

　　▶ 시험감독관에게 답안카드를 제출하지 않는 경우 해당교시 0점 처리

3 **부정행위자의 기준**

① 응시원서를 허위로 기재하거나 허위서류를 제출하여 시험에 응시한 행위

② 대리시험을 치른 행위 또는 치르게 하는 행위

③ 다른 응시자와 성명 또는 응시번호를 바꾸어 기재한 답안카드를 제출하는 행위

④ 다른 응시자와 답안카드를 교환하는 행위

⑤ 시험 중 다른 응시자와 시험과 관련된 대화를 하거나 손동작, 소리 등으로 신호를 하는 행위

⑥ 시험 중 다른 응시자의 답안 또는 문제지를 보고 자신의 답안 카드를 작성하는 행위

⑦ 시험 중 다른 응시자를 위하여 답안 등을 알려주거나 보여주는 행위

⑧ 시험장 내외의 자로부터 도움을 받아 답안카드를 작성하는 행위 및 도움을 주는 행위

⑨ 시험 전·후 또는 시험기간 중에 시험문제, 시험문제에 관한 일부내용, 답안 등을 다른 사람들에게 알려주거나 알고 시험을 치른 행위

⑩ 시험 중 시험 문제내용과 관련된 시험관련 교재 및 요약자료 등을 휴대하거나 이를 주고받는 행위

⑪ 시험 중 허용되지 않은 통신기기 및 전자기기 등을 사용하여 답안을 전송하거나 작성하는 행위

⑫ 시험 종료 후 문제지를 제출하지 않거나 일부를 훼손하여 유출하는 행위

⑬ 시행본부 또는 시험 감독관의 지시에 불응하여 시험 진행을 방해하는 행위

⑭ 그밖에 부정한 방법으로 본인 또는 다른 응시자의 시험결과에 영향을 미치는 행위

④ 응시자 준수사항 위반 기준

다음 내용에 해당하는 행위를 하는 응시자는 응시자 준수사항 위반자로 처리되오니 주의하시기 바랍니다.

① 신분증 및 응시표를 지참하지 아니한 행위

② 지정된 시간까지 지정된 시험실에 입실하지 아니한 행위

③ 시험 감독관의 본인 확인 요구에 따르지 아니한 행위

④ 시험 감독관의 승인을 얻지 아니하고 시험시간 중에 시험실에서 퇴실한 행위

⑤ 시험 감독관의 소지품 제출 요구를 거부하거나, 소지품을 지시와 달리 임의의 장소에 보관한 행위

> ▶ 시험 문제 내용과 관련된 물품의 경우 부정행위자로 처리

⑥ 시험 중 허용되지 않는 통신기기 및 전자기기 등을 지정된 장소에 보관하지 않고 휴대한 행위

▶ 타 응시자에게 방해되는 행위
- 다리를 떠는 행위
- 기지개를 크게 펴는 행위
- 볼펜을 똑딱거리는 행위

▶ 기타 응시자 유의사항
- 시험장 주변 단체응원 금지
- 시험장 내 흡연 금지
- 시험장 내 쓰레기 투기 금지

⑤ 합격 확인

① 합격확인: 국시원 홈페이지, 모바일 홈페이지, ARS

② 합격자 발표 후 휴대폰 문자메시지 일괄 발송

PART 1

진단편

진단 모의고사

본격적인 시험 준비 전, 자신의 현재 수준을
점검해보는 모의고사입니다. 자신의 강점과
약점을 진단하여 공략편에서 집중적으로
심화 학습하도록 합니다.

1교시 진단 모의고사

성인간호학

001 기출 18

페니실린을 투여 받은 환자에게서 다음과 같은 반응이 나타났다. 이때 우선적으로 투여해야 하는 약물은?

> 두드러기, 호흡곤란, 갑작스러운 혈압하강, 불규칙한 맥박, 혀 부종, 청색증, 의식수준의 저하

① 도파민
② 아트로핀
③ 스테로이드
④ 에피네프린
⑤ 항히스타민제

002

면역억제제를 투여 중인 신장이식 환자에게서 나타날 수 있는 요로감염 증상은?

① 다뇨, 혈압 하강
② 빈뇨, 체온 하강
③ 단백뇨, 혈압 상승
④ 혼탁뇨, 체온 상승
⑤ 핍뇨, 맥박수 저하

003 기출 16, 20

복부를 구타 당한 후 복강 내 출혈이 의심되는 환자에게 다음과 같은 증상이 나타났다. 의심할 수 있는 쇼크의 종류는 무엇인가?

> • BP 80/40 mmHg, PR 140회/min, RR 30회/min
> • 빠르고 얕은 호흡, 빠르고 약한 맥박
> • 청색증, 차고 축축한 피부, 소변량 감소

① 패혈성 쇼크
② 심인성 쇼크
③ 신경성 쇼크
④ 저혈량성 쇼크
⑤ 아나필락틱 쇼크

004 기출 18

강산성 물질을 섭취한 환자에게 가장 우선적인 처치는?

① 해독제를 먹는다.
② 즉시 구토하도록 한다.
③ 다량의 물을 마셔 희석한다.
④ 즉시 위산억제제를 투여한다.
⑤ 섭취한 지 2시간이 경과되었을 경우 위세척을 한다.

005 기출 18

아나필락틱 쇼크 발생 시 가장 우선적인 간호중재는 무엇인가?

① 기도 유지
② 피내반응 검사
③ 저체온증 예방
④ 산소 공급
⑤ 정맥투여로 확보

006 기출 18

무긴장성 근육반사가 나타났을 때, 이는 어떤 전해질 불균형인가?

① 고칼슘혈증
② 저칼슘혈증
③ 저칼륨혈증
④ 고칼륨혈증
⑤ 고나트륨혈증

007 기출 17

활동성 결핵이 확진된 환자에게 중재할 수 있는 간호로 옳은 것은?

① 환자를 1인실에 격리한다.
② 타인과의 접촉은 제한하지 않는다.
③ 환자의 병실에 드는 햇빛을 차단한다.
④ 환자가 사용한 휴지는 다른 폐기물들과 같이 버린다.
⑤ 간호사는 간호중재를 실시할 때 외과적 무균술을 실시한다.

008

다음의 환자에게서 확인할 수 있는 임상결과로 가장 옳은 것은 무엇인가?

회백색의 거친 피부, Hb 8.2 g/dL,
소변량 300~400 cc/day, GFR 15

① Cr 1.0 mg/dL
② K^+ 3.5 mg/dL
③ Na^+ 145 mg/dL
④ HCO_3^- 28 mmol/L
⑤ 혈중요소질소 80 mg/dL

009 기출 18

요로감염을 예방하기 위한 방법으로 옳은 것은?

① 회음부를 습하게 한다.
② 저열량 식이를 제공한다.
③ 매일 통목욕을 통해 청결을 유지한다.
④ 유치도뇨의 삽입 기간을 최소화 한다.
⑤ 하루에 1,000 ml 이하의 수분을 섭취한다.

010 기출 18

만성 신부전 환자에서 검사실 소견이 다음과 같이 나왔다. 이 환자에게 나타날 수 있는 EKG 검사 결과로 알맞은 것은?

Na^+ 140 mEq/L, HCO_3^- 26 Eq/L, Ca^{2+} 7.5 Eq/L

① ST 분절 감소
② QT 간격 연장
③ P파 약간 상승
④ 좁고 뾰족한 T파
⑤ 아래로 하강하는 U파

011 기출 18

통증조절을 위해 acetaminophen을 장기간 사용했을 시 생길 수 있는 부작용은?

① 변비
② 수면 장애
③ 호흡 장애
④ 간기능 장애
⑤ 위장관계 출혈

012

다음의 사례를 보고, 이 상황에서 내릴 수 있는 간호진단 중 우선순위가 가장 높은 것은 무엇인지 고르시오.

> 40세 남성이 응급실에 내원하였다. 대상자는 10년 동안 하루 2병 이상의 음주를 지속해왔으며, 하루 1갑 정도의 담배를 피워 왔다. 현재 대상자는 급성 위염으로 진단이 내려졌으며, 간호 사정 시 통증 점수는 7점으로 나왔다.

① 질병지식 부족
② 위장관염과 관련된 배설장애
③ 위장관염과 관련된 급성 통증
④ 위장관염과 관련된 자존감 저하
⑤ 위장관염과 관련된 자가간호결핍

013 기출 18

식도암 수술을 받은 환자의 수술 후 간호중재로 옳은 것은?

① 머리를 45° 올려준다.
② 매일 목소리를 확인한다.
③ 드레싱을 1~2일 유지한다.
④ 1~2일간 구강간호를 금지한다.
⑤ 구개반사가 돌아오면 구강으로 수분 섭취한다.

014 기출 18, 19

편도절제술 환자에게 아트로핀(atropine)을 투여하는 이유로 가장 적절한 것은?

① 출혈예방
② 분비물 감소
③ 위장관 운동저하
④ 수술 후 통증 감소
⑤ 마취 후 빠른 회복

015 기출 18

말기 암환자의 신경절제술 후 주의하여야 할 증상으로 가장 적절한 것은?

① 낙상에 주의한다.
② 전신쇠약감이 나타난다.
③ 통증의 역치가 높아진다.
④ 온감을 못 느끼므로 감각이상에 주의한다.
⑤ 감각을 느끼지 못하므로 활동에 제약이 없어진다.

016 기출 16, 17, 18, 19

전체 위절제술을 받은 환자가 식사 후 어지러움, 빈맥, 심계항진을 보인다. 취해줄 수 있는 간호중재로 옳은 것은?

① 식사 후 앉아 있도록 한다.
② 물을 많이 섭취하도록 한다.
③ 식사 후 운동을 하도록 한다.
④ 농축된 당을 섭취하도록 한다.
⑤ 음식을 소량씩 자주 섭취하도록 한다.

017 기출 16, 18

급성 담낭염 통증의 특징은?

① 호기 시 악화된다.
② 하복부로 방사된다.
③ 우상복부에 나타난다.
④ 음식 섭취 시 완화된다.
⑤ 심하지 않은 통증이 잠깐 나타났다 완화된다.

018 기출 18, 20

고삼투압성 비케톤산증 혼수의 특징으로 알맞은 것은?

① 부종
② 서맥
③ 고혈당
④ 고혈압
⑤ 아세톤 냄새가 나는 호흡

019

인슐린 요법 중인 환자를 간호할 때 주의 깊게 관찰하여야 할 증상은?

① 서맥
② 떨림
③ 갈증
④ 빈호흡
⑤ 호흡 시 과일향이 남

020 기출 18, 21

크론병에 비해 궤양성대장염에서만 나타나는 특징적인 증상은?

① 혈변
② 설사
③ 발열
④ 복부통증
⑤ 체중감소

021 기출 16, 17, 18, 21

활동성 B형 간염 환자 간호로 가장 알맞은 것은?

① 항상 마스크를 착용한다.
② 환자를 1인실에 격리한다.
③ 사용한 바늘은 뚜껑을 닫아서 폐기한다.
④ 칫솔, 면도기 등의 개인용품은 멸균해서 사용한다.
⑤ 환자의 체액, 혈액을 다룰 시에는 장갑을 착용한다.

022 기출 18

담낭절제술을 받은 환자에게 교육할 내용으로 가장 옳은 것은?

① 알코올 섭취는 가능하다.
② 수술 후 일반식은 불가하다.
③ 오심이 나타날 경우 물을 마신다.
④ 통증 발생 시 morphine을 사용한다.
⑤ 담낭염 수술 후 저지방식이를 시행한다.

023 기출 18

35세 남자 환자가 상복부 둔한통증, 가슴앓이, 신물이 넘어온다고 호소하였다. 이 환자에게 최우선으로 중재해야 하는 간호는?

① 제산제를 투여한다.
② 카페인 섭취를 권장한다.
③ NSAIDs 약물로 통증을 조절한다.
④ 헬리코박터 파일로리 균 검사를 시행한다.
⑤ 흡연 습관을 그대로 유지해도 좋다고 한다.

024 기출 18

다음 중 척수마취의 부작용으로 인해 나타나는 증상으로 옳은 것은?

① 빈맥
② 저혈압
③ 호흡과다
④ 체온상승
⑤ 중심정맥압 상승

025 기출 17, 20

만성폐쇄성 폐질환 환자에게 퇴원 시 자가간호를 교육하였을 때, 재교육이 필요한 것으로 보이는 환자의 반응으로 가장 적절한 것은?

① "비강캐뉼라 사용 시 5 L/min으로 설정해야겠군요."
② "충분한 수분섭취를 해야겠군요."
③ "금연을 위하여 니코틴패치를 붙여야겠군요."
④ "일상생활 시 중간에 휴식을 취해야 하겠군요."
⑤ "입을 오므리고 하는 호흡을 자주 해야겠군요."

026 기출 16, 18, 19, 20

다음은 급성 호흡곤란증후군 환자의 ABGA 검사 결과이다. 결과를 알맞게 해석한 것은 무엇인가?

pH 7.32	PaO_2 60 mmHg
PCO2 60 mmHg	HCO_3^- 26 mEg/L

① 정상
② 호흡성 산증
③ 대사성 산증
④ 호흡성 알칼리증
⑤ 대사성 알칼리증

027

신장 결석 발생 후의 권장식이로 옳은 것은?

① 염분 섭취
② 우유 섭취
③ 비타민 D 섭취
④ 고퓨린 식품 섭취
⑤ 수분 3 L 이상 섭취

028

경요도 전립선절제술 후 방광세척 간호로 옳은 것은?

① 냉찜질을 한다.
② 자가도뇨를 하도록 한다.
③ 멸균증류수로 세척한다.
④ 하루에 한 번만 세척한다.
⑤ 배액관을 잠그고 세척한다.

029 기출 21

메니에르병 환자가 퇴원 교육을 받는다. 적절할 반응은 무엇인가?

① "이명은 원래 이병과 관계가 없대요."
② "귀점적약은 차갑게 두어야 한대요."
③ "귀를 물로 닦으면 가렵지 않대요."
④ "갑자기 어지러우면 서서 균형을 잡으면 됩니다."
⑤ "현기증을 유발하는 동작을 여러 번 반복연습해봐야 합니다."

030 기출 18

통풍 환자에게 권장할 수 있는 식이로 가장 적절한 것은?

① 곱창
② 우유
③ 멸치
④ 갈비탕
⑤ 고등어

031 기출 18

골관절염 환자에게 나타나는 특징적인 징후는?

① 발열
② 부종
③ 강직 증상
④ 해버딘 결절
⑤ 휴식 시 통증악화

032 기출 16, 18

대퇴골절 치환술을 받은 환자의 보조기 탈구 보호를 위해 알맞은 간호중재는?

① 다리를 꼬고 앉는다.
② 낮은 의자에 앉게 한다.
③ 대퇴관절의 신체선열을 유지한다.
④ 대퇴관절을 내회전 상태로 유지한다.
⑤ 보조기 아래 두 다리를 20~40° 정도 교차한다.

033

대퇴골절로 내고정술을 받은 환자에게 알맞은 간호중재는?

① 조기이상 제한
② 대퇴사두근 운동
③ 대퇴관절의 굴곡 유지
④ 대퇴골절의 외회전 유지
⑤ 대퇴골절의 내회전 유지

034

하지절단술을 받은 환자의 재활훈련을 위해 가장 우선적으로 해야 할 중재는?

① 목발보행 연습
② 사두근 근육강화
③ 의족을 착용하고 천천히 걷는 연습
④ 보조기를 통해 의족을 착용하고 걷는 연습
⑤ 의족을 착용하고 평지에서 균형 잡는 연습

035 기출 18, 20

다음의 대상자에게 우선적으로 중재해야 할 문제로 가장 적절한 것은?

- 독거노인
- 식욕부진, 과도한 음주
- T score − 3.5점

① 불안
② 감염위험성
③ 피부통합성 장애
④ 사회적 상호작용 감소
⑤ 식욕부진으로 인한 영양부족 위험성

036 기출 18, 19

심부전 환자에 ACE inhibitor를 주었을 때 일어날 수 있는 부작용은?

① 혈당 상승
② 체온 상승
③ 칼륨 저하
④ 혈압 저하
⑤ 맥박 저하

037 기출 18, 21

다음은 ECG 결과이다. 이 환자의 진단명으로 옳은 것은?

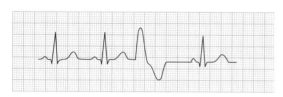

① 심방조동
② 심방세동
③ 심실조동
④ 심실세동
⑤ 조기심실수축

038 기출 18

심부정맥혈전증을 진단하기 위한 검사로 알맞은 것은?

① Tinel 검사
② Allen 검사
③ Romberg 검사
④ Homan's sign 검사
⑤ Trendelenburg 검사

039 기출 18

불안정형 협심증의 증상으로 알맞은 것은?

① 고열
② CK-MB 상승
③ 적혈구침강속도 증가
④ 안정 시에도 통증 지속
⑤ ST 분절의 상승이 나타남

040

교감신경 작용을 차단하여 심근수축력을 감소시키고 심근의 산소요구를 감소시키는 약물로 가장 적절한 것은?

① 아스피린(Aspirin)
② 모르핀(Morphine)
③ 아테놀올(Atenolol)
④ 베라파밀(Verapamil)
⑤ 니트로글리세린(Nitroglycerin)

041 기출 18

인공 심박동기를 삽입한 환자 간호로 가장 옳은 것은?

① 항공기 여행은 금지된다.
② 컴퓨터단층촬영(CT)은 금지된다.
③ 고압전류나 자기장에 의해 고장이 날 수 있다.
④ 어지러움이나 두근거림 등이 나타날 수 있으나 정상이다.
⑤ 맥박수가 인공심박동기에 설정된 값보다 적어야 정상이다.

042 기출 18, 21

심낭 압전의 증상이나 증후로 가장 적절한 것은?

① 혈압 상승
② 기이맥 출현
③ 경정맥압 감소
④ 심박출량 증가
⑤ 심낭마찰음 증가

043 기출 16, 18

Furosemide (Lasix)를 울혈성 심장 환자에게 투여하는 이유로 가장 적절한 것은?

① 혈관 수축
② 통증 감소
③ 전부하 감소
④ 후부하 감소
⑤ 심근수축력 증가

044

관상동맥우회술을 시행한 환자가 회복 중이다. 가장 주의 깊게 살펴봐야 할 사항은?

① 체온 36.1℃
② 소변량 50 ml/시간
③ 혈중 칼륨 4.2 mEq/L
④ 중심정맥압 10 mmHg
⑤ 흉관 배액량 180 ml/시간

045 기출 16, 18

폐쇄성 하지동맥질환자의 증상으로 옳은 것은 무엇인가?

① 다리에 열감이 있다.
② 양측성으로 통증이 나타난다.
③ 구불구불한 혈관이 나타난다.
④ 운동 시 증가되는 통증이 나타난다.
⑤ 다리를 올리면 감소되는 통증이 나타난다.

046 기출 17, 18

대퇴혈전성 정맥염 환자에게 마사지를 금하는 이유로 가장 적절한 것은 무엇인가?

① 출혈 예방
② 감염 예방
③ 통증 예방
④ 염증 예방
⑤ 색전증 예방

047 기출 18

내인자 부족으로 인한 거대적아구성 빈혈의 위험성이 높은 사람은?

① 연년생을 출산한 여성
② 다이어트를 하는 젊은 여성
③ 전체위절제술을 받은 환자
④ 조혈모세포를 이식받은 사람
⑤ 3개월 이상의 만성염증성 질환을 가진 사람

048 기출 18

악성빈혈 환자에게 시아노코발라민(cyanocobalamin, Vit. B$_{12}$)을 투여하는 이유는?

① 적혈구 증가
② 호중구 감소
③ 혈소판 증가
④ 골수모세포 증가
⑤ 응고인자 IX 증가

049 기출 16

호지킨병의 증상으로 옳은 것은?

① 발열
② 고혈압
③ 반상출혈
④ 심한 골통증
⑤ 급격한 무통성 림프절 비대

050 기출 18

조혈모세포 이식을 준비하는 대상자에게 부작용을 예방하기 위한 목적으로 이식 전에 실시하는 검사는?

① 전혈검사
② Coomb's test
③ Schilling test
④ 응고인자 분석 검사
⑤ 조직적합성 항원(HLA) A,B,C 검사

051 기출 16, 18, 19, 20

다음은 대상자의 ABGA 검사 결과이다. 어떤 상태를 예측할 수 있는가?

> pH 7.30 PaCO$_2$ 40.0 mmHg HCO$_3^-$ 18.0 mEq/L

① 정상
② 호흡성 산증
③ 대사성 산증
④ 호흡성 알칼리증
⑤ 대사성 알칼리증

052

인공호흡기를 적용한 환자가 객담이 섞인 기침을 할 때 고압 알람이 울린다면 적절한 중재로 어느 것이 좋겠는가?

① 호흡 모드를 변경한다.
② 흡인 간호를 실시한다.
③ 인공호흡기를 제거한다.
④ 인공호흡기의 압력범위를 재설정한다.
⑤ 인공호흡기 이탈(weaning)을 시도한다.

053 기출 17, 19, 21

수술 후 환자의 상태가 다음과 같을 때 우선적으로 중재해야 하는 것은?

> 구토 중이며 피부는 축축하고 차가움
> BP 90/60m mHg, 산소포화도 88%, 기면상태이며,
> 소변량 감소하고 있음

① 수액을 주입한다.
② 의식 수준을 사정한다.
③ 환자를 측위로 눕힌다.
④ 유치도뇨관을 삽입한다.
⑤ 호흡 상태를 사정하고 호흡이 원활하게 이루어지도록 한다.

054 기출 18

만성 기관지염 환자에게서 다량의 객담과 저산소혈증을 발생시키는 기전은?

① 기관지의 팽창
② 기관지의 수분화
③ 기도의 점액 감소
④ 폐포의 대식세포 활성화
⑤ 점액으로 인한 세기관지 폐쇄

055

다음 증상을 보이는 폐 농양 환자에게 내릴 진단으로 적절한 것은?

> 체온 37 ℃, spO₂ 88%, 청진 시 수포음, 화농성 객담

① 감염과 관련된 고체온
② 호흡곤란과 관련된 불안
③ 지식부족과 관련된 자가간호결핍
④ 부적절한 섭취와 관련된 영양결핍
⑤ 객담으로 인한 비효율적 기도청결

056 기출 18

폐렴으로 인하여 오른쪽 폐에 농양이 생겨 흉막삼출이 있는 환자가 보일 수 있는 증상으로 옳은 것은?

① 흉부 호흡음의 감소
② 이환된 부위 폐 허탈
③ 흡기 시 완화되는 통증
④ 흉부 청진 시 들리는 천명음
⑤ 흉곽을 타진했을 때 과공명음

057 기출 16, 18, 19, 20

만성 폐쇄성 폐질환(COPD)로 입원 중인 80세 남자 노인 환자가 호흡곤란을 호소하면서 누렇고 끈적끈적한 객담을 뱉어내고 있다. 환자의 동맥혈 가스분석검사(ABGA) 결과는 아래와 같았다. 이때 간호사가 시행해야 하는 중재에 해당되지 <u>않는</u> 것은?

> pH 7.25   PaCO₂ 50.0 mmHg   HCO₃⁻ 22.0 mEq/L

① 체위배액을 실시한다.
② 가습기를 적용시킨다.
③ 분당 10 L의 산소를 공급한다.
④ 반좌위를 취하여 휴식하도록 한다.
⑤ 수분을 하루 2~3 L 정도 섭취하게 한다.

058 기출 20

장루가 있는 환자에게 해야 할 퇴원교육 내용은?

① 수영은 금해야 한다.
② 수분섭취를 제한한다.
③ 장루 배액주머니는 1/2 이상 차기 전에 배액한다.
④ 음료 섭취 시 빨대를 사용하도록 한다.
⑤ 양파, 달걀 등의 식품 섭취는 주의한다.

059

알츠하이머 환자에 대한 퇴원 교육 후, 보호자들의 적절한 반응은?

① "여러가지 자극을 주는 게 좋대요."
② "구체적으로 자세하게 설명해 주는 게 필요하지요."
③ "어두울 때 혼자 있도록 배려해 주겠습니다."
④ "자주 잊어버리는 일에 대해서는 이야기하지 않겠어요."
⑤ "기억을 잃어버리거나 혼란스러워 할 때는 함께 있을게요."

060

75세 노인이 갑자기 소란스럽게 할 때 간호사가 보일 가장 적절한 반응은 무엇인가?

① 진정제를 투여한다.

② 억제대로 진정시킨다.

③ 진정을 위해 1인실을 격리시킨다.

④ 소란을 피우면 안 된다고 단호하게 말한다.

⑤ 배회하는 경우 배회할 수 있도록 두고 안전의 위험이 있는지 지켜본다.

061

입원한지 이틀된 81세 여성 노인 대상자가 수술을 받은 후 간호사에게 본인의 딸이라고 할 때 간호사의 반응으로 가장 알맞은 것은?

① 안정을 위해 조명을 어둡게 한다.

② 딸이 아니라고 명확하게 알려준다.

③ 억제대를 사용하여 침상안정시킨다.

④ 치매 증상일 수 있으므로 신경과에 의뢰한다.

⑤ 섬망 증상을 확인하고 신체손상 위험성을 사정한다.

062 기출 18

노인 대상자에게서 나타날 수 있는 알츠하이머병 초기 증상은 무엇인가?

① 언어장애

② 수면장애

③ 인지력 감소

④ 기억력 저하

⑤ 지남력 상실

063 기출 20

약한 마비 증세와 함께 의식을 잃어 응급실로 내원한 대상자가 있는데, 4시간 후 증상이 사라졌다. 이 대상자에게 간호사가 할 수 있는 말로 가장 옳은 것은?

① "비가역적 장애가 올 수 있습니다."

② "뇌졸중 검사를 받아보아야 합니다."

③ "당장 수술해야 하는 문제입니다."

④ "격한 운동을 하시는 것이 좋습니다."

⑤ "잠깐 나타날 수 있는 증상으로 정상입니다."

064

형광투시경을 이용하여 뇌혈관의 순환상태를 확인하고 경색, 출혈 부위를 확인할 수 있는 검사는?

① 척수 조영술

② 자기공명영상

③ 방사선 촬영술

④ 뇌혈관 조영술

⑤ 초음파 뇌 촬영술

065

뇌막염이 있는 환자에게 우선적으로 취해야 할 간호중재는?

① 수액을 공급한다.

② 조명을 밝게 유지한다.

③ 경련 여부를 사정한다.

④ 처방된 항생제를 투여한다.

⑤ 체위 변경 시 머리와 목의 강직에 주의한다.

066 기출 16, 17, 18, 20

다음의 증상을 보이는 환자에서 예상할 수 있는 질환은?

- 얼굴의 감각이 둔화되어 있다.
- 혀 전면 2/3의 감각이 감소되어 있다.
- 눈이 잘 감기지 않고 각막이 건조하다.

① 삼차신경통
② 안면신경 마비
③ 말초신경 손상
④ 두개내압 상승
⑤ 강직 간대성 발작

067 기출 18

일차성 갑상샘 기능저하증 환자의 혈액검사 수치로 알맞은 것은?

① T3 상승
② T4 상승
③ 칼슘 증가
④ 유리 T4 상승
⑤ 갑상샘자극호르몬(TSH) 상승

068 기출 18, 21

외상성 뇌손상 환자에게 항이뇨호르몬 부적절증후군(SIADH)이 의심되어 검사한 결과, 시간당 소변량은 25 ml/hr, 혈중 나트륨 농도는 118 mEq/L, 요비중은 1.050이었다. 환자에게 요구되는 간호중재로 가장 적절한 것은?

① 탈수증상을 사정한다.
② 정맥주입을 시작한다.
③ 수분섭취량을 증가시킨다.
④ 신경학적 증상을 사정한다.
⑤ 데스모프레신(desmopressin)을 피하주사 한다.

069 기출 18

양측 부신절제술 후 스테로이드 요법을 처방받아 퇴원하는 환자에게 적절한 교육내용은?

① "취침 전에 스테로이드를 투약하면 됩니다."
② "감기나 감염성 질환자와의 접촉을 피합니다."
③ "증상이 완화되면 하루에 1회만 투여해도 됩니다."
④ "스테로이드 제제를 평생 투여할 필요는 없습니다."
⑤ "스트레스가 생길 시 스테로이드 제제를 감량합니다."

070 기출 15, 18

고혈압성 망막증 환자가 갑자기 눈앞이 번쩍거리고 커튼이 쳐진 것 같다고 호소할 때 예상되는 질환은?

① 녹내장
② 백내장
③ 망막박리
④ 포도막염
⑤ 전방출혈

여성건강간호학

071 기출 18, 19, 20

여성건강간호학의 관리의 목적으로 옳은 것은?

① 성과 관련한 위험요인
② 임산부와 태아의 건강관리
③ 생애주기별 총체적인 건강관리
④ 가족이 아닌 여성 개인의 건강 유지
⑤ 초경에서부터 폐경까지 단계에 있는 여성 건강관리

072 기출 18

초경 후 원발성 월경통으로 인해 일상생활이 어려운 여학생이 경구피임약을 처방받았다. 여학생이 경구피임약의 처방목적에 대해 질문하였을 때, 간호사의 대답으로 적절한 것은?

① "임신을 예방하기 위함입니다."
② "월경통을 완화하기 위함입니다."
③ "자궁내막암을 방지하기 위함입니다."
④ "질 분비물을 감소시키기 위함입니다."
⑤ "자궁 내 염증을 감소시키기 위함입니다."

073 기출 17, 18, 21

18세 여자가 월경 시작 며칠 전부터 유방팽만, 체중증가, 부종, 집중력 저하 등이 있다가 월경이 시작되면 증상이 사라지는 양상이 주기적으로 반복된다고 한다. 증상 완화를 위한 권장식이는?

① 저염식이
② 수분섭취제한 식이
③ 저단백식이
④ 고칼로리 식이
⑤ 고탄수화물식이

074 기출 19, 20

자궁경부암 진단 검사 시 편평원주상피세포 접합 부위의 세포를 면봉으로 채취하여 형태를 관찰하는 검사는?

① 조직생검
② 쉴러검사
③ Pap smear
④ 질확대경 검사
⑤ 원추절제술

075 기출 18

기초체온 측정법에서 배란기의 체온 변화 양상으로 옳은 것은 무엇인가?

① 별다른 변화 없다.
② 약간 하강 후 상승한다.
③ 급격히 하강 후 상승한다.
④ 급격히 하강 후 지속된다.
⑤ 급격히 상승 후 하강한다.

076 기출 18, 20, 21

48세 여성이 월경주기가 짧아져서 부인과에 내원하여 호르몬 검사를 받았다. 폐경이 가까워졌음을 예측할 수 있는 혈액학적 소견은?

	난포자극호르몬	에스트로겐
①	변화 없음	변화 없음
②	증가	증가
③	감소	감소
④	감소	증가
⑤	증가	감소

077 기출 13, 14

43세 여성에게 자궁내막 선암이 발견되었다. 이에 대한 설명으로 옳은 것은?

① 폐경 후 질출혈이 나타난다.
② Pap-smear를 통해 확진된다.
③ 자궁내막 표면에만 국한된다.
④ 혈성의 대하가 옅은 색의 대하로 변한다.
⑤ 장기간 에스트로겐에 의한 자극은 위험요인이다.

078 기출 18, 21

사람유두종바이러스(HPV)가 원인이 되어 발생하는 감염성 질환은?

① 매독
② 음부포진
③ 연성하감
④ 첨형 콘딜로마
⑤ 트리코모나스 질염

079 기출 18, 20, 21

월경이 규칙적이던 48세 여자가 자궁내막근종으로 인하여 자궁출혈과 통증이 심하여 전자궁절제술을 받았다. 수술 직후 간호로 옳은 것은?

① 일반식이를 제공한다.
② 유치도뇨관을 제거한다.
③ 절대안정을 취하게 한다.
④ 활력징후는 2시간마다 측정한다.
⑤ 수술 부위의 출혈 정도를 관찰한다.

080 기출 16, 18, 20, 21

38세 여자가 산부인과 외래를 방문하여 자궁내막증을 진단받은 후 치료를 받을 예정이다. 이 질환의 주증상은?

① 월경곤란증
② 골다공증
③ 무월경
④ 소양증
⑤ 질건조증

081 기출 18, 20

산과력 G1/P0인 32주 산모의 자궁저부를 촉진하였더니 자궁저부가 검상돌기에 위치하고 있음이 확인되었다. 이는 무엇을 의미하는 것인가?

① 산모가 비만인 상태이다.
② 자궁 크기가 작은 편이다.
③ 자궁이 정상적인 크기이다.
④ 자궁이 비정상적으로 커져 있다.
⑤ 자궁의 수축이 잘 이루어지고 있다.

082 기출 16, 21

35세인 난임여성에서 배란과 내막에서의 수정란의 착상이 잘 이루어질지에 대해 알아보기 위해 자궁내막검사가 예정되어 있는 상태이다. 대상자의 월경주기가 28일이라면, 검사 시기는 언제가 좋다고 교육하는 것이 적절한가?

① 월경 시
② 배란 시
③ 월경 직후
④ 배란 직후
⑤ 월경 전 2~3일

083 기출 18, 20

임신에 따른 생리적 변화로 옳은 것은?

① 질 분비물이 감소한다.
② 자궁 경관에 Goodell's sign이 나타난다.
③ 자궁 경부는 혈류가 증가하여 단단해진다.
④ 에스트로겐의 영향으로 글리코겐이 감소한다.
⑤ 규칙적으로 Braxton-Hick's 수축이 나타난다.

084 기출 16, 21

임신 중 검사와 검사에 대한 목적이 바르게 연결된 것은?

① 베타 hCG검사 – 태아의 계면활성제 확인
② 알파태아단백 – 태아의 신경관결함 확인
③ 융모막융모생검 – 태아의 심장구조 확인
④ 파파니콜로검사 – 모체의 자궁내막암 병기 확인
⑤ 매독혈청검사 – 모체의 사람면역결핍바이러스
　　　　　　　　　　감염 확인

085 기출 16, 17, 18, 20

다음 그림으로 보아, 태아의 태향은 무엇인가?

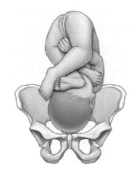

① OP (후방후두위)　　② LOP (좌후방두정위)
③ ROP (우후방두정위)　④ LOA (좌전방두정위)
⑤ ROA (우전방두정위)

086 기출 14, 18

태아건강사정을 위한 생체 물리학적 계수(biophysical profile)에서 무자극검사(non stress test)를 통해 알 수 있는 것은?

① 태동　　　　　　② 양수량 측정
③ 태아 긴장도　　　④ 태아 심박수
⑤ 태아 호흡운동

087 기출 14, 17, 18, 20

Leopold 촉진법 시 3단계에서 확인할 수 있는 것은 무엇인가?

① 태아의 등
② 태아의 크기
③ 태아의 사지
④ 아두의 선진부 진입
⑤ 자궁저부에서의 둔부 촉진

088 기출 12, 18

임신 16주인 여성의 오심, 구토를 호소하고 암적색의 질 출혈이 있어 내원하였다. 검사 결과 ß−hCG가 정상보다 증가하였고, 자궁저부는 배꼽 위에 위치하였다. 이 여성의 상태로 옳은 것은?

① 자연유산
② 포상기태
③ 전치태반
④ 태반조기박리
⑤ 자궁경관무력증

089 기출 16, 17

임신 33주 된 임부가 혈압 160/100 mmHg, 부종, 두통, 흐릿한 시야, 심와부 통증이 있어 $MgSO_4$를 투여받고 있다. 임부가 약물 투여의 목적을 질문할 때 간호사의 설명으로 옳은 것은?

① "응급수술을 준비하기 위한 것입니다."
② "양막파열을 예방하기 위한 것입니다."
③ "변비를 예방하기 위한 것입니다."
④ "경련을 예방하기 위한 것입니다."
⑤ "전치태반을 예방하기 위한 것입니다."

090 기출 18, 19, 20

산모 A씨는 임신 18주에 임신성 당뇨병 진단을 받았으며, 인슐린은 처방받지 않아 왔다. 산모가 임신 28주차에 내원하여 검사한 결과, 공복 혈당 100, 식후 2시간 혈당 110으로 확인되었다. A씨에 대한 가장 적절한 중재는 무엇인가?

① 인슐린 투약
② 4주 후에 재검사
③ 당뇨식이 재교육
④ 고강도 운동 증가
⑤ 경구 혈당강하제 투약

091 기출 14, 18

임신 35주의 산모 A씨에게 NST를 실시하였다. 태아 심음이 기저면 이상으로 15회 상승하여 15초 지속됨이 20분 동안 3회 나타났다. 결과의 해석으로 올바른 것은?

① 정상 결과이다.
② 응급분만을 시행한다.
③ 청각자극검사를 실시한다.
④ 자궁수축검사를 실시한다.
⑤ NST 검사를 추후에 다시 실시한다.

092 기출 18

진입(engagement)의 올바른 뜻은?

① 대횡경선이 골반입구 통과
② 후두가 치골결합 하단에 닿음
③ 태아가 골반 입구를 지나 골반 출구를 향하여 내려감
④ 시상봉합이 골반 출구의 전후경선에 일치하도록 회전됨
⑤ 태아가 골반강을 통과하는 과정에서 머리의 앞뒤 직경이 대치됨

093 기출 16, 18, 20

산모의 자궁수축을 평가할 때 자궁저부를 촉진하는 이유는?

① 태위를 사정할 수 있기 때문이다.
② 자궁저부 쪽 피부가 가장 얇기 때문이다.
③ 수축이 가장 강하게 일어나는 부위이기 때문이다.
④ 산모의 불편감을 가장 덜 주는 부위이기 때문이다.
⑤ 자궁경부 근육의 말단이 자궁저부에 위치해 있기 때문이다.

094 기출 16, 18

산모에서 니트라진 검사 결과가 청록색으로 나타났을 경우 가장 먼저 수행해야 하는 중재는?

① 정상이다.
② 관장을 시행한다.
③ 항생제를 투여한다.
④ 유도분만을 시행한다.
⑤ 태아심박동수를 검사한다.

095

초산부 A씨는 12시간 동안 규칙적인 자궁수축을 보인 이후 갑자기 통증이 너무 심해 더 이상 못 참겠다고 말하며 대변이 마려움을 호소하였다. 올바른 간호중재는?

① 걷게 한다.
② 제왕절개를 실시한다.
③ 회음절개술을 시행한다.
④ 침상에 대변기를 대어준다.
⑤ 선진부 하강 정도를 확인한다.

096 기출 16, 18, 19, 20

고긴장성 자궁수축 산모에게 관찰되는 증상으로 가장 적절한 것은?

① 수축기압은 정상이다.
② 자궁 수축 시 통증이 없다.
③ 자궁 수축 시 저부는 부드럽다.
④ 이완기 자궁내압이 10 mmHg이다.
⑤ 수축과 수축 사이에 자궁이 완전히 이완되지 않는다.

097 기출 18

분만 중 태아 심음이 '100~110회/분'으로 확인되어 산모 A씨에게 산소를 1분당 10 L를 투여하기로 했다. A씨가 산소 투여에 대한 이유를 물어봤을 때 간호사의 알맞은 대답은 무엇인가?

① "통증을 완화하기 위함입니다."
② "분만을 빠르게 하기 위함입니다."
③ "제대압박을 완화하기 위함입니다."
④ "하대정맥의 압박을 완화하기 위함입니다."
⑤ "태아에게 산소포화도 높은 혈액을 제공하기 위함입니다."

098 기출 18

제대탈출이 의심될 때 알맞은 체위는?

① 복위
② 측위
③ 쇄석위
④ 슬흉위
⑤ 반좌위

099 기출 20

임신 30주인 조기진통(preterm labor) 산모에게 코르티코스테로이드(corticosteroid)를 처방하였다. 산모에게 이 약물을 투여하는 이유로 가장 적절한 것은?

① 통증 완화
② 자궁근 이완
③ 조기진통 억제
④ 자궁경부 개대
⑤ 태아 폐 성숙 촉진

100 기출 16, 18

질 분만 후 경산부의 자궁 높이가 정상보다 높고 자궁저부는 물렁하게 촉진되었다. 이에 대한 가장 적절한 간호중재는 무엇인가?

① 좌욕
② 자궁 마사지
③ 회음부 간호
④ 모유수유 금지
⑤ 충분한 수분섭취

101 기출 10, 14, 15

모유수유 교육 내용으로 옳은 것은?

① 유두균열 시 모유수유를 중단한다.
② 당뇨병 산모는 모유수유를 제한한다.
③ 냉동된 모유는 전자레인지로 해동한다.
④ 유방울혈을 예방하기 위해 수유를 자주 해준다.
⑤ 비수유부보다 1일 1,500 kcal를 더 섭취해야 한다.

102 기출 13, 15, 18

질 분만으로 태아를 출산한 산모를 위한 퇴원 교육으로 옳은 것은?

① 산후 우울감은 비정상으로 간주한다.
② 산후 운동은 보통 2주째부터 시작한다.
③ 모유수유 시 월경은 2개월 후에 정상복귀된다.
④ 적색오로가 나올 시에는 통목욕을 할 수 있다.
⑤ 산후 2주째 복벽에서 자궁이 만져지면 안 된다.

103 기출 16, 18

다태아 분만 후 조기출혈의 주된 원인으로 옳은 것은?

① 열상
② 응고장애
③ 자궁이완
④ 잔류태반
⑤ 자궁내번증

104 기출 17, 20

산모가 왼쪽 다리의 통증과 부종을 호소하여 신체사정을 한 결과 호만 징후가 양성이었다. 간호중재로 옳은 것은?

① 옥시토신을 투여한다.
② 걷기 운동을 권장한다.
③ 통증 부위를 마사지한다.
④ 침상안정을 취하도록 한다.
⑤ 이환된 다리를 침대 아래로 내린다.

105 기출 15, 16, 18

질 분만 후 3일째에 체온이 38.5 ℃이고, 하복부 통증과 함께 악취가 나는 질 분비물이 나타날 때 알맞은 간호중재는?

① 절대안정
② 좌욕 금지
③ 파울러 체위
④ 수분섭취 제한
⑤ 유치도뇨관 삽입

2교시 진단 모의고사

아동간호학

001 기출 15, 20, 21

9세 아동에서 볼 수 있는 성장통의 특성은?

① 전신적으로 나타난다.
② 휴식을 취하면 사라진다.
③ 오후보다 아침에 심하다.
④ 시간이 갈수록 악화된다.
⑤ 신체활동과 관련이 없다.

002 기출 16, 21

에릭슨의 심리사회발달이론에서 학령기에 획득되어야 할 발달과업은?

① 신뢰성
② 자율성
③ 주도성
④ 근면성
⑤ 자아정체

003 기출 21

4세 아동이 가위로 종이를 자르면서 '종이가 아파할 것 같아'라고 생각하는 사고의 특성은?

① 물활론
② 중심화
③ 보존개념
④ 비가역성
⑤ 자기중심적 사고

004 기출 16, 17, 18, 21

3개월된 신생아가 안정된 상태에서 한쪽으로 목을 돌릴 때 나타나는 반응으로 옳은 것은?

① 팔의 신전과 머리를 드는 반응을 나타낸다.
② 발바닥에 자극을 주면 발끝을 발등 쪽으로 뻗는다.
③ 발에 자극을 주면 한 발을 올리고 다른 발을 내린다.
④ 머리를 돌린 쪽의 사지는 펴지고 반대쪽은 굴곡된다.
⑤ 상박을 3분간 강하게 압박하면 손목에 경련이 일어난다.

005 기출 16, 21

5세 아동이 말을 머뭇거리거나 더듬고 말끝을 흐릴 때 부모의 적절한 반응은?

① 정확하게 말하게 한다.
② 더듬을 때마다 꾸중한다.
③ 다시 말해보라고 다그친다.
④ 아동이 말을 더듬을 때마다 중단시킨다.
⑤ 아동이 말할 때까지 충분히 기다려 준다.

006 기출 15, 19, 20

소아과 외래를 방문한 12개월 영아의 부모가 "혼자 설수 있으나 혼자서 몇 발자국만 뗄 수 있을 뿐 잘 걷지는 못해요"라며 걱정하고 있다. 간호사의 답변으로 적절한 것은?

① "정상 소견입니다."

② "매일 앉기 연습을 시켜보세요."

③ "발달검사와 신경학적 검사를 받아보세요."

④ "아기는 12개월이 지나야 앉을 수 있습니다."

⑤ "아기마다 조금씩 차이가 있으니 좀 더 기다려보세요."

007 기출 21

신생아의 코와 이마에 좁쌀종(milia)이 생겼을 때 부모교육으로 옳은 것은?

① "피부과 진료가 즉시 필요합니다."

② "알칼리 비누로 깨끗이 씻어야 합니다."

③ "수주 내에 자연 소실됩니다."

④ "매일 알코올 스펀지로 소독해야 합니다."

⑤ "정밀 검사 후 결과를 알려드리겠습니다."

008 기출 19

5개월 영아가 침을 흘리고 보채며 무엇이든 입에 넣고 깨물려고 한다고 부모가 걱정할 때 간호사의 답변으로 적절한 것은?

① "치과 치료를 받아보세요."

② "딱딱한 막대 사탕을 물려주세요."

③ "보챌 때마다 엄마 젖을 물리세요."

④ "거즈로 싼 얼음을 잇몸에 대주세요."

⑤ "아스피린을 갈아서 먹이세요."

009 기출 17, 21

신생아는 음순비대와 가월경이라고 불리는 점액상의 질 분비물이 나타나며 가성월경이라고 불린다. 이와 관련된 어머니의 호르몬은?

① 인슐린

② 안드로젠

③ 에스트로젠

④ 항이뇨호르몬

⑤ 부갑상선호르몬

010 기출 20

6개월 영아에게 b형 헤모필루스 인플루엔자(Hib) 백신을 근육주사하는 방법은?

① 무릎을 잡고 외측광근에 주사한다.

② 측위로 눕혀 복측둔근에 주사한다.

③ 복위로 눕혀 배측둔근에 주사한다.

④ 어깨를 노출시켜 삼각근에 주사한다.

⑤ 바늘을 90°로 하여 내측광근에 주사한다.

011 기출 15, 16, 17, 18, 19, 21

유아가 지시받는 것을 싫어하고 "안 해.", "싫어."로 반응한다며 어머니가 이러한 행동의 이유를 물어볼 때 간호사의 설명으로 옳은 것은?

① "신뢰성이 발달하는 과정입니다."

② "자율성이 발달하는 과정입니다."

③ "부모의 관심 부족이 원인입니다."

④ "편하고 안전하게 느끼기 위함입니다."

⑤ "부모의 일관되지 않은 훈육 때문입니다."

012 기출 21

무서운 꿈을 꾸어서 잠을 자주 깨는 5세 아동의 부모에게 교육할 내용은?

① "그냥 놔두세요."
② "자기 직전에 신체활동을 많이 시키세요."
③ "침실의 불을 완전히 꺼서 어둡게 해주세요."
④ "정상이므로 다시 잠자리에 들도록 도와주세요."
⑤ "잠을 깨면 아동이 좋아하는 TV를 보도록 해주세요."

013 기출 17, 21

입원아동이 엄마와 떨어지지 않으려고 계속 울면서 불안해 할 때의 간호중재는?

① 엄마와 아동을 분리한다.
② 퇴원하여 집에서 치료하도록 권한다.
③ 아동에게 친숙한 장난감을 주도록 한다.
④ 아동이 보지 않을 때 엄마가 떠나도록 한다.
⑤ 엄마가 왜 떠나야 하는지 말하지 않도록 한다.

014 기출 18, 20

4세 남아가 동생이 태어난 후 엄마에게서 떨어지지 않으려 하고 모유를 먹으려 한다. 행동에 대한 분석으로 가장 적절한 것은?

① 독립심의 표현이다.
② 거부증을 보이는 것이다.
③ 동생으로 인한 퇴행의 표현이다.
④ 젖떼기가 제대로 이루어지지 않아서다.
⑤ 엄마와 신뢰감이 바르게 형성되지 않았기 때문이다.

015

생후 4주차인 영아의 부모가 수유 중 아기가 계속 잠만 잔다고 걱정을 호소한다. 간호사의 대답으로 올바른 것은?

① "기면증이 의심됩니다."
② "안면마비가 있습니다."
③ "신경학적 사정이 필요합니다."
④ "정상이니 걱정 안 하셔도 됩니다."
⑤ "낮에는 많이 자지 않도록 깨워야 합니다."

016

청소년 성 성숙에 대한 내용으로 적절한 것은?

① 여아 성숙의 첫 징후는 초경이다.
② 남아가 여아보다 성숙이 2년 빠르다.
③ 남아 성숙의 첫 징후는 음경발달이다.
④ 여아는 첫 월경부터 성숙난자가 배출된다.
⑤ 이차 성징은 예측 가능한 순서로 진행된다.

017 기출 20

폐렴으로 입원한 3세 아동에게 정맥주사를 놓을 때 간호사가 아동에게 해 줄 설명은?

① "하나도 아프지 않을 거야."
② "주사 맞을 때 따끔할 거야."
③ "이번 딱 한 번만 맞을 거야."
④ "너의 팔에 작은 막대기를 꽂을 거야."
⑤ "건강한 세균들이 너의 몸에 들어갈 거야."

018

청색증형 선천성 심장질환은?

① 팔로 4징후
② 심방중격결손
③ 심실중격결손
④ 폐동맥협착증
⑤ 동맥관개존증

019 기출 18, 19, 20

유아가 1~2주 전부터 지속적으로 기침을 했고, 최근에는 밤에 발작적으로 기침을 하며, 흡기 시 '흡(whoop)' 하는 고음의 소리를 낸다. 의심되는 질환의 주요 감염원은?

① 혈액
② 소변
③ 대변
④ 질 분비물
⑤ 기도 분비물

020 기출 18

아구창 아동에게 제공할 중재로 알맞은 것은?

① 페니실린을 근육주사한다.
② 모유수유를 중단하고 인공수유한다.
③ 병변에서 균사를 떼어내어 제거한다.
④ 병변에 니스타틴(Nystatin)을 도포한다.
⑤ 젖꼭지 사용은 병변에 자극을 주므로 위관영양을 실시한다.

021 기출 21

대동맥축착(coarctation of the aorta) 아동의 간호 사정 시 특징적 증상은?

① 상지의 청색증
② 상지의 고혈압
③ 하지의 맥박 상승
④ 아이젠멩거반응
⑤ 곤봉 모양의 손가락

022 기출 19

신생아의 젖병 수유에 대한 부모교육 내용은?

① 1회 수유 시간은 30분 정도가 적절하다.
② 먹다가 남긴 것은 전자레인지로 데워 먹인다.
③ 수유 촉진을 위해 아기의 뺨과 턱을 지지한다.
④ 수유 후 소화를 위해 아기를 왼쪽으로 눕힌다.
⑤ 아기가 수면 중이라도 계획된 수유 시간을 지킨다.

023 기출 15, 18, 20

비대유문협착증으로 진단받은 신생아에게 나타나는 증상은?

① 혈변
② 대사산증
③ 분출구토
④ 담즙이 있는 구토
⑤ 좌측 복부의 소시지 모양의 덩어리

024 기출 18, 19

영아가 안절부절 못하며, 오른쪽 귀를 잡아당기고 비비며 운다. 체온이 37.8 ℃이고, 외관상 귀의 상처는 보이지 않는다. 우선적으로 해결해야 할 간호 문제는?

① 통증
② 기도폐쇄
③ 청력장애
④ 영양불균형
⑤ 피부통합성장애

025 기출 20

예방접종을 위해 내원한 16개월 유아의 키와 몸무게가 성장곡선에서 2백분위수 미만이다. 출생 시에는 26백분위수였다면 의심되는 건강문제를 파악하기 위하여 부모에게 해야 할 질문은?

① "아이가 대소변을 가리나요?"
② "오늘 아침에 무엇을 먹었나요?"
③ "고혈압과 당뇨병의 가족력이 있나요?"
④ "아이가 하루에 음식을 얼마나 먹나요?"
⑤ "지금까지 국가예방접종은 모두 했나요?"

026 기출 15, 18, 21

5세 여아가 전신부종, 뿌옇고 거품이 나는 소변과 소변량 감소로 입원하여 스테로이드 치료를 받고 있다. 간호중재로 옳은 것은?

① 생백신 접종을 한다.
② 항생제요법을 실시한다.
③ 활동적인 운동을 격려한다.
④ 염분이 많은 식이를 제공한다.
⑤ 매일 같은 시간에 몸무게를 측정한다.

027 기출 19, 20

재태기간 39주에 출생한 신생아를 대상으로 생후 4시간 만에 측정한 활력징후가 다음과 같을 때 중재는?

> 심박동수 130회, 호흡수 50회/분, 액와체온 35.9 ℃

① 산소를 공급한다.
② 비위관을 삽입한다.
③ 복사 온열기에 눕힌다.
④ 정상이므로 지켜본다.
⑤ 구강분비물을 흡인한다.

028 기출 20, 21

3세 남아가 외상 없이 갑작스러운 전신성 점상출혈로 입원하였다. 혈액검사 결과가 다음과 같을 때 부모에게 교육할 내용은?

> 백혈구 10,000/mm^3, 혈색소 13.5 g/dL,
> 혈소판 13,000/mm^3

① "응고인자를 투여해야 합니다."
② "적은 양의 출혈은 쉽게 지혈됩니다."
③ "해열진통제로 아스피린을 투여할 것입니다."
④ "감염증상이므로 항생제 치료를 할 것입니다."
⑤ "부딪히거나 넘어지지 않도록 주의해야 합니다."

029 기출 19, 21

3세 여아에게 갑작스러운 고열, 인후통, 호흡곤란이 나타나 급성후두개염이 의심될 때 우선되는 간호중재는?

① 찬 공기를 마신다.
② 진정제를 투여한다.
③ 불안을 완화시킨다.
④ 정맥으로 수액을 주입한다.
⑤ 기도 확보를 위한 응급 장비를 준비한다.

030 기출 21

10세 아동의 긍정적인 자아개념과 자존감 발달을 위한 부모의 적절한 훈육은?

① 아동이 성취한 것을 인정해준다.
② 부모의 지시에 순종하도록 한다.
③ 아동의 행동을 엄격하게 통제한다.
④ 아동이 스스로 결정하도록 관여하지 않는다.
⑤ 아동이 달성하지 못한 것에 대해서는 체벌한다.

031 기출 17, 19

편도염으로 입원해 있는 영아가 체온이 39.0 ℃로 상승하고 입에 거품이 나며 안구가 위쪽으로 편위되는 전신 강직간대발작을 하고 있다. 우선적인 간호중재는?

① 고개를 옆으로 돌려준다.
② 심폐소생술을 실시한다.
③ 차가운 물수건으로 몸을 닦는다.
④ 경련하는 동안 아기를 안아준다.
⑤ 처방된 해열제를 구강으로 투여한다.

032 기출 18, 19, 20

극심한 기침과 콧물 증상으로 입원하여 백일해로 진단받은 아동에 대한 중재는?

① 금식을 시킨다.
② 실내를 건조하게 유지한다.
③ 좋아하는 운동을 격려한다.
④ 에리트로마이신을 투여한다.
⑤ 호흡기질환 아동들과 같은 병실에서 돌본다.

033 기출 16, 18, 20

홍역의 발진 양상은?

① 코플릭반점이 혀끝에 생긴다.
② 피부의 가려움증을 동반한다.
③ 홍반성 구진으로 시작하여 소수포로 진행한다.
④ 반점, 구진. 수포, 농포, 가피 등의 순서로 발생한다.
⑤ 발진이 얼굴에서 시작하여 몸통과 사지, 즉 전신으로 퍼진다.

034 기출 16, 17, 18, 19, 20, 21

학령기 아동이 백혈병으로 화학요법을 받고 있다. 간호사가 주의를 기울여야 하는 혈액검사 결과는?

① 헤마토크리트: 36%
② 헤모글로빈: 12 g/dL
③ 백혈구수: $9,000/mm^3$
④ 혈소판수: $400,000/mm^3$
⑤ 절대호중구수: $350/mm^3$

035 기출 16, 17, 18, 19, 20, 21

동종 조혈모세포를 이식받은 아동에게 발생 가능한 이식편대숙주병에 대한 교육을 하고 있다. 발견 즉시 간호사실에 알리도록 부모에게 교육해야 할 증상은?

① 혈뇨
② 변비
③ 턱 마비
④ 눈 주위 부종
⑤ 피부 홍반과 발진

036 기출 19, 20, 21

프라이(J.Fry)의 자유방임형 보건의료전달체계의 단점인 것은?

① 의료의 질 저하
② 예방중심의료 강조
③ 개인의 의료 선택권 제한
④ 지역 간의 의료수준 불균형
⑤ 대규모 보건조직으로 인한 관료화

037

국민건강증진 제5차 2030의 총괄목표로 옳은 것은?

① 건강형평성 제고
② 안전한 환경 마련
③ 건강한 생활습관 증진
④ 예방적 관리
⑤ 만성질환 관리

038 기출 18

심혈관질환의 발생에 영향을 주는 여러 요인들이 연결되어 있는 것을 설명하는 역학모형은?

① 세균성 모형
② 수레바퀴 모형
③ 원인망 모형
④ 생태학적 모형
⑤ 역학적 삼각 모형

039 기출 18, 21

다음 코로나바이러스감염증 −19의 PCR 검사 결과표를 보고 특이도로 옳은 것은?

		코로나바이러스 감염증−19 확진검사 결과 질병유무	
		양성	음성
PCR 검사도구 검진결과	양성	70	20
	음성	30	60

① 20
② 64
③ 70
④ 75
⑤ 85

040 기출 21

감염병의 예방 및 전파를 막기 위한 환경위생관리 방법으로 옳은 것은?

① 예방접종
② 환자격리
③ 환자치료
④ 환자가 사용한 물품 소독
⑤ 질병에 걸린 가축 살 · 처분 및 매립

041

지역사회 건강문제를 파악할 때 가장 우선적으로 수집해야 하는 정보는?

① 출생률
② 직업분포
③ 연령분포
④ 급 · 만성질환 유병률
⑤ 보건의료 시설 분포

042 기출 18, 21

다음에서 나타나는 오렘(Orem)의 자가간호이론에 따른 개념은?

> 보건소 가정방문간호사가 당뇨병 진단을 받고 약물투여 중인 환자를 방문하여 식후 2시간 혈당을 측정하니 420 ml/dL였고, 대상자는 피로를 호소하며 합병증 예방이나 영양 관리 등의 자가간호 방법에 대해 물어보았다.

① 자가간호 교육요구
② 일반적 자가간호요구
③ 발달적 자가간호요구
④ 치료적 자가간호요구
⑤ 건강이탈 자가간호요구

043

치매예방교육 기획 시 목표설정기준으로 옳은 것은?

① 실현의도를 강조한다.
② 기간을 기록하지 않는다.
③ 추상적인 내용을 선정한다.
④ 실현가능성은 추가하지 않는다.
⑤ 양적인 표현을 하여 측정가능성이 있도록 기술한다.

044 기출 20

건강형평성에 대한 설명으로 옳은 것은?

① 개인적으로 성취해야 한다.
② 인간이 태어나면서부터 가지는 건강 수준의 차이를 말한다.
③ 인구집단 사이에 건강 수준에 있어 차이가 없는 상태를 말한다.
④ 피할 수 없는 건강 수준의 차이에 대한 가치판단을 내포하고 있다.
⑤ 사회경제적 위치에 따른 인구집단에 따라 건강에 나타나는 차이를 말한다.

045 기출 19

라론드 보고서에 의하면 개인 또는 인구집단의 건강에 영향을 주는 건강결정요인에 가장 많은 영향을 주는 것은?

① 생물학적요인
② 환경적 요인
③ 생활습관요인
④ 보건의료체계
⑤ 제도적 요인

046 기출 18

지역보건의료계획의 특징으로 옳은 것은?

① 하의상달식 체계
② 중앙정부 주도형 사업
③ 중앙집권화된 보건계획
④ 민간보건의료 주도형 사업
⑤ 특정 인구집단이 주도하는 보건계획

047 기출 18, 21

PATCH (Planned Approach To Community Health) 모형에 따르면 지역사회위원회를 조직하고 지역회의를 개최하는 것은 어느 단계인가?

① 평가
② 우선순위 설정
③ 지역사회 조직화
④ 자료수집 및 자료분석
⑤ 포괄적인 중재계획 개발

048 기출 19, 20

지역간호사가 절주 프로그램을 실시한 뒤 다음과 같은 평가계획을 세웠다. 어느 단계의 평가에 해당하는가?

- 알코올 소비량
- 고위험 음주량
- 절주 시도율

① 구조평가
② 과정평가
③ 결과평가
④ 진단평가
⑤ 형성평가

049

간호사가 2년 동안 보호구 착용 교육을 실시한 뒤 "보호구 착용률을 1% 올리는데 근로자 1인당 소요 비용이 2020년에는 300원이었고, 2021년에는 250원이었다." 라고 한 것은 사업의 어떤 측면을 평가한 것인가?

① 효율성
② 효과성
③ 관련성
④ 적합성
⑤ 영향 및 파급효과

050 기출 18, 20, 21

지역사회 간호사가 노인환자의 낙상예방을 위해 자원봉사자, 물리치료사 등과 협력하고 계획을 세울 때 의사결정에 참여하는 것은 어떤 역할인가?

① 교육자
② 연구자
③ 협력자
④ 옹호자
⑤ 변화촉진자

051 기출 18, 19, 20

지역사회 자원 활용방법으로 옳은 것은?

① 외부 지역의 자원부터 사용한다.
② 자원의 사용은 전문가가 결정한다.
③ 가족자원보다 외부자원만 활용한다.
④ 의뢰가 필요한 지역사회자원은 배제한다.
⑤ 사용가능 자원의 목록을 주기적으로 파악하고 관리한다.

052 기출 18

우리나라의 학교보건법에 따랐을 때 18학급 이상 초등학교의 학교 의사, 학교 약사, 보건교사의 배치기준은?

① 학교 의사 1명 및 보건교사 1명
② 학교 약사 1명 및 보건교사 1명
③ 학교 의사 1명 또는 학교 약사 1명, 보건교사 1명
④ 학교 약사 1명 또는 보건 교사 1명, 학교 의사 1명
⑤ 학교 의사 1명 및 학교 약사 1명, 보건교사 1명

053 기출 18

다음에서 설명하고 있는 작업환경관리의 기본 원리로 옳은 것은?

- 페인트를 분무하던 방식에서 담그거나 전기로 흡착하는 방식으로 변경
- 성냥의 재료 중 황인을 적인으로 바꾸었다.

① 환기
② 격리
③ 대치
④ 교육
⑤ 위생 보호구 착용

054 기출 18

펜더의 건강증진 모형 중 '수행을 확실하게 성취할 수 있는 개인의 능력에 대한 판단'과 가장 알맞은 개념은?

① 지각된 이익
② 지각된 장애
③ 지각된 자기효능감
④ 행위와 관련된 정서
⑤ 개인적 경험

055 기출 16

다음 중 '한 여성이 평생 동안 낳을 것으로 예상되는 자녀의 수'를 나타내는 말은?

① 출산율
② 재생산율
③ 조출생률
④ 합계출산율
⑤ 일반출산율

056 기출 18

다음에서 설명하고 있는 보건교육 매체의 종류는?

- 단체 교육 시 효과가 떨어짐
- 교육 시 부서지기 쉬움
- 재현이 가능함
- 흥미를 유도하여 학습목표에 도달하기 쉬움

① 융판
② 그림
③ 모형
④ 팸플릿
⑤ 비디오테이프

057 기출 18

당뇨환자에게 규칙적 혈당측정 교육을 할 때, 행동주의 이론을 적용하여 교육하는 것은?

① 자기 주도적으로 혈당측정 방법을 알아내도록 한다.
② 혈당을 측정하는 방법을 반복적으로 연습하도록 한다.
③ 다른 사람들이 혈당을 측정하는 것을 관찰하도록 한다.
④ 다른 사람과의 협력학습을 통해 혈당측정의 중요성을 학습한다.
⑤ 당뇨의 위험성을 부각하여 자가 혈당측정에 대해 동기 부여한다.

058 기출 18

특별한 문제를 해결하기 위해, 12~15명이 참여하여 개방적인 분위기에서 자유롭게 아이디어를 도출하는 보건교육방법은?

① 포럼
② 집단토론
③ 심포지엄
④ 분단토의
⑤ 브레인스토밍

059 기출 18

우리나라 가족 기능의 변화로 옳은 것은?

① 정서적 기능 강화
② 가족 유대감 강화
③ 가정과 일터의 공존
④ 가족 재생산 기능의 강화
⑤ 자녀의 양육과 사회화 기능의 약화

060 기출 18, 19, 21

Duvall의 가족생활주기별 건강관련 발달과업에서 청소년기 가족에 대한 설명으로 옳은 것은?

① 생활수준 향상
② 부부관계 재확립
③ 가족 구성원의 역할 조정
④ 가족 내 규칙과 규범의 확립
⑤ 자녀들에 대한 자유와 책임의 조화

061 기출 18, 21

가족 사정 도구 중 가족 내부뿐만 아니라 외부와의 상호작용을 가족 내 가장 취약한 구성원을 중심으로 나타내는 것은?

① 가계도
② 외부체계도
③ 사회지지도
④ 가족연대기
⑤ 가족밀착도

062 기출 18

복어를 먹고 마비와 호흡곤란 증세를 호소하여, 검사 결과 식중독으로 진단되었을 때, 대상자에게서 나타날 수 있는 식중독을 일으킨 성분은?

① 병원성 대장균(E.coli)
② 살모렐라(salmonella)
③ 미틸로톡신(mytilotoxin)
④ 테트로도톡신(tetrodotoxin)
⑤ 보툴리누스 식중독(Botulinus)

063 기출 18, 21

지역보건법에 따라 지역주민의 건강증진 및 질병예방 관리를 위한 지역보건의료서비스 제공 내용으로 옳은 것은?

① 안전한 물의 공급
② 기본 의약품의 제공
③ 난임의 예방 및 관리
④ 통상질환과 상해의 치료
⑤ 식량의 공급과 영양의 증진

064 기출 18

지역보건법에서 정하고 있는 시 · 군 · 구 지역보건 의료계획에 포함되어야 할 내용은 무엇인가?

① 지역사회 보건의 실행
② 보건소 업무의 추진현황과 추진계획
③ 시 · 군 · 구 지역보건 의료기관 인력 훈련
④ 보건의료 관련기관 단체, 학교, 직장 등과의 협력체계 구축
⑤ 지역보건 의료기관과 보건의료 관련 기관 단체 간의 협력 연계

065 기출 18, 21

만성질환의 2차 예방은 어느 것인가?

① 건강증진사업
② 만성질환 재활
③ 공원 위생 관리
④ 걷기 운동 사업
⑤ 만성질환 조기 검진

066 기출 20

사례관리 원칙 중 지역사회 구성원들의 요구도를 계속적으로 사정하여 지역사회 내 다양한 서비스를 지속적으로 받을 수 있도록 서비스를 상호연계하고 추후 관리하는 원칙은?

① 포괄성
② 책임성
③ 통합성
④ 연속성
⑤ 접근성

067 기출 18

대기 중 1차 오염물질이 광화학반응에 의해 2차 오염물질이 되었다. 이에 해당하는 것은?

① 오존(O_3)
② 탄화수소(HC)
③ 일산화탄소(CO)
④ 일산화질소(NO)
⑤ 아황산가스(SO_2)

068 기출 18

A 제조업의 1년간의 재해관련 통계수치를 토대로 구할 수 있는 도수율의 값은?

> **A 제조업**
> - 재해 건수: 4
> - 평균 작업자 수: 20
> - 손실 작업 일수: 500
> - 연 근로시간 수: 10,000

① 50
② 100
③ 125
④ 200
⑤ 400

069 기출 18

다음 중 임시 건강진단의 실시기준은?

① 사무직 근로자가 건강진단을 받은 지 2년이 지났을 때
② 일반 부서의 근로자가 건강진단을 받은 지 1년이 지났을 때
③ 유해인자에 의한 중독, 질병의 이환 여부 또는 질병 발생원인을 확인해야 할 때
④ 유해인자에 의한 직업성 건강장해가 의심되는 증상을 보이거나 의학적 소견이 있는 근로자가 발생했을 때
⑤ 유해인자에 노출될 근로자의 건강평가에 필요한 기초건강자료를 확보하고 배치하고자 하는 부서업무에 대한 적합성을 평가하고자 할 때

070 기출 18, 20

산사태로 인한 피해를 복구한 뒤 재발 방지를 위해 필요한 중재는?

① 이재민 지원
② 구호물품 제공
③ 위험지도 작성
④ 대책본부 가동
⑤ 우선순위 파악

정신간호학

071 기출 12, 13, 14, 15, 19, 20

45세 남성이 알코올 사용장애가 의심되어 부인과 함께 중독 통합 관리센터를 방문하였다. "공장에서 힘들게 일하고 나서 술을 한잔 마시면 피로도 풀리고 힘도 나서 일이 더 잘 돼요."라고 말하는 대상자가 사용한 방어기전은 무엇인가?

① 부정
② 투사
③ 합리화
④ 주지화
⑤ 반동형성

072 기출 13, 18

에릭슨의 정신사회발달 이론에 따라 중년기의 남성이 달성해야 할 발달과업은 무엇인가?

① 자율성
② 주체성
③ 통합성
④ 생산성
⑤ 수치감

073 기출 11, 12, 13, 14, 17, 18, 19, 20, 21

대상자에 대한 간호사의 감정, 불안, 두려움을 파악하고 자기탐색을 하는 치료적 과정의 단계는?

① 상호작용 전 단계
② 초기단계
③ 활동단계
④ 상호작용 단계
⑤ 종결단계

074 기출 12, 13, 15, 17, 18, 21

30세 여성이 불면증을 호소하며 정신건강의학과 외래를 방문하였다. "잠을 못자서 머리가 아프고 힘들어요. 직장을 다닐 수 있을까요?"라고 걱정하는 대상자에게 간호사가 할 수 있는 치료적 의사소통으로 적절한 것은?

① "금방 해결될 거예요."
② "일보다는 건강이 먼저죠."
③ "요즘 수면제는 효과가 좋습니다."
④ "정신과 치료를 잘 결정하셨습니다."
⑤ "직장을 계속해서 다닐 수 없게 될까봐 걱정이 되시는군요."

075 기출 18

감각체계로부터 정보를 받아 공포감각 등에 대한 감정적 반응을 처리하는 뇌 부위는?

① 뇌교
② 중뇌
③ 소뇌
④ 편도체(amygdala)
⑤ 기저핵(basal ganglia)

076 기출 12, 18, 19, 20

다음은 환자들의 진술을 나열한 것이다. 지각장애에 해당하는 것은?

① "자꾸만 뛰어내리라는 환청이 들려요."
② "요즘 우울해서 움직이기가 너무 힘들어요."
③ "저는 괜찮은데 엄마가 자꾸만 입원하라고 해요."
④ "외계인이 제 다리에 칩을 심어서 빨리 뛸 수 있어요."
⑤ "제 머릿속에 닭 뼈로 가득 차서 좋은 생각을 할 수 없어요."

077 기출 16, 19, 21

26세 남자가 사내 승급에서 탈락한 후 우울해 하며 "저는 멍청이예요. 제 직장생활은 이제 끝났어요."라고 말한다. 다음과 같은 환자에게 인지치료를 시행하려고 한다. 옳은 것은?

① 공감적인 태도로 자존감을 증진시킨다.
② 위험한 물건을 치우고 자살계획을 사정한다.
③ 빈 의자 기법으로 상사와의 관계에 대해서 중재한다.
④ 적절한 말이나 행동을 할 때는 토큰으로 보상을 한다.
⑤ 역기능적 사고일지에 대해 설명한 후 작성하도록 한다.

078 기출 12, 18

항정신병 약물을 복용하고 있는 환자에게 근 긴장 이상증 증상이 나타났다. 치료 약물로 옳은 것은?

① Bupropion (부프로피온)
② Benzotropine (벤조트로핀)
③ Carbamazepine (칼바마제핀)
④ Valproic Acid (발프로이트산)
⑤ Metylphenidate (메틸페니데이트)

079 기출 13, 14, 18, 20

정신건강간호사업 중 1차 예방에 해당되는 것은?

① 응급간호
② 정신질환자의 사회훈련
③ 만성질환자의 작업훈련
④ 노인정신질환자의 거주시설
⑤ 퇴직예정자의 스트레스 예방

080 기출 18, 21

지역사회 정신건강간호사업의 특성으로 옳은 것은?

① 단편적인 활동이다.
② 연계체계를 지양한다.
③ 개인을 기반으로 한다.
④ 지역사회 전체를 대상으로 한다.
⑤ 비전문적인 단체의 개입은 제외된다.

081

50세 남자는 정신병동에서 텔레비전을 보다가 갑자기 화를 냈고, 주변에 있는 다른 환자에게도 욕을 했다. 이때 간호사가 할 수 있는 중재로 가장 적절한 것은?

① "무엇 때문에 화가 났는지 혼자 생각해보세요."
② "다른 사람에게 피해를 주고 있으니 그만하세요."
③ "다른 환자분에게 욕을 하는 것은 나쁜 행동입니다."
④ "텔레비전을 보다 화를 내셨으니, 이제 보지 마세요."
⑤ "화가 나셨나 보군요. 저와 면담을 통해 이야기하러 가요."

082 기출 18

다음 중 망상장애 환자에게 나타나는 증상은 무엇인가?

① 지리멸렬
② 지속적 망상
③ 와해된 언어
④ 사고의 비약
⑤ 점진적인 인격의 황폐화

083 기출 11, 12, 14, 17, 18, 19, 20, 21

40세 여성 조현병 환자는 하루 내내 식사를 거절하고 있다. 이유를 물어보니, "정보국에서 나를 죽이려고 뭘 타 뒀어."라고 한다. 적절한 간호중재는?

① 스스로 먹을 때까지 기다린다.
② 다른 직원들과 모여 식사를 한다.
③ 정보국과 식사는 상관이 없다고 이야기한다.
④ 밀봉된 음식으로 제공하여 직접 개봉하여 먹게 한다.
⑤ 다른 간호사들도 불러와 정보국과 상관없다고 설득한다.

084

가정폭력 가해자의 보편적인 특성으로 가장 적절한 것은?

① 자존감이 낮음
② 스트레스 역치가 높음
③ 폭력을 자랑스럽게 여김
④ 가족에 대한 애정이 있음
⑤ 자신의 능력에 대한 과대망상

085 기출 14, 18

조현병 환자에서 폭력 위험이 증가하는 요인으로 볼 수 있는 것은?

① 우회증
② 기행증
③ 보속증
④ 함구증
⑤ 정신운동성 초조

086 기출 13, 15, 18, 19, 20, 21

조현병 환자가 복도에 서서 혼자 허공에 손짓을 하고, 중얼거리거나 웃기를 반복한다. 다음 중 적절한 중재는?

① 부적절한 행동이므로 멈추게 한다.
② 말없이 다가가 손을 잡아 내려준다.
③ 평소 좋아하는 운동을 함께 하자고 권유한다.
④ 다른 환자에게 피해를 주지 않으면 내버려둔다.
⑤ 자신의 행동에 대해 논리적으로 설명하게 한다.

087

배우자의 사망으로 상실을 경험한 사람에게 나타날 수 있는 정상적 반응은?

① 분노를 표현한다.
② 무쾌감증이 나타난다.
③ 자살계획을 암시한다.
④ 자존감 상실이 뚜렷하다.
⑤ 만성적인 신체증상이 나타난다.

088 기출 18

순환성 장애를 진단받은 환자의 특성으로 옳은 것은?

① 자살사고가 있다.
② 신체에 대해 과도하게 생각하고 염려한다.
③ 자기와 환경이 낯설고 비현실적으로 느껴진다.
④ 생리적 과다각성으로 자극에 민감하게 반응한다.
⑤ 주기가 짧고 불규칙하고 급격한 기분변화가 있다.

089 기출 18

양극성 장애 Ⅰ형으로 진단 받은 환자가 다른 사람의 일에 참견하고, 대화에 끼어들거나 다툰다. 이 대상자에게 내릴 수 있는 간호진단은?

① 방어적 대처
② 사회적 고립
③ 극복력 저하
④ 비효과적 부정
⑤ 사회적 상호작용 장애

090 기출 12, 13, 15, 17, 18, 19, 20

3개월 전 남편과 사별 후 우울증으로 입원한 56세 여성이 '역기능적 애도와 관련된 부적응'을 보인다. 적절한 중재는?

① 슬픔을 억제하도록 한다.

② 혼자 방에 지내도록 한다.

③ 경쟁적 활동에 참가하도록 한다.

④ 자가간호에 대한 책임을 면제한다.

⑤ 성취할 수 있는 목표를 제시하고 실천하도록 한다.

091 기출 17, 18

다음 중 범불안장애의 증상으로 옳은 것은?

① 원하지 않는 사고, 욕구로 심한 불안이 발생한다.

② 예상치 못한 상황에 대한 불안과 공포가 발생한다.

③ 특정 대상이나 상황에 대한 불안과 공포가 발생한다.

④ 일상생활에서 불안한 느낌이 과도하고 광범위하게 지속된다.

⑤ 이유 없이 갑자기 극도로 불안해지며 죽을 것만 같은 공포증세를 보인다.

092 기출 12, 15, 20

공황발작을 나타내는 환자를 위한 중재로 가장 적절한 것은?

① 환자를 격리한다.

② 과거 병력을 사정한다.

③ 증상이 심각하지 않다고 설명한다.

④ 환자에게 안전하다고 안심을 시켜준다.

⑤ 불안한 상황에 대해서 환자와 대화를 나눈다.

093 기출 18, 19, 20

A는 공공장소에 있거나 버스를 타는 것을 회피하는 증상을 보인다. A에게 내릴 수 있는 진단은 무엇인가?

① 강박장애

② 적응장애

③ 사회공포증

④ 특정공포증

⑤ 광장공포증

094 기출 11, 14, 15, 18, 19

A씨는 군대에서 총 쏘는 것을 두려워하고 꺼려했다. 어느 날 총 쏘는 연습을 하던 A는 손가락에 마비 증상을 보였다. 이후 검사를 했더니 신경학적으로 문제가 없는 것으로 발견되었다. A에 관해 옳은 설명은?

① 꾀병을 부리는 것이다.

② 노력하면 조절할 수 있는 증상이다.

③ 대인관계에서 조작적인 경향이 있다.

④ 심리적 갈등이 신체적 증상으로 드러난 것이다.

⑤ 심각한 병에 걸렸다는 집착과 공포를 가지게 된다.

095 기출 12, 13, 17, 20

은행 강도에게 인질로 잡힌 경험이 있는 A씨는 이후 외상 후 스트레스 장애(PTSD)로 진단을 받았다. A가 보일 수 있는 관련 증상은 무엇인가?

① 환청

② 망상

③ 섬망

④ 작화증

⑤ 과잉각성

096 기출 11, 18

30세 남성 대상자의 어머니가 정신건강복지센터에 방문하여 "우리 아들은 말도 없고, 친한 친구가 없어요. 부모 잔소리에도 반응하지 않고, 슬픔이나 기쁨을 표현하지도 않아요. 취업과 연애에도 관심이 없고 집에만 있어요."라며 걱정하고 있다. 이 대상자에게 진단내릴 수 있는 성격장애의 유형은?

① 의존성   ② 조현형

③ 조현성   ④ 편집성

⑤ 회피성

097 기출 15, 18, 19

경계성 성격장애 환자가 자해행동 후 재입원하였다. 상처부위를 확인하려는 간호사에게 "보고싶었어요. 선생님이 세상에서 가장 제 마음을 잘 알아주는 유능한 간호사예요."라고 말한다. 간호사는 이를 조종행동이라고 판단하였다. 이 때 간호사의 행동은?

① 가벼운 농담과 유머로 넘긴다.

② 바쁘다고 하며 자리를 피한다.

③ 도와준다고 하며 호의를 베푼다.

④ 고맙다고 말하며 상처 부위를 확인한다.

⑤ 표출행동에 대해 분명한 제한을 가한다.

098 기출 12, 14, 16, 18, 21

알코올 사용장애로 진단받은 남성이 이틀 전 마지막 음주 후 정신병동에 입원하였다. 이 환자에게 보이는 금단증상은?

① 진전   ② 과수면

③ 식욕부진   ④ 복강경련

⑤ 강박행동

099 기출 18

시골의 농장에서 불법작물을 재배한다는 신고를 받고 경찰이 중독관리통합센터의 간호사 한 명과 출동하였다. 현장에 도착했을 때, 50세 남성이 혼수상태로 쓰러져 있음을 발견하였다. 이 사람은 야위어 있고, 피부는 창백했으며, 동공이 수축되어 있었다. 이 물질은 무엇인가?

① 대마

② 아편

③ 코카인

④ 마리화나

⑤ 암페타민

100 기출 11, 13, 14, 16, 17, 19, 20, 21

알츠하이머로 인한 경도인지장애의 증상은?

① 비현실감

② 기억력 저하

③ 자폐성 사고

④ 언어발음 장애

⑤ 의식수준 저하

101 기출 14, 16, 18, 19

27세 여자가 신경성 폭식증 진단을 받고 정신병동에 입원하였다. 적절한 간호중재는?

① 식후 혼자 있게 한다.

② 음식선택을 허용하지 않는다.

③ 체중증가를 위해 운동을 엄격히 제한한다.

④ 폭식, 구토에 대한 죄책감을 표현하게 한다.

⑤ 원할 때마다 자유롭게 체중을 측정하게 한다.

102 기출 18, 21

기면증 환자에게 나타날 수 있는 주된 증상으로 옳은 것은?

① 수면 중 호흡이상
② 수면 유지의 어려움
③ 수면 중 반복적인 각성
④ 수면 중 하지의 불쾌한 감각
⑤ 저항할 수 없는 졸음과 탈력발작

103 기출 11, 15, 16, 18, 21

27세 남자가 지하철역에서 성기를 노출하여 경찰에 적발되어 정신병동에 입원하였다. 성적 정보수집 시 간호사의 태도로 옳은 것은?

① 환자의 프라이버시를 보장한다.
② 환자진술에 최소한으로 반응한다.
③ 간호사 자신의 성 관련 경험을 공유한다.
④ 환자가 사용하는 비속어를 그대로 사용한다.
⑤ 환자의 성행동에 대해 도덕적 판단기준을 적용한다.

104 기출 16, 17, 20

아버지의 심한 폭력으로 어머니가 가출한 이후 친척집을 전전하던 15세 남자 청소년 대상자가 최근에 무단결석, 거짓말, 금품 갈취 등의 행동 문제가 심해져 정신과 병동에 내원하게 되었다. 이 대상자에 대한 간호중재로 가장 적절한 것은?

① 비 구조화된 환경을 제공한다.
② 부정적인 감정을 억제하도록 유도한다.
③ 병동에 또래 환자들과 어울리지 못하게 한다.
④ 문제 행동을 보일 때는 격리를 우선 적용한다.
⑤ 바람직한 행동에 대해서는 긍정적 피드백을 즉시 제공한다.

105 기출 11, 14, 17, 19, 20, 21

자폐스펙트럼장애를 진단받은 6세 남아를 위한 부모 교육 내용에 대해 가장 적절한 것은?

① 아동을 여러 사교모임에 참여하게 한다.
② 아동을 돌보는 사람의 지속성을 유지한다.
③ 아동에게 새로운 장난감을 수시로 제공한다.
④ 아동이 반복행동을 보일 때는 벌칙을 주어 멈추게 한다.
⑤ 아동이 자신의 욕구를 언어적으로 표현할 때만 반응한다.

3교시 진단 모의고사

간호관리학

001 기출 18, 20

국제적십자사의 설립 목적으로 알맞은 것은?

① 간호사의 자질 및 전문직으로서의 향상을 위해
② 전시나 사변 시 의료, 간호 및 구호 활동을 위해
③ 전 인류의 건강을 가능한 한 최고 수준에 도달시키기
   위해
④ 독립적인 비정부기구로 전 인류의 건강증진사업을
   수행하기 위해
⑤ 간호학 석사 학위 이상의 과정에서 고도의 학문적 성
   취와 지도성을 발휘하기 위해

002 기출 18

1903년 보구여관에서 한국 최초의 간호사 훈련과정을
설립한 사람은?

① 쉴즈   ② 웹스터
③ 로렌스   ④ 히트코트
⑤ 에드먼드

003 기출 18, 19

간호사가 전문직으로써 인정받을 수 있도록 발전되어
야 하는 한국 간호사 윤리강령 내용은?

① 책임감   ② 자율성
③ 전문성   ④ 윤리의식
⑤ 전문적 조직

004 기출 18, 19

간호사의 간호행위는 간호사마다 서비스가 달라서 표
준화가 어려운데 이는 간호의 어떤 특성 때문인가?

① 무형성   ② 이질성
③ 동시성   ④ 비분리성
⑤ 소멸가능성

005 기출 18, 20

수간호사가 신입간호사에게 1인실 환자에게 더 많은
간호를 제공하라는 경우, 윤리적으로 위배되는 원칙은?

① 성실의 원칙
② 정의의 원칙
③ 정직의 원칙
④ 선행의 원칙
⑤ 무해성의 원칙

006 기출 19

현재 항암치료를 받고 있는 환아가 통증으로 인해
morphine을 투약받았고 소화를 하지 못해 위관영양
을 적용받고 있다. 또한 호흡곤란으로 인해 산소공급
을 받고 있는데 환아가 연명치료를 그만두겠다고 하면
어떤 것을 중단해야 하는가?

① 위관영양   ② 산소치료
③ 항암요법   ④ 구강간호
⑤ 진통제 투여

007 기출 18

간호사가 약물을 잘못 투여한 것을 인지하였으나 약물을 다시 투여하였다면 간호사가 위반한 법적 의무는?

① 주의의무
② 설명의무
③ 동의의무
④ 비밀유지의 의무
⑤ 간호기록부 보존의 의무

008 기출 18

다음의 특징에 해당되는 이론으로 옳은 것은?

> 업무의 분업화와 전문화가 이루어진다. 문서화된 규칙에 따라 업무가 이루어진다.

① 체계이론
② 행정관리론
③ 관료제이론
④ 인간관계론
⑤ 행동과학론

009 기출 18

조직이 성취해야 할 목표를 정하고 달성할 방법과 절차를 개발하는 과정은?

① 기획
② 인사
③ 지휘
④ 예산
⑤ 통제

010 기출 20

간호사 간호업무 의사결정 시 활동범위와 허용수준을 정하고 그에 따라 행동방침을 제공하는 지침은?

① 사명
② 비전
③ 철학
④ 정책
⑤ 절차

011 기출 18, 19, 21

개인 의사결정보다 집단 의사결정이 적절한 경우는?

① 창의성이 중요한 경우
② 수용성이 중요한 경우
③ 비용감소가 요구되는 경우
④ 신속한 결정이 요구되는 경우
⑤ 명확한 책임 규명이 요구되는 경우

012 기출 18

수간호사가 자신의 경험과 지식을 이용하고 외부 전문가의 의견을 수용하여 문제를 해결하고자 한다. 전문가와 직접 대면하지 않고 새로운 해결방안을 찾을 수 있는 방안으로 적절한 의사결정 유형은?

① 델파이기법
② 명목집단법
③ 강제연결법
④ 브레인스토밍
⑤ 전자회의

013 기출 20

행위별수가제의 특징으로 옳은 것은?

① 경상의료비 상승 억제
② 양질의 서비스 제공
③ 의료진의 자율권 제한
④ 과소 의료서비스 발생
⑤ 질병군별 수가 측정

014

라인(line)-스탭(staff) 조직에 대한 설명으로 옳은 것은?

① 의사결정이 신속하게 이루어진다.
② 독단적인 의사결정을 막을 수 있다.
③ 스탭은 업무 수행을 감독하는 기능을 한다.
④ 라인과 스탭의 권한과 책임 소재가 분명하다.
⑤ 라인 조직 외의 전문적인 지식과 기술은 활용할 수 없다.

015 기출 18

기능적 간호전달방법으로 옳은 것은?

① 책임과 의무의 한계가 불분명하다.
② 업무 분담을 통해 효율성을 높이고자 한다.
③ 직원의 이직이 잦은 부서에서는 적용이 가능하다.
④ 일차 간호를 수행할 간호사가 부족할 때 효율적인 방법이다.
⑤ 전문직 간호사와 간호보조인력이 팀을 이루어 간호하는 방법이다.

016 기출 18

수간호사가 일반간호사 개인의 발전을 위해 스스로 직무설계를 하고 통제하도록 위임한 직무설계방법은?

① 직무확대
② 직무분석
③ 직무순환
④ 직무 충실화
⑤ 직무 전문화

017 기출 18

조직문화 변화 단계에서 간호사들이 잘못된 정보를 가지고 있고 이에 대한 불만을 표출할 때, 이에 대한 올바른 중재를 하는 것은?

① 회유
② 강압
③ 경쟁
④ 공식화
⑤ 교육과 의사소통

018 기출 20

비전문직 간호직원을 활용할 수 있으며 일차 간호를 수행할 간호사가 부족한 경우 사용할 수 있는 간호전달체계는?

① 모듈방법
② 일차간호
③ 사례방법
④ 기능적 간호
⑤ 사례관리간호

019 기출 18

직업에 대한 흥미와 직업과 적합한 성격이나 특성을 가지고 있는지 등을 알 수 있는 검사는?

① 적성검사
② 기능검사
③ 신체검사
④ 실력검사
⑤ 심리운동검사

020 기출 18, 20

수간호사가 실습 평가 시 다른 수간호사보다 더 후하게 실습 점수를 주는 것과 관련된 오류는?

① 혼효과
② 근접오류
③ 논리적 오류
④ 규칙적 오류
⑤ 집중화 경향

021 기출 18, 20

다음 중 성과금 제도의 지급 기준으로 옳은 것은?

① 직무급과 연공급의 혼합형
② 직무역량에 따른 임금 지급
③ 직무의 어려움에 따른 임금 지급
④ 조직에 기여한 정도에 따른 임금 지급
⑤ 근속연수, 학력, 나이 등에 따른 임금 지급

022 기출 18

근무지를 이탈한 간호사에게 수간호사가 할 행동으로 적합한 것은?

① 공개적으로 훈육한다.
② 행동의 결과에 초점을 맞춘다.
③ 병동 내 규칙을 일관적으로 적용한다.
④ 편견이 생길 수 있으니 만나지 않는다.
⑤ 사실보다 대인관계에 초점을 맞추어 상담한다.

023 기출 18

신규 간호사가 병동에서 쉼 없이 일하고 있다. Maslow의 법칙에 따라 동기부여를 위한 적합한 방법은?

① 소속감을 높여준다.
② 실무교육을 제공한다.
③ 잘하고 있다고 칭찬한다.
④ 일정한 휴식을 제공한다.
⑤ 우호적인 팀 분위기를 형성한다.

024 기출 18

수간호사가 '조직에 하나의 방법은 없다.'고 생각한다. 병동의 상황에 따라 관리기법이 변해야 한다는 이론은?

① 체계이론
② 상황이론
③ 카오스이론
④ 인간관계이론
⑤ 경영과학이론

025 기출 18, 19

신규간호사가 새로 입원한 환자를 모두 배정받아서 업무가 지연되었고, 다른 간호사들이 이를 지적하였다. 이때 신입간호사의 태도로 적절한 것은?

① 너 전달법을 이용하여 말한다.
② 할 말을 참았다가 나중에 이야기한다.
③ 상대방과 말할 때 최대한 눈을 마주치지 않는다.
④ 다른 사람을 통하여 간접적으로 의견을 전달한다.
⑤ 상대방의 의견을 존중하면서 자신의 의견을 전달한다.

026 기출 16

조정과 협력을 성공적으로 하기 위한 팀의 특징으로 적절한 것은?

① 직종별 역할의 범위를 엄격히 제한한다.
② 팀원 간 협력을 통해 참여적 의사소통을 한다.
③ 팀의 공동의 목표보다는 직종의 목표를 우선한다.
④ 팀원 간 경쟁을 촉구하고 개인별 성과를 중요시한다.
⑤ 직무기술서에 없는 새로운 업무는 팀의 리더가 혼자 결정한다.

027 기출 18

분배적 협상에 대한 설명으로 옳은 것은?

① 공동의 이익을 창출한다.
② 서로의 요구와 가치를 반영하여 목표를 달성한다.
③ 서로가 정확한 정보와 아이디어를 자유롭게 교환한다.
④ 자신과 상대방 모두 이익이므로 win-win전략에 해당한다.
⑤ 어느 한 당사자의 이익은 다른 당사자에게 그만큼의 손해를 의미한다.

028 기출 18

스위스 치즈 모형에서 '가시적 오류'에 해당하는 것은?

① 의사소통 부재
② 업무 스트레스
③ 다른 수술부위 수술
④ 환자 확인 프로토콜의 부재
⑤ 하루에 해야 하는 시술량이 많을 경우

029 기출 17

총체적 질 관리에 대한 설명으로 옳은 것은?

① 과정보다는 결과를 중요시한다.
② 임상과 비임상의 모든 활동과 과정을 대상으로 한다.
③ 표준에 미달하는 사람들을 교육하는 데 초점을 맞춘다.
④ 대상자의 기대와 요구에 대해서만 질 향상을 추구한다.
⑤ 총체적 질 관리의 목표는 설정된 기준이나 목표에 부응하는 것이다.

030 기출 18

제4차 간호사 윤리강령의 근본이념은 무엇인가?

① 도덕적 존중
② 간호사의 위상
③ 간호사의 자율성
④ 간호사의 역할확대
⑤ 생명의 존엄성, 기본권 존중, 옹호

031 기출 18, 19

75세 남성 노인이 안과 수술 후 호흡곤란을 호소하여 산소요법을 적용 중이다. 안전사고 예방을 위해 가장 필요한 간호행동은?

① 휴식을 위해 모든 전등을 끈다.

② 감염예방을 위해 비닐 앞치마를 두른다.

③ 화장실 사용을 위해 낮에는 난간을 내린다.

④ 인화 위험이 있는 전열기구의 사용을 금지한다.

⑤ 바닥에 물이 있으면 낙상의 위험이 있으므로 샤워를 금지한다.

032

사건 발생으로 인하여 사망이나 심각한 신체적 혹은 심리적 손상과 관련된 예측되지 <u>않은</u> 사건을 초래하는 경우의 적신호 사건은?

① 다른 환자에게 채혈하였다.

② 환자의 수술 동의서를 분실하였다.

③ 다른 환자에게 제산제를 투여하였다.

④ 혈액형이 맞지 않는 혈액 제제를 100 ml 투여하였다.

⑤ 수술이 예정되어 금식 중인 환자에게 식사를 제공하였다.

033 기출 18, 20, 21

병실 관리에 대한 것으로 알맞은 것은?

① 병실 벽은 흰색으로 한다.

② 환자가 있는 병실의 밝기는 300 lux로 한다.

③ 눈이 부실 수 있으므로 직접 조명을 사용한다.

④ 안정을 위해 병실 내 소음은 60 dB 이하로 제한한다.

⑤ 병실, 기기, 간호사실의 배치는 건물 설계 단계에서 적용해야 한다.

034 기출 18, 20, 21

병동에서의 약품관리를 올바르게 한 것은?

① 수액, 항생제는 1 ℃에 보관한다.

② 응급약품은 한 달 단위로 보충한다.

③ 항암제는 약국에서 제조하도록 한다.

④ 사용하지 않은 마약과 사용 후 남은 마약은 잘 보관한다.

⑤ 고농도 칼륨이나 고농도 나트륨은 위험하므로 동일한 장소에 놓아둔다.

035

수간호사가 새로운 간호 정책을 만들고자 할 때, 환자명, 환자의 병명, 입원 기록, 환자의 정보 등을 수집하여 참고하고자 하였다. 이 수간호사가 참고로 한 간호 정보체계는 무엇에 해당하는가?

① 자료   ② 정보

③ 지혜   ④ 지식

⑤ 데이터베이스

기본간호학

036 기출 14, 18, 19

입원 시 기초자료 수집을 위해 활력징후를 측정하려 한다. 이 중 혈압 측정 시 생기는 오류에 대한 설명으로 올바른 것은?

① 밸브를 너무 천천히 풀면 수축기압이 높게 측정된다.

② 커프가 느슨히 감겨 있으면 수축기압이 높게 측정된다.

③ 밸브를 너무 천천히 풀게 되면 이완기압이 낮게 측정된다.

④ 운동 직후 또는 활동 직후에 혈압을 측정하면 낮게 측정된다.

⑤ 충분히 공기를 주입하지 않는 경우 수축기압이 높게 측정된다.

037 기출 13, 18, 20

70세 여자로, 폐렴으로 입원한 환자가 폐 우측 하엽에 분비물이 있는 대상자의 체위 배액으로 취하면 좋을 자세는?

① 복위를 취해준다.
② 슬흉위를 취해준다.
③ 쇄석위를 취해준다.
④ 앙와위로 누워 있다.
⑤ 좌측으로 누워 트렌델렌버그 자세를 취한다.

038 기출 16, 18, 21

호기를 의식적으로 길게 하는 방법으로, 폐로부터 공기의 흐름에 대한 저항을 만듦으로써 세기관지 허탈을 막을 수 있고 평상시보다 더 많은 이산화탄소를 제거할 수 있는 방법은 무엇인가?

① 기침 격려
② 과도한 환기
③ 쿠스말 호흡
④ 강화 폐활량계를 제공
⑤ 입술을 오므리고 하는 호흡

039 기출 14, 18, 20

자발적인 호흡이 가능하며 호기된 이산화탄소를 재호흡하지 않아 높은 농도의 산소를 제공할 수 있는 산소요법은?

① 단순마스크
② 비강캐뉼라
③ 벤츄리 마스크
④ 비재호흡 마스크
⑤ 부분재호흡 마스크

040

간호사가 수술 직후 환자의 섭취량과 배설량을 감시하려고 할 때 배설량 측정 항목에 포함되는 것은?

① 상처배액
② 눈세척액
③ 복막주입액
④ 비경구적 수액 주입
⑤ 경구투여 시 섭취한 물

041 기출 11

60세 여자가 자궁암 수술 후 식욕부진으로 3일째 식사를 전혀 못 하고 있어, 완전 비경구 영양(TPN)을 제공하고자 한다. 올바른 간호 중재는?

① 경구 투여가 가능하면 TPN을 즉시 중단한다.
② TPN 관으로 약물, 혈액을 함께 주입할 수 있다.
③ 감염 예방을 위해 주입용 튜브는 72시간마다 교환한다.
④ 용액에 미생물 성장이 용이하므로 감염에 주의해야 한다.
⑤ TPN이 너무 천천히 투여될 경우 삼투성 이뇨가 발생할수 있다.

042 기출 15, 18

30세 여자 이 씨는 5일 전부터 부분적 장폐색이 지속되어 입원하였다. 환자에게 섬유소와 유제품을 제한하는 치료식이는?

① 유동식
② 저자극식이
③ 저단백식이
④ 저잔여식이
⑤ 저지방식이

043 기출 18

소변생성은 정상적이나, 방광의 기능문제로 요의는 있지만 완전히 소변이 배출되지 않아 생기는 배뇨장애는 무엇인가?

① 빈뇨
② 유뇨
③ 무뇨
④ 요정체
⑤ 기능성 배뇨

044 기출 15, 16, 18, 20

중환자실에 입원한 50세 남성환자에게 유치도뇨관을 삽입하려고 할 때 옳은 것은 무엇인가?

① 도뇨관을 5~7 cm 삽입한다.
② 숨을 들이쉬고 발살바 수기를 하도록 한다.
③ 등을 침상에 둔 채로 다리를 굽힌 자세를 취하도록 한다.
④ 소독솜으로 요도구의 중앙에서 가장자리로 둥글게 닦는다.
⑤ 도뇨관이 들어간 후 공기를 채워서 빠져나오지 않도록 한다.

045

3일에 한 번 변을 보며 힘들게 변을 본다고 호소하는 노인에게 적용하는 간호 중재로 알맞은 것은?

① 저칼륨식이
② 고나트륨식이
③ 저식이섬유식이
④ 충분한 수분섭취
⑤ 주기적인 용수관장

046 기출 17, 18

도뇨관을 이용하여 단순도뇨를 하는 이유로 옳은 것은?

① 방광세척
② 수술 전 처치
③ 하루 소변량 측정
④ 장루 주변 오염 방지
⑤ 무균적으로 소변 채취

047 기출 13, 18, 21

뇌사 판정을 받고 장기 입원한 환자에게 발생할 수 있는 생리적 현상으로 옳은 것은?

① 근지구력 증가
② 근긴장도 증가
③ 기초대사량 증가
④ 혈중칼슘 농도 저하
⑤ 심장혈액보유량 저하

048 기출 14, 16, 18, 19, 20, 21

장기간 침상 안정을 취했다가 침상 발치로 내려온 환자를 다시 원위치로 올리려고 할 때, 간호사의 신체를 잘 사용한 것으로 옳은 것은?

① 멀리서 서서 옮긴다.
② 다리 기저면을 좁게 한다.
③ 허리를 굽힌 채로 들어올린다.
④ 옮기려는 방향을 향해 서 있는다.
⑤ 팔다리 근육보다는 등 근육을 사용한다.

049

평소 기립성 저혈압 증상을 나타내던 노인 환자의 보행을 지지하던 중, 환자가 쓰러지려는 상황에 처했다. 우선적으로 제공해주어야 하는 간호중재는 무엇인가?

① 보호자와 함께 움직이도록 교육한다.
② 빨리 다른 간호사를 불러 도움을 청한다.
③ 환자의 체중을 지지해주면서 앉거나 눕게 한다.
④ 일단 환자를 벽에 기대어 지지할 수 있도록 한다.
⑤ 환자에게 하지에 힘을 주어 두 다리로 지탱하고 있도록 한다.

050 기출 18, 19

다음 설명에 해당하는 수면유형으로 옳은 것은?

- 생생한 꿈을 꾼다.
- 전체수면의 20~25%를 차지한다.
- 뇌파 활동이 활발하고, 혈압과 호흡률이 증가한다.

① REM 단계
② NREM 1단계
③ NREM 2단계
④ NREM 3단계
⑤ NREM 4단계

051 기출 11

발목 염좌 대상자에게 냉요법을 실시했을 때의 효과로 옳은 것은?

① 염증반응 증가
② 조직대사 증가
③ 모세혈관 확장
④ 근육 수축 긴장
⑤ 신경전도속도 증가

052 기출 18

사후에 신체적 변화로 적혈구가 파괴되어 헤모글로빈이 유리되어 피부색이 변하는 현상은?

① 사후 강직
② 사후 한랭
③ 사후 시반
④ 사후 연화
⑤ 사후 부패

053 기출 18, 20

낙상과 같은 노인의 안전사고 발생 위험을 높이는 요인은?

① 말초 순환 증가
② 관절 운동 범위 증가
③ 자율신경 반사 감소
④ 수정체 조절 증가
⑤ 열과 통증에 대한 역치 감소

054 기출 18

70세 김 씨는 편마비로 재활치료 중이다. 재활치료실에 가려 할 때 휠체어에 탄 환자의 낙상을 예방하기 위한 억제대는?

① 벨트 억제대
② 전신 억제대
③ 재킷 억제대
④ 장갑 억제대
⑤ 팔꿈치 억제대

055

세포 재생기 중 증식기(proliferation phase) 때 수행하여야 할 간호중재는 무엇인가?

① 수분을 제한한다.
② 냉습포를 적용한다.
③ 물리적으로 제거한다.
④ 비타민 A, C를 복용한다.
⑤ 저탄수화물 식이를 실시한다.

056

종이, 플라스틱, 카테터는 어떤 방법으로 소독하여야 하는가?

① 건열소독
② 자외선소독
③ 고압증기멸균법
④ 자비소독(boiling)
⑤ 산화에틸렌가스(EO gas)

057 기출 20

활동성 결핵으로 입원 중인 환자에 대한 주의지침을 교육할 때, 옳은 내용을 고르면?

① "병실 내는 양압을 유지해야 합니다."
② "병실 문을 수시로 열어 환기하도록 합니다."
③ "혈압계와 체온계를 개별적으로 사용해야 합니다."
④ "환자 90 cm 이내에서는 수술용 마스크를 착용해야 합니다."
⑤ "환자가 병실 밖에 나올 시 수술용 마스크를 착용하도록 합니다."

058

상처소독을 위해 드레싱 세트를 준비할 때 외과적 무균법을 올바르게 적용한 것은?

① 이동식 섭자의 끝을 위로 가게 한다.
② 드레싱 섭자로 소독캔에서 거즈를 꺼낸다.
③ 사용하지 않은 소독솜은 다시 소독캔에 넣는다.
④ 멸균장갑을 낀 채로 드레싱 세트의 포장을 연다.
⑤ 생리식염수를 소량을 따라 버린 후 멸균용기에 따른다.

059

Acetaminophen 500 mg po qid 처방을 받았을 때, 3일 동안 필요한 약물의 양은?

① 1,500 mg
② 4,000 mg
③ 4,800 mg
④ 6,000 mg
⑤ 7,500 mg

060 기출 18, 20, 21

경구용 약물을 복용하기 힘들어 하는 환자에게 간호중재는?

① 알약을 갈아서 준다.
② 물약은 탄산음료와 함께 준다.
③ 점적투여 약물은 인두후방에 투여한다.
④ 기름성분의 약은 미지근하게 데워서 준다.
⑤ 역겨운 맛의 약물은 투여 전 얼음조각을 물고 있게 한다.

061

둔부의 배면에 근육주사를 할 때 둔근을 이완시키기 위한 간호중재로 옳은 것은?

① 측위를 취하고 발끝을 밖으로 외전한다.
② 복위를 취하고 발끝을 안으로 내전한다.
③ 측위를 취하고 발끝을 안으로 내전한다.
④ 앙와위를 취하고 발끝을 안으로 내전한다.
⑤ 측위를 취하여 무릎을 가슴 쪽으로 당긴다.

062

고위험 약물이 헤파린 주사 시 혈종 형성을 예방하는 방법은?

① 주사 후 가볍게 마사지한다.
② 주입 후 빠르게 바늘을 제거한다.
③ 혈액이 나오는지 내관을 당겨본다.
④ 혈관 분포가 적은 부분에 주사한다.
⑤ 반복 주사 시 복부에 돌려가며 주사한다.

063 기출 21

체중이 60 kg인 천식 환자에 'aminophylline 0.5 mg/kg/hr IV'가 처방되었다. 5% 포도당 용액 500 ml에 aminophylline 250 mg 혼합 시 분당 적정 주입 속도는? (drip factor=20 gtt/ml)

① 5 gtt/min
② 10 gtt/min
③ 15 gtt/min
④ 20 gtt/min
⑤ 25 gtt/min

064

편마비로 대부분의 시간을 누워서 보내는 환자가 가장 욕창이 발생할 위험이 높은 부위는?

① 귀, 무릎, 발꿈치
② 측두, 척추, 천골
③ 견갑골, 척추, 골반
④ 후두부, 팔꿈치, 발꿈치
⑤ 어깨, 전상장골극, 무릎측면

065 기출 19, 20, 21

환자의 천골부위에 발적이 생긴 것을 관찰하였을 때, 시행해야 하는 중재로 옳은 것은 무엇인가?

① Wet-to-dry 드레싱을 한다.
② 발적 부위를 마사지한다.
③ 침상머리를 45°로 높인다.
④ 도넛 모양 쿠션을 적용한다.
⑤ 2시간 간격으로 체위를 변경한다.

보건의약관계법규

066 기출 18

상급종합병원의 기준으로 옳은 것은?

① 15개 이상 진료과목을 갖추어야 한다.
② 시 · 도지사가 인력 · 시설 · 물자를 점검한다.
③ 특정 진료과목에 전문의를 두어야 한다.
④ 보건복지부장관이 4년마다 지정, 취소한다.
⑤ 중증질환에 대해 난이도 높은 의료를 실시한다.

067 기출 13, 15, 16, 17, 18, 19, 20, 21

간호사가 될 수 <u>없는</u> 결격사유는?

① 청각장애인
② 향정신성의약품 중독자
③ 의료법을 위반하여 과태료를 납부한 자
④ 정신질환자이나 전문의가 적합하다고 인정한 자
⑤ 혈액관리법을 위반하여 선고된 형의 집행이 종료된 자

068 기출 14, 18

다음 중 간호기록에 반드시 포함되어야 하는 사항이 <u>아닌</u> 것은?

① 간호 일시
② 진단결과 또는 진단명
③ 간호를 받는 사람의 성명
④ 섭취 및 배설물에 관한 사항
⑤ 체온 · 맥박 · 호흡 · 혈압에 관한 사항

069 기출 13, 17, 18, 21

보수교육에 관한 설명으로 옳은 것은?

① 중앙회의 장은 보수교육을 기관에 의뢰할 수 없다.
② 의료인은 보수교육을 연간 6시간 이상 이수하여야 한다.
③ 면허증을 발급받은 신규간호사는 보수교육을 유예할 수 있다.
④ 한국보건복지인력개발원은 보수교육의 내용을 평가할 수 있다.
⑤ 중앙회의 장은 의료인의 취업실태 보고 시 보수교육 이수 여부를 확인하여야 한다.

070 기출 11, 21

하루 평균 종합병원에 입원환자 230명, 외래환자 240명이 있을 때 필요한 간호사의 수는?

① 92
② 96
③ 100
④ 104
⑤ 108

071 기출 13, 14, 18, 21

간호사 면허 취소에 해당하는 사유는?

① 자격 정지 2회
② 간호기록 허위 작성
③ 근거 없는 간호로 품위손상
④ 부정한 방법으로 의료비 거짓 청구
⑤ 일회용 주사침 재사용으로 환자에게 치명적 피해

072 기출 11, 12, 14, 15, 17, 21

다음 중 제2급감염병은?

① B형간염, 성홍열, 장티푸스
② 파라티푸스, E형간염, 폐렴구균
③ 바이러스성출혈열, 매독, A형간염
④ 세균성이질, 유행성이하선염, 파상풍
⑤ 신종감염병증후군, 폴리오, 장티푸스

073 기출 11, 12, 14, 15, 17, 21

전파가능성을 고려하여 발생 또는 유행 시 24시간 이내에 신고하여야 하고, 격리가 필요한 감염병은?

① 황열   ② 파상풍

③ 일본뇌염   ④ 장티푸스

⑤ 말라리아

074 기출 14, 16, 18

다음 중 검역감염병은?

① 매독   ② 백일해

③ 말라리아   ④ 바이러스 출혈열

⑤ 중동 호흡기 증후군

075 기출 16, 21

HIV 환자의 사체를 검안한 의사가 즉시 보고해야 하는 사람은?

① 시 · 도지사

② 의료기관의 장

③ 관할 보건소장

④ 보건복지부장관

⑤ 시장, 군수, 구청장

076 기출 15, 20

요양보험급여를 심사하고 심사 기준 및 평가기준을 개발하는 곳은?

① 보건복지부

② 질병관리본부

③ 생활건강지원센터

④ 국민건강보험공단

⑤ 건강보험심사평가원

077 기출 14

부득이한 사유로 인하여 요양기관 외의 장소에서 요양을 받았을 때, 국민건강보험공단에서 어떤 혜택을 받을 수 있는가?

① 요양비

② 장제비

③ 부가급여

④ 상병수당

⑤ 요양급여

078 기출 12, 13, 16, 17, 18

지역보건의료계획 세부사항을 수립할 때 반드시 포함해야 하는 것은 무엇인가?

① 의료기관의 병상의 수요, 공급

② 시군구 지역보건의료기관 인력의 교육훈련

③ 보건소의 기능 및 업무의 추진계획과 추진현황

④ 정신질환 등의 치료를 위한 전문치료시설의 수요, 공급

⑤ 지역보건의료기관과 보건의료 관련기관, 단체 간의 협력, 연계

079 기출 17, 18

보건소장을 임용할 때 의사 면허가 있는 사람 중에서 임용하기 어려운 경우에는 <지방공무원 임용령>에 따른 직렬의 공무원을 보건소장으로 임용할 수 있다. 임용 가능한 직렬을 옳게 나열한 것은?

① 위생, 조리

② 간호, 보건

③ 조리, 약국

④ 식품, 보건

⑤ 의료기술, 조리

080 기출 12, 18

마약류취급자가 아니더라도 마약류를 취급할 수 있는 사람은?

① 한외마약을 제조하는 자
② 대마를 재배, 소지, 소유, 수수하는 자
③ 향정신성의약품을 관리, 수입, 수출, 제조하는 자
④ 대마재배자를 위하여 마약류를 운반, 보관하는 자
⑤ 마약류취급의료업자에게 마약을 투약받아 소지하고 있는 자

081 기출 13

치료보호기관의 장이 마약중독자에게 치료를 위한 목적으로 마약을 투약할 때 누구의 허가를 받아야 하는가?

① 보건소장
② 법무부장관
③ 시군구청장
④ 식품의약품안전처장
⑤ 보건복지부장관 및 시·도지사

082 기출 18

의료기관에서 응급환자를 치료하지 못할 경우 어떠한 조치를 취해야 하는가?

① 중앙응급센터에 연락한다.
② 해당 지역의 권역응급의료센터로 가도록 한다.
③ 타 의료기관에서 필요한 인력과 장비를 공급받는다.
④ 응급환자의 치료가 가능한 타 의료기관으로 가도록 한다.
⑤ 응급환자의 치료가 가능한 타 의료기관으로 환자를 이송한다.

083 기출 13, 14, 18, 19

보건의료에 대한 알 권리에 해당하는 것은?

① 자신의 비밀을 침해받지 않을 권리를 가진다.
② 양질의 보건의료서비스를 받을 권리를 가진다.
③ 충분한 정보를 제공받고 동의할 권리를 가진다.
④ 자신의 건강에 관해 국가의 보호를 받을 권리를 가진다.
⑤ 자신의 보건의료와 관련된 기록을 열람할 권리를 가진다.

084 기출 16, 18

시장·군수·구청장이 지역주민의 건강증진을 위하여 보건소장으로 하여금 실시할 수 있게 하는 건강증진사업은?

① 구강건강의 관리
② 건강증진기금의 관리
③ 보건교육사 자격증 교부
④ 건강증진에 필요한 인력 확보
⑤ 광고내용의 변경 및 광고 금지 명령

085 기출 14, 18

<혈액관리법>상 금지하는 혈액 매매행위가 아닌 것은?

① 혈액증서 매매
② 금전 받고 혈액을 매매
③ 대가를 받고 혈액을 주기로 약속한 행위
④ 대가성 급부를 주고 혈액 공급을 받는 행위
⑤ 혈액증서를 제출하고 무상으로 혈액을 공급받는 행위

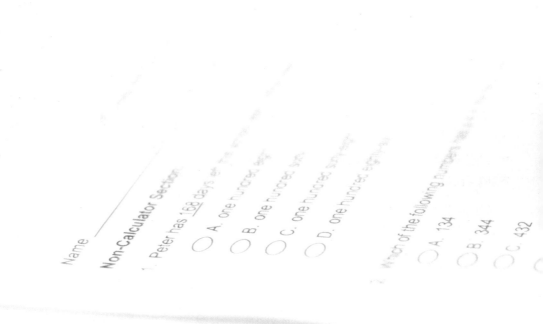

Name _____

Non-Calculator Section

1. Peter has <u>168</u> days ...

○ A. one hundred eig...

○ B. one hundred eigh...

○ C. one hundred sixt...

○ D. one hundred eight...

Which of the following numbers has ...

○ A. 134

○ B. 344

○ C. 432

PART 02

공략편

문항별 상세 풀이

시험에 자주 나오는 문제를 분석하여 총 3회분의
빈출 유형을 한곳에 모았습니다. 한 번 틀린
문제는 다시 틀리지 않도록 비슷한 유형의
문제를 반복 학습하도록 합니다.

1회 1교시

문항별 상세 풀이

성인간호학 | 01~70번
여성건강간호학 | 71~105번

성인간호학

001

노년기에도 사회 활동을 지속해야 생의 만족감이 증진된다는 이론은 무엇인가?

① 활동이론
② 소모이론
③ 환경순응가설
④ 지속이론(계속설)
⑤ 사회유리이론(퇴거이론)

002

다음 중 노인성 장애를 가지고 있는 환자의 간호중재로 옳은 것은?

① 무산소 운동을 시행한다.
② 특수한 상황에 관한 기술훈련을 한다.
③ 빠르게 회복할 수 있음을 알려주고 격려한다.
④ 완전히 기능을 회복할 수 있음을 이해시킨다.
⑤ 감각 결핍, 기억력 감퇴 등을 고려하여 의사소통한다.

003

다음 중 중년기 성인이 건강유지를 위해 운동을 시작할 때 지켜야 할 사항 중에서 옳은 것은?

① 철저한 신체검사 후 운동을 시작한다.
② 운동시간은 최대 1회 1시간을 넘기지 않도록 한다.
③ 평소 운동량이 적은 사람은 강도 높은 운동을 바로 시작하도록 한다.
④ 강도 높은 운동부터 시작하여 적응한 후 점차적으로 강도를 감소시킨다.
⑤ 비만일 경우 강도 높은 장시간 운동을 통해 바로 체중을 감량하는 것을 목표로 한다.

004 기출 16

화상을 입은 환자는 고칼륨혈증을 일으킬 수 있다. 이와 관련한 간호사정의 근거로 옳은 것은?

① 화상 부위에서 삼출물이 형성되기 때문이다.
② 세포막의 통합성이 파괴되어 세포내 전해질이 혈관내로 확산되기 때문이다.
③ 화상으로 인해 손실된 세포내 삼투압을 조절하기 위해 K^+이 정체되기 때문이다.
④ Aldosterone의 분비가 감소되어 Na^+의 배설이 증가되고 K^+이 정체되기 때문이다.
⑤ 화상으로 인해 세포막이 손상되면 세포 내에 존재하던 Na^+이 세포외액으로, 세포 외에 존재하던 K^+이 세포내액으로 이동하기 때문이다.

005

손가락이 얼얼함을 호소하며 응급실로 내원한 환자의 검사 결과가 pH 7.55, $PaCO_2$ 19, HCO_3^- 25이었다. 이 환자에게 제공할 수 있는 적절한 간호는?

① 산소를 제공한다.
② 습한 공기를 제공한다.
③ 중탄산이온을 투여한다.
④ 즉시 기계환기를 실시한다.
⑤ 종이봉투를 사용하여 호흡하게 한다.

006

다음은 세포내액량 과다에 관련된 설명이다. 옳은 것은?

① 수분섭취를 제한할 필요가 있다.
② 서맥, 고혈압, 감소된 호흡수가 나타난다.
③ 증상 완화를 위해 5% 포도당을 정맥주입한다.
④ 세포내액량이 적을 때 수분 중독증이라 한다.
⑤ 불안, 흥분, 지남력 변화 등 뇌압상승의 초기 징후가 나타나지 않는다.

007 기출 21

다음 중 급성 통증이 나타났을 때의 반응으로 옳은 것은?

① 동공 확대
② 호흡 정지
③ 우울 및 피로
④ 혈압 및 맥박은 정상이다.
⑤ 탈진 및 기운 저하가 나타난다.

008

투베르쿨린 반응검사와 이식거부 반응은 다음 중 어떤 과민반응에 해당하는가?

① 지연형 과민반응
② 즉시형 과민반응
③ 세포독성 과민반응
④ 세포용해성 과민반응
⑤ 면역복합체성 과민반응

009

다음 중 알레르기를 예방할 수 있는 실내환경으로 옳은 것은?

① 방안을 꽃으로 장식한다.
② 공기 청정기를 설치한다.
③ 창문에 블라인드를 설치한다.
④ 실내 습도를 50% 이하로 유지한다.
⑤ 침구는 세탁하기 쉬운 폴리에스테르 제품으로 한다.

010

감염과 유해물질에 대한 인체의 저항력을 비특이성과 특이성으로 나눌 때, 비특이성 저항에 관한 설명으로 옳은 것은?

① 기억세포를 형성한다.
② 이물질 침범 시 자기와 비자기를 구별한다.
③ 감염을 국소화시키고 제거할 수 있는 염증반응이 해당된다.
④ 침입한 세균이나 이종단백질에 대한 저항력으로서 면역이라 한다.
⑤ 처음 이물질을 접한 경우 인식하는데 시간이 걸리기 때문에 반응이 느리다.

011

다음 중 간생검 후 출혈을 예방하기 위한 체위는?

① 좌위

② 복위

③ 우측위

④ 좌측위

⑤ 슬흉위(무릎가슴자세)

012 기출 13

다음 중 악성종양의 특징으로 알맞은 것은 무엇인가?

① 증식 속도가 느리다.

② 병변의 경계가 분명하다.

③ 수술로 쉽게 제거할 수 있다.

④ 주위조직으로의 침윤이 나타난다.

⑤ 정상세포의 형태를 보유하고 있어 원래 조직과 비슷하다.

013

농양이 생겨서 항문에 통로가 생기는 것은 무엇인가?

① 혈종

② 치열

③ 치루

④ 외치질

⑤ 내치질

014 기출 19, 20, 21

응급환자는 긴급환자, 비응급환자로 분류된다. 다음 중 긴급환자는?

① 고열

② 요통

③ 뇌졸중

④ 기도폐쇄

⑤ 심한 통증

015

현재 대상자의 상완동맥에 출혈이 심하다. 제일 먼저 해야 할 간호중재로 알맞은 것은?

① 직접 압박한다.

② 전박을 묶어준다.

③ 항생제를 투여한다.

④ 심스 체위를 취한다.

⑤ 환부를 심장 아래로 내린다.

016 기출 14

다음 중 판막수술 후 말초맥박을 사정해야 하는 이유는?

① 출혈

② 색전

③ 세균성 감염

④ 심인성 쇼크

⑤ 심방세동(심방잔떨림)

017

다음 중 소독간호사(scrub nurse)의 역할에 관한 설명으로 옳은 것은?

① 거즈, 생리식염수 등 각종 멸균물품을 공급해준다.
② 수술 과정 전체가 무균술이 지켜지도록 감독·관찰한다.
③ 무영 등 및 보조 등을 확인하며 필요한 부위에 초점을 맞춘다.
④ 환자에게 정신적 지지를 해주며 마취 도입 시기에 환자 옆에 있도록 한다.
⑤ 무균영역(sterile field)에 있게 될 의사의 가운 입기와 장갑 끼기를 도와준다.

018

다음 중 척추마취와 관련된 설명으로 옳은 것은?

① 합병증으로 고혈압이 나타날 수 있다.
② 마취가 끝난 후 1~2시간 동안 반좌위로 눕혀야 한다.
③ Epinephrine과 함께 사용하면 마취시간을 연장할 수 있다.
④ 요추(허리)천자는 2번과 3번 요추 사이에서 시행하여 마취한다.
⑤ 자율신경 차단으로 통증과 압박 감각은 소실되나 운동력은 남아 있다.

019

다음 중 재활간호에서 기형과 합병증 예방을 위한 간호로 옳은 것은?

① 똑바로 누운 자세에서 팔꿈치를 신전시킨다.
② Foot drop을 예방하기 위해 발 받침대를 대어준다.
③ 옆으로 눕히고 대퇴관절 대전자부 옆에 담요를 접어서 대어준다.
④ 옆으로 누운 체위에서 하지(다리)는 신전(펌)시키고 슬와부 밑을 지지해준다.
⑤ 똑바로 누운 자세에서 머리를 옆으로 돌리고 나머지 신체선열을 유지해준다.

020

다음 중 환부에 마사지를 적용할 수 <u>없는</u> 경우는?

① 요통이 있을 때
② 소양증이 있을 때
③ 열적용을 하고 있을 때
④ 급성 염증 반응이 있을 때
⑤ 부신피질호르몬을 투여하고 있을 때

021

표재성 통증의 특징으로 옳은 것은?

① 혈압이 상승한다.
② 오심, 구토가 난다.
③ 주로 내장의 통증이다.
④ 날카롭고 찌르는 듯한 통증이다.
⑤ 통증의 위치를 확인하기가 어렵다.

022 기출 17

활동성 결핵으로 진단할 수 있는 기준은?

① 백혈구 수 증가
② 투베르쿨린 양성 반응
③ 적혈구 침강 속도 감소
④ 흉부X선 검사 결과 폐의 침윤과 소결절
⑤ 동맥혈 가스 검사 결과 PaO_2 감소, PaO_2 증가

023 기출 21

긴장성 기흉 환자에게 응급조치를 바로 해야 하는 이유는?

① 농흉이 발생하기 쉽기 때문이다.
② 종격동이 침범받은 쪽으로 변위되기 때문이다.
③ 흡기 시 공기가 적게 들어가 폐의 환기량이 적기 때문이다.
④ 호기 시 공기배출이 되지 않아 폐허탈이 발생하기 때문이다.
⑤ 숨쉴 때마다 늑막강 내 공기가 배출되어 늑막강 압력이 낮아지기 때문이다.

024

정맥류를 진단하기 위한 검사 방법은?

① Allen test
② Homan's test
③ Blanching test
④ Trendelenburg test
⑤ Prothrombin time 측정

025 기출 18

다음 중 비호지킨림프종의 특징은?

① 빈혈
② 전신부종
③ 병리적 골절
④ 외상성 출혈
⑤ 무통성 림프절 비대

026

다음 나열된 호르몬 중 나머지 4개의 호르몬과 분비기관이 다른 호르몬은 무엇인가?

① 옥시토신
② 성장호르몬
③ 유선자극호르몬
④ 갑상샘자극호르몬
⑤ 부신겉질자극호르몬

027

다음 중 쿠싱증후군의 증상으로 옳은 것은?

① 저혈압
② 만월형 얼굴
③ 창백한 안색
④ 굵은 팔다리(사지)
⑤ 앞 목 부위의 지방침착

028

왼쪽 흉부에 건성 늑막염을 앓고 있는 남자가 심한 통증을 호소하면서 호흡하고 있다면, 적절한 간호중재는?

① Demerol을 투여한다.
② 왼쪽 흉곽 밑에 베개를 대준다.
③ 오른쪽 흉곽을 아래로 가게 눕힌다.
④ 오른쪽의 흉곽 밑에 베개를 대준다.
⑤ 자세를 똑바로 하여 앙와위를 취해준다.

029

대동맥판 폐쇄부전(aortic regurgitation)의 근본적인 치료방법은?

① 심장이식
② 판막연합절개술
③ 인공판막대치술
④ 관상동맥중재술
⑤ 영구적 인공심박동기 삽입

030 기출 18, 21

심낭염으로 심장압전을 호소하고 있는 환자의 증상으로 옳은 것은?

① 서맥
② 기이맥
③ 혈압 상승
④ 심박출량 증가
⑤ 중심정맥압 감소

031 기출 18

부정맥 환자가 영구적 인공심박동기를 삽입하고 퇴원할 때 교육해야 하는 내용으로 옳은 것은?

① 딸꾹질이 계속될 때에는 물을 마신다.
② 매일 1분 동안 맥박을 재는 습관을 기른다.
③ 1년에 한 번씩 정기적으로 병원을 방문하도록 한다.
④ 과격한 신체운동을 하고 난 후에 자주 휴식을 취한다.
⑤ 자기공명영상검사 시 의료진에게 알려야 하며, 일상적 전자레인지 등의 사용은 제한이 없다.

032 기출 20

다음 중 협심증(가슴조임증) 환자에게 nitroglycerine을 투여 시 주의해야 할 점으로 옳은 것은?

① 복용 시 약이 녹기 전에 삼킨다.
② 흰색 병에 서늘한 곳에 보관하도록 한다.
③ 혀 밑에 약을 넣었을 때 화끈거릴 수 있음을 미리 얘기해둔다.
④ 약의 유효기간은 1년이며, 유효기간이 가까운 것부터 투약한다.
⑤ 3~4분 간격으로 3회 약물을 복용한 후에도 통증이 사라지지 않으면 진통제를 투여한다.

033

다음 중 심박출량을 결정하는 데 가장 중요하게 영향을 미치는 것은?

① 심근수축력, 혈압
② 심근수축력, 심박동수
③ 정맥귀환량, 판막의 능력
④ 심근수축력. 판막의 능력
⑤ 심박동수, 심장내 잔여혈량

034

간헐성 파행증에 대한 설명으로 옳지 <u>않은</u> 것은?

① 국소 허혈 시 통증이 증가한다.

② 편측적으로 발생하기 시작한다.

③ 찬 곳에 노출을 피하면 줄어든다.

④ 순환부전으로 운동 시 장딴지 통증이 증가한다.

⑤ 조직에 젖산이 축적되어 장딴지에 통증이 발생한다.

035

심부전으로 입원한 환자에게 신체활동을 최소화하도록 했다. 이는 어떤 이유에서인가?

① 병원감염을 예방하기 위함이다.

② 영양균형과 체중유지를 위한 것이다.

③ 병원생활 적응을 도모하기 위함이다.

④ 치료 합병증을 예방하기 위한 것이다.

⑤ 체내 산소에너지 사용을 감소시키기 위함이다.

036

다음 중 체내 인슐린 요구량이 감소하는 경우로 적절한 것은?

① 고체온

② 외과적 수술

③ 활동적인 운동

④ 급성 염증성 감염

⑤ 과도한 긴장과 스트레스

037

빈혈의 원인이 내인자 부족인지 아니면 회장(돌창자)의 흡수장애인지 알아보기 위해 시행하는 검사의 명칭으로 옳은 것은?

① Rubin test

② Schiller test

③ Schilling test

④ Romberg test

⑤ Non stress test

038

다음 중 혈소판감소증 환자의 간호중재로 옳은 것은?

① 근육주사를 한다.

② 항응고제를 투여한다.

③ 딱딱한 칫솔을 사용한다.

④ 섬유소가 많은 음식 섭취를 제한한다.

⑤ 월경량이 유난히 많으면 출혈을 의심한다.

039 기출 15, 18

수술 후 침상안정을 취하던 환자가 하지의 중압감을 호소하고 Homan's sign이 양성으로 나타났다. 활력징후는 정상이고 장딴지의 열감도 없을 때, 간호중재로 옳은 것은?

① 항생제를 투여한다.

② 즉시 외과적 수술을 실시한다.

③ 침상 하지 부위를 수평으로 한다.

④ 냉찜질로 하지의 중압감을 완화시킨다.

⑤ 침상 내에서 발의 배굴운동을 시키고 추가 검사를 계획한다.

040

다음 중 레이노병(Raynaud's disease)에 대한 설명으로 옳은 것은?

① 남성에게서 호발한다.
② 혈관 확장성 질환이다.
③ 대동맥 등 큰 동맥에 호발한다.
④ 카페인 섭취나 흡연과는 관련이 없다.
⑤ 증상은 양측성이며 대칭적으로 나타난다.

041 기출 15

다음 중 역류성 식도염 환자의 간호중재로 옳은 것은?

① 잠잘 때 베개를 사용하지 않도록 한다.
② 식사 중에 수분 섭취를 하도록 한다.
③ 취침 2시간 전에 소량의 음식을 섭취한다.
④ 자극적이거나 뜨겁고 찬 음식을 먹어도 상관없다.
⑤ 식전 2시간이나 식후 1시간에 제산제를 투여한다.

042 기출 15

다음 중 십이지장궤양 증상으로 옳은 것은?

① 진통제로 통증이 완화된다.
② 공복 시와 낮에 통증이 증가한다.
③ 식사를 한 후 통증이 바로 나타난다.
④ 좌측 상복부에 통증이 갑자기 발생·지속된다.
⑤ 갈비뼈(늑골) 가장자리를 따라 등으로 방사통이 발생한다.

043 기출 18, 19, 20

아래의 병력 및 증상에 근거하여 환자의 질환을 예상할 때 가장 타당한 것은?

> 20세 남자가 부종과 콜라색 소변을 호소하며 병원에 왔다. 병력 사정 시 7일 전 인후염을 앓은 적이 있으며, 양측 하지에도 중증도의 요흔성 부종이 관찰되었다. 혈압은 160/100이었다. 입원 직전에는 눈이 잘 보이지 않으며 옆구리에 통증이 느껴진다고 말하였다.

① 신장암
② 신석증
③ 요로감염
④ 급성 신부전증
⑤ 급성 사구체신염

044 기출 21

위장관 출혈이 심한 대상자에게서 일차적인 중재의 목적으로 옳은 것은?

① 통증을 조절한다.
② 오심, 구토를 방지한다.
③ 영양의 균형을 유지한다.
④ 불안을 감소하기 위한 심리간호를 제공한다.
⑤ 혈액량을 회복하고 저혈량성 쇼크를 예방한다.

045 기출 16, 17, 18, 21

만성 간염 환자의 혈청검사 소견이 HBsAg (+), HBeAg (+), Anti HBc (+)이다. 다음 중 교육내용으로 가장 옳은 것은?

① 가족과 격리 수용해야 한다.
② 목욕수건의 공유가 가능하다.
③ 피임기구 없이 성생활이 가능하다.
④ 면도기, 손톱깎이를 공동으로 이용할 수 있다.
⑤ 혈액, 체액에 오염된 물건을 공동으로 사용하는 것을 금지한다.

046 기출 17, 21

식도정맥류로 Sengstaken-Blakemore tube를 삽입한 환자가 불안정하며 고통스러운 표정을 보이고, V/S는 맥박 120회, 호흡 45회로 확인된다. 다음 중 제일 먼저 해야 할 것으로 옳은 것은?

① 의사에게 보고한다.
② 위풍선 압력을 제거한다.
③ 식도풍선 압력을 제거한다.
④ 환자에게 심호흡을 유도한다.
⑤ Tube를 즉시 가위로 자르고 제거한다.

047

심한 황달과 소양증을 주호소로 방문한 대상자의 소양증 완화를 위해 간호사가 할 수 있는 중재로 옳은 것은?

① 크림과 로션을 사용하려 피부 건조를 막는다.
② 피부 청결을 위해 알칼리 비누로 자주 씻는다.
③ 보온을 위하여 병실의 온도를 약간 높게 한다.
④ 차가운 물로 스펀지 목욕을 하거나 전분목욕을 한다.
⑤ 체내 땀을 배출하기 위해 발한을 증진시키는 운동을 한다.

048

다음 중 급성 췌장(이자)염 환자의 간호로 옳지 <u>않은</u> 것은?

① 반좌위 자세를 취한다.
② 항콜린성 제제, 제산제를 투여한다.
③ 췌장기능을 사정하고 morphine을 투여한다.
④ 급성 통증 시 금식시키고 비위관을 삽입한다.
⑤ 급성기 이후 저지방 및 저단백 식이, 술·담배를 금지한다.

049 기출 17

다음 중 두개내압 상승 원인으로 옳은 것은?

① 설사
② 뇌졸중
③ 유두부종
④ 투사성 구토
⑤ 상기도 감염

050

혈액투석 시 수행할 간호중재로 옳은 것은?

① 고혈당증을 예방한다.
② 혈액투석 시 단백질 섭취를 권장한다.
③ 투석 후에만 환자의 활력징후를 관찰한다.
④ 투석이 끝난 15~30분 후 탄수화물을 섭취한다.
⑤ 투석하는 날 아침에는 항고혈압제를 복용하지 않는다.

051

다음 중 신장(콩팥)암 환자를 간호할 때 환자 및 보호자에게 할 수 있는 말로 올바른 것은?

① "신장암 치료에는 항암제가 효과적입니다."
② "반드시 완치할 수 있으니 걱정할 필요는 없습니다."
③ "항암제를 사용하지 못할 경우에만 방사선요법을 실시합니다."
④ "신장 부분에 덩어리가 촉지된다면 이미 전이도 되었다는 의미입니다."
⑤ "초기 증상은 없으며 전형적으로 혈뇨, 옆구리 통증, 덩어리 촉지 등의 증상이 나타날 수 있습니다."

052

기침을 할 때나 크게 웃을 때 소변이 질금질금 흐르는 것을 무엇이라 하는가?

① 야뇨증
② 역리성 요실금
③ 복압성 요실금
④ 긴박성 요실금
⑤ 연속적 요실금

053 기출 17

방광염 환자의 간호중재로 옳은 것은?

① 하루에 3 L 이상의 수분을 섭취한다.
② 성행위 직후 소변을 참도록 한다.
③ 면제품보다 합성섬유로 된 속옷을 입는다.
④ 회음부를 습하게 꽉 조이는 속옷을 착용한다.
⑤ 요도를 자극하므로 샤워보다는 통목욕을 한다.

054 기출 19

복막염 시 제공해야 할 간호로 옳지 <u>않은</u> 것은?

① 앙와위로 눕힌다.
② 체온상승 여부를 관찰한다.
③ 금식하고 정맥주입을 시행한다.
④ 적절한 항생제를 선택하여 투여한다.
⑤ 복강감압을 위해 비위관을 삽입한다.

055

다음 중 궤양성 대장염 환자의 간호로 옳은 것은?

① 항콜린성 약물 투여를 금지한다.
② 무기질이 없는 음식을 섭취하게 한다.
③ 장의 자극을 피하기 위해 안정을 취한다.
④ 충분한 영양을 위한 고단백, 고지방 식이를 제공한다.
⑤ 육체적, 정신적, 안정적 도모를 위해 충분한 운동을 격려한다.

056

다음 중 만성 신부전(만성 콩팥기능상실) 환자에게 저단백 식이를 제공하는 이유는?

① 부종 감소를 위해서
② 폐부종 감소를 위해서
③ 대사율 감소를 위해서
④ 칼륨 중독 감소를 위해서
⑤ 질소 노폐물 감소를 위해서

057

임질에 관한 설명으로 옳지 <u>않은</u> 것은?

① 항생제 치료가 필요하다.
② 성관계를 통해 전파되어 젊은 연령층에서 호발한다.
③ 치료하지 않을 시 흔히 골반염증성 질환을 초래한다.
④ 숙주를 떠나면 생존력이 더욱 강해져 전파력이 높아진다.
⑤ 황색의 화농성 질 분비물, 작열감, 요통 등이 증상으로 나타난다.

058

다음 중 피부암을 예방하기 위해 교육할 내용으로 옳은 것은?

① 일광욕을 하도록 한다.

② 지속적으로 비타민 D를 투여한다.

③ 햇빛이 강한 야외에서 운동을 하도록 한다.

④ 암의 위험성이 있는 부위는 6개월에 한 번 자가검진을 한다.

⑤ 피부의 점과 같은 검은 반이 커지거나 새로 다른 곳에 생기는지 정기적으로 관찰한다.

059

다음 중 화상 환자에게 수혈을 실시해야 하는 상황은?

① 감염 증상이 있을 때

② 혈액내 Na^+ 부족할 시

③ 화상 초기 24시간 이내

④ 시간당 소변량이 20 cc 이하일 때

⑤ Hematocrit 수치가 감소하거나 빈혈일 때

060

중이(가운데귀)를 구성하는 요소로 옳은 것은?

① 와우각(달팽이관)

② 청신경

③ 전정(안뜰)

④ 이개(귓바퀴)

⑤ 모루뼈(침골)

061

망막박리 환자에게 해주어야 할 간호로 옳은 것은?

① 세균성장 촉진 위험성 때문에 안대는 금기이다.

② 절대 안정을 취하며 양측 눈을 모두 안대로 가린다.

③ 양측 눈의 감염방지를 위해 눈을 수돗물로 세척한다.

④ 결막을 노출시켜 내안각에서 외안각으로 안연고를 도포한다.

⑤ 일단 입원하여 추이를 지켜보고 실명 위기 시에만 수술을 진행한다고 설명한다.

062

다음 중 실명 상태의 환자가 있는 방에 들어갔을 때 간호사의 태도로 옳은 것은?

① 살며시 다가가서 건드린다.

② 알아듣기 쉽게 큰소리로 얘기한다.

③ 조용히 들어가서 간호수행만 하고 나온다.

④ 환자는 눈이 보이지 않으므로 신경 쓸 필요가 없다.

⑤ 간호사가 들어왔음을 알리고 들어온 목적을 설명한다.

063 기출 15

다음 중 전도성 난청 시 신체사정 내용으로 적절한 것은?

① Weber test 시 정상 귀에서 더 잘 들린다.

② Weber test 시 환측 귀에서 더 잘 들린다.

③ Weber test 시 양쪽 귀에서 똑같이 들린다.

④ Rinne test 시 골전도와 공기전도가 같다.

⑤ Rinne test 시 골전도보다 공기전도가 더 오래 들린다.

064 기출 19, 21

다음은 35세 김 씨의 의식 상태이다. Glasgow Coma Scale (GCS)에 따라 김 씨의 의식수준은 몇 점으로 평가되는가?

> • "환자분, 제 목소리 들리세요?"라고 묻자 눈을 떠서 간호사를 바라보았다.
> • 국소적 동통에 반응하고 움직임을 보였다.
> • 간호사가 질문하는 것들에 신음소리로만 답하였다.

① 5점　　　　　　② 7점
③ 10점　　　　　 ④ 12점
⑤ 15점

065

구개반사의 소실은 다음 중 어느 뇌신경의 손상 때문인가?

① 삼차신경, 부(더부)신경
② 안면(얼굴)신경, 삼차신경
③ 미주신경, 설하(혀밑)신경
④ 설인(혀인두)신경, 미주신경
⑤ 부(더부)신경, 안면(얼굴)신경

066 기출 19, 20, 21

다음 중 ICP가 상승된 환자의 간호로 옳은 것은?

① 경부를 굴곡(굽힘)시킨다.
② 삼투성 이뇨제 투여를 금한다.
③ 30~50° 침상 머리를 상승시킨다.
④ 두통 완화를 위해 아편제를 투여한다.
⑤ 뇌의 신진대사를 감소시키기 위해 저체온요법을 사용한다.

067 기출 21

파킨슨 질환을 앓고 있는 대상자에게서 얼마 전부터 진전(tremor)이 나타났다. 진전에 관한 설명으로 옳은 것은?

① 관찰 시 우연히 일어나는 것이다.
② 목적적·수의적 움직임에 의해 사라진다.
③ 정신적인 것이므로 의지에 의해 통제된다.
④ 활동 시에 시작되며 수면 시에는 사라진다.
⑤ 대상자의 주의가 다른 활동으로 옮겨질 때 증가한다.

068

중증근무력증에 대한 설명으로 옳은 것은?

① 질병은 급속도로 악화된다.
② 활동적인 일은 오후에 하는 것이 좋다.
③ 후두신경 손상으로 호흡기계 합병증이 생긴다.
④ 원위부에서 시작하여 근위부 근육으로 침범된다.
⑤ 근육신경 접촉부에 acetylcholine의 과잉으로 발생한다.

069

다음은 화상 환자의 영양섭취에 관한 사항이다. 옳은 것은?

① 저단백 식이
② 저칼로리 식이
③ 저비타민 식이
④ 고나트륨 식이
⑤ 고미네랄 식이

070 기출 18, 21

다음의 ECG 해석에 관한 것으로 옳지 <u>않은</u> 것을 고르면?

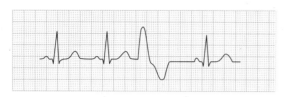

① 제1 약물요법은 Nitroglycerin 투여이다.

② ECG 상 QRS 폭은 0.12초 이상이다.

③ Couplet 등 다양한 형태로 나타난다.

④ 예상시점보다 빠르게 이상흥분이 심실에서 발생한다.

⑤ 심실빈맥이나 심실세동으로 이행되어 심정지까지 발생할 수 있다.

여성건강간호학

071 기출 18, 19, 20

여성건강간호의 접근법으로 가장 적절한 내용은 무엇인가?

① 여성의 모성역할 수행이 가장 중요하다.

② 여성의 신체적, 심리적 건강을 포함한다.

③ 임신 가능기간 여성의 건강관리에 관심을 가진다.

④ 여성의 독특한 성적 특성인 임신, 분만으로 구성되어 있다.

⑤ 여성의 신체적, 심리적, 사회적, 영적 건강을 비롯하여 가족 건강까지 모두 포함한다.

072 기출 16, 17, 18, 19, 20, 21

결혼 후 2년간 불임인 부부가 내원했다. 여성의 월경주기는 규칙적이었으며 특이 병력은 없었다고 한다. 가장 먼저 시행할 검사는?

① 정액검사   ② 성교후 검사

③ 자궁내막생검   ④ 자궁난관조영술

⑤ 황체호르몬 검사

073 기출 13

여성의 내생식기를 질경을 사용하여 검진하고자 한다. 준비사항으로 옳은 것은?

① 연령에 맞는 질경을 선택하여 준비한다.

② 질경에 윤활제를 묻혀서 잘 삽입되록 한다.

③ 삽입 전에 질경에 베타딘을 묻혀서 따뜻하게 만든다.

④ 자궁경부가 가운데에 위치하면 이면 질경의 나사를 고정시킨다.

⑤ 질경을 닫은 상태에서 90°로 치골결합 방향으로 삽입한다.

074 기출 16

우측 난소절제술을 받을 여성 환자에게 해줄 수 있는 적절한 설명은?

① "2달에 한 번씩 배란과 월경이 있어요."

② "월경이 없어지기 때문에 임신을 할 수가 없어요."

③ "한쪽 난소가 있어 배란이 되기 때문에 임신할 수 있어요."

④ "한쪽 난소가 없어서 호르몬이 충분하지 않아 임신이 어려울 것 같네요."

⑤ "한쪽 난소만으론 호르몬이 충분하지 않아 호르몬대체요법을 시행해야만 월경이 있어요."

075 기출 15, 19, 20

사춘기 여성이 성폭력 피해로 응급실을 방문하였다. 이에 대한 간호중재로 옳은 것은?

① 피해 당시 입은 옷은 폐기한다.

② 감염 예방을 위해 검진 전에 샤워하게 한다.

③ 상해 정도를 사정하고 구체적으로 기록한다.

④ 함께 있어주며 감정을 표현하지 않도록 한다.

⑤ 증거물 수집은 피해자의 동의가 필요 없음을 설명한다.

076 기출 16, 18, 19, 20

15세 여성 환자가 생식기 기저질환 없는데 월경통을 호소하였다. 월경통이 발생한 원인은 무엇인가?

① 릴락신이 자궁근을 이완시키기 때문에

② 프로스타글란딘이 자궁수축을 촉진하기 때문에

③ 여성 호르몬인 에스트로겐이 자궁이완을 촉진하기 때문에

④ 여성 호르몬인 프로게스테론이 자궁수축을 촉진하기 때문에

⑤ 뇌하수체 후엽에서 분비되는 옥시토신이 자궁수축을 촉진하기 때문에

077 기출 17, 18, 20

산과력이 다음과 같을 때 5자리 숫자체계(G-T-P-A-L)로 옳은 것은?

- 12주에 패혈성 유산
- 20주에 자궁경부무력증으로 유산
- 39주에 분만하였으나 사망
- 34주에 쌍둥이 제왕절개분만, 2명 모두 건강함

① 3-2-1-1-3   ② 3-1-2-1-2

③ 3-1-1-2-2   ④ 4-1-1-2-2

⑤ 4-1-2-1-2

078 기출 19

경막외 마취로 분만통증을 관리하고 있는 임신 39주 된 산부에게 저혈압이 나타났다. 우선적인 간호중재는?

① 모르핀을 투여한다.

② 좌측위를 취해준다.

③ 유치도뇨관을 삽입한다.

④ 응급제왕절개술을 실시한다.

⑤ 수액이 정맥 주입속도를 증가시킨다.

079 기출 21

다음 중 태반호르몬에 대한 설명으로 맞는 것은?

① hCG: 황체 유지

② 태반락토젠: 모체의 신진대사 감소

③ 에스트로겐: 자궁내막 증식 및 자궁수축 억제

④ 프로게스테론: 자궁수축을 유지하여 조산 예방

⑤ 프로게스테론: 자궁의 성장 및 유방, 유선 발달

080 기출 17, 18, 20

레오폴드 복부촉진법 3단계에서 알 수 있는 것은?

① 태아의 등이 어디 있는지 알 수 있다.

② 태아의 선진부 진입여부를 알 수 있다.

③ 선진부를 촉진하여 태위와 태향을 알 수 있다.

④ 자궁저부를 촉진하여 모양, 크기, 강도 등을 알 수 있다.

⑤ 자궁저부를 촉진하여 태아의 어느 부분이 있는지 알 수 있다.

081 기출 15, 18, 19, 20

초임부가 임신 27주에 50 g 포도당을 경구로 섭취하고 1시간 후 측정한 혈장 내 혈당 수치가 115 mg/dL이다. 간호중재로 옳은 것은?

① "인슐린 투여가 필요합니다."
② "100 g 경구포도당 부하 검사가 필요합니다."
③ "하루 3,500 kcal 이상 섭취하십시오."
④ "하루 4회 자가혈당 검사가 필요합니다."
⑤ "다음 정기 검진일에 오십시오."

082 기출 16, 17

다음 중 자간전증 임부에 대한 간호로 옳은 것은?

① 균형 잡힌 일반식을 섭취하도록 한다.
② 가급적 빨리 분만하도록 하고 유도분만을 실시한다.
③ 혈관이완 작용이 있는 항경련제 calcium gluconate를 투여한다.
④ 자간의 위험을 줄이기 위해 방을 어둡게 하고 임부는 횡와위로 눕도록 권한다.
⑤ 혈압이 160/110 mmHg 이상이고 단백뇨가 +3 이상 이면 병원에 입원하도록 권한다.

083 기출 13

다음 중 경미한 입덧으로 불편을 호소하는 임부에게 가장 적절한 간호중재는 무엇인가?

① "조식 때 과일만 드세요."
② "취침할 때 많은 물을 마시세요."
③ "의사에게 전문적인 진찰을 받으세요."
④ "조반을 먹기 전에 한 컵의 우유를 마시세요."
⑤ "아침에 천천히 일어나고 소량의 마른 과자를 드세요."

084 기출 12, 18, 21

임신 초기에 있는 경산부가 포상기태로 진단되었다. 간호중재로 가장 옳은 것은?

① 소파수술 후 옥시토신을 투여한다.
② 복부 X-ray를 주기적으로 촬영한다.
③ 포상기태 제거 후 자궁적출술을 시행한다.
④ 소파수술 후 자궁내장치로 1년간 피임한다.
⑤ 융모상피암으로 전이를 예방하기 위해 화학요법을 시행한다.

085 기출 16, 19, 20

임신 12주 임부가 응급실로 내원하였다. 사정결과가 다음과 같을 때 예상 되는 유산은?

- 하복부 통증이 심함
- 다량의 질출혈이 있음
- 자궁경부가 개대되었음
- 태아와 태반 부속물이 일부 배출됨

① 계류유산
② 절박유산
③ 습관성유산
④ 불가피유산
⑤ 불완전유산

086 기출 15

태반조기박리 산모에게 필요한 간호중재로 옳은 것은?

① 위험한 출혈이 일어나지 않으면 임신기간을 유지한다.
② 태아 질식의 위험이 있으므로 모체에 산소를 공급한다.
③ 소변 배출과 적혈구 수치가 정상이 될 때까지 수술을 연기한다.
④ 태아가 생존해 있으면 수술을 서두르고 이미 사망했다면 서두르지 않아도 된다.
⑤ 시간이 지연될수록 출혈로 인한 위험이 커지므로 즉시 질식 혹은 수술분만을 진행한다.

087 기출 17, 20, 21

하지의 통증을 호소하는 경산부를 사정하니 혈관이 튀어나오고 꾸불거린다. 이 산모의 불편감을 완화시킬 수 있는 간호중재는?

① 오래 앉아 있게 한다.
② 가벼운 걷기 운동을 격려한다.
③ 굽이 높은 편안한 구두를 신는다.
④ 취침 시에도 탄력스타킹을 신고 잔다.
⑤ 다리를 조이는 꼭 맞는 의복을 착용하여 지지하도록 한다.

088 기출 15, 16, 18, 19, 21

임신 37주된 산부가 분만실로 내원하여 수행한 검사 결과 중에서 태아심음 양상이 정상이라고 판단되는 경우는?

① 무자극검사 결과가 무반응임
② 태아심박동 기본선의 변이성이 없음
③ 전자태아심음 감시에서 주기적인 후기감퇴가 있음
④ 자궁수축 시 태아심박동수가 분당 120~140회/분
⑤ 자궁수축 이완기에 태아심박동수가 분당 150~180회/분

089 기출 20

임신 41주 유도분만 중인 초산부가 대변을 볼 것 같다고 호소하여 사정한 결과는 다음과 같다. 우선적인 간호중재로 옳은 것은?

- 자궁경부: 완전개대
- 태아 심박동수: 130회/분
- 자궁수축: 간격 2분, 기간 70초, 강도 중등도

① 화장실에 가도록 돕는다.
② 분당 8 L의 산소를 공급한다.
③ 응급 제왕절개분만을 준비한다.
④ 옥시토신 투여 용량을 증가한다.
⑤ 아래로 힘이 주어질 때 힘을 주라고 한다.

090 기출 16, 19, 20

조기진통이 있는 임부에게 리토드린을 투여할 수 있는 조건은?

① 자궁경부 개대 8 cm
② 태반조기박리
③ 완전 양막파수
④ 자궁경부 닫혀 있음
⑤ 태아 심박동수 90회/분

091 기출 17

과숙아 분만에 관한 설명으로 올바른 것은?

① 임신 40주를 지나서 분만하는 것이다.
② 임신 42주를 지나서 분만하는 것이다.
③ 출생 시 체중이 4,000 g 이상인 신생아 분만이다.
④ 출생 시 체중이 4,200 g 이상인 신생아 분만이다.
⑤ 출생 시 체중이 4,000 g 이상인 신생아를 임신 42주를 지나서 분만하는 것이다.

092

임부에게 출산준비교육을 실시하고자 한다. 경부가 8 cm 개대되고, 자궁수축이 올 때 통증을 감소시키기 위해 어떤 호흡을 하도록 교육시켜야 하는가?

① 심호흡(cleaning breathing)
② 느린 흉식 호흡(slow paced breathing)
③ 빠른 흉식 호흡(modified paced breathing)
④ 입을 다물고 6초간 쉬다가 정지하며 깊게 숨을 쉬는 호흡
⑤ 빠르고 일정한 흉식호흡(patterned paced breathing: 히히히후 호흡법)

093 기출 16, 17

대상자는 분만예정일을 일주일 앞두고 있다. 숨쉬기는 수월해졌지만 다리가 자주 저릴 뿐만 아니라 발이 쉽게 붓고 소변이 너무 자주 마렵다고 한다. 설명으로 옳은 것은?

① "이는 분만을 위한 증상이므로 입원을 하는 것이 좋습니다."
② "비정상적인 신체적 변화를 해결하기 위해 운동이 필요합니다."
③ "이는 분만의 전구증상 중 하강감의 정상징후이므로 안심하세요."
④ "이상 여부를 알아보기 위해 먼저 소변검사와 혈액검사를 해야 합니다."
⑤ "이는 가진통의 징후로서 자궁경부의 변화를 촉진하므로 분만에 도움이 됩니다."

094

다음 중 경구피임약의 투여 시작 시기로 옳은 것은?

① 성교 전
② 성교 후
③ 월경 시작일
④ 월경주기 중간
⑤ 월경 시작 후 5일째

095 기출 15, 18

분만실에 입원 중인 초산부를 내진한 결과 자궁경부 개대 4 cm, 소실 70%이고 전자태아감시로 관찰 중이다. 우선적인 중재가 요구되는 상황은?

① 자궁수축 간격: 5분
② 자궁수축 기간: 40초
③ 태아 심박동수: 130회/분
④ 이완기의 자궁내압: 25 mmHg
⑤ 태아심박동 기본선의 변이성: 중간 정도

096 기출 17

질식분만한 여성이 분만 후 5시간이 경과되도록 요의를 못 느끼면서 소변을 보지 않고 있다. 올바른 간호중재는?

① 추이를 관찰한다.
② 즉시 유치도뇨관을 삽입한다.
③ 수분섭취를 줄이고 조기이상을 격려한다.
④ 자궁저부 마사지를 시도하며 출혈에 대비한다.
⑤ 자연배뇨를 유도하고 필요 시 단순도뇨를 시행한다.

097 기출 10

다음 중 산후 산욕부의 심혈관계의 변화로 적절한 것은?

① Hb, Hct 수치가 감소한다.

② 심박출량은 분만 시 증가하나 산욕 초기에는 감소한다.

③ 분만 4주 후 혈액량은 임신 전 혈액량의 1.5배 정도이다.

④ 자궁혈류가 전신순환으로 전환되어 심장부담이 증가한다.

⑤ 분만 후 24~48시간 동안 서맥이 나타나는 것은 위험신호이다.

098 기출 14, 18

산후 정서적 장애 유형에 관한 설명으로 올바른 것은?

① 산후정신병은 산모의 50~60%에서 이환되는 심각한 정신질환이다.

② 산후우울증은 산모와 아기의 연대감 형성을 방해하며 경산모일수록 증상이 심하다.

③ 산후정신병은 부정적인 느낌이 강하나 산모가 자신 또는 아기를 해치려는 생각은 없다.

④ 산후우울증은 출산 여성의 약 10~26%에서 발생하고, 발생 시기는 산후 2~6주 후에 나타난다.

⑤ 산후우울은 분만 후 1개월 이내에 발생하고 50~80% 산모가 경험하는 우울한 기분을 정상으로 본다.

099 기출 16, 18, 19

분만 직후 산부의 자궁을 사정한 결과, 자궁저부가 배꼽으로부터 2 cm 위에 있고 자궁이 물렁하게 촉진되었다. 환자의 간호 중재로 옳은 것은?

① 옥시토신을 중단한다.

② 모유수유를 억제한다.

③ 메틸엘고노빈을 투여한다.

④ 자궁저부에 따뜻한 찜질을 한다.

⑤ 보존적 방법으로 출혈조절이 되지 않으면 프로스타글란딘을 투여한다.

100

산모의 순환혈액량이 분만 후 12~48시간 사이에 증가하는 이유는?

① 혈액의 농축현상으로 인해 순환혈액량이 증가하기 때문

② 조직 내에 축적되어 있던 수분성분이 순환계로 돌아오기 때문

③ 출산 시의 실혈량을 보상하기 위해 혈액 생산량이 증가하기 때문

④ 산후 출혈을 예방하기 위한 혈관벽의 수축으로 심박출량이 증가하기 때문

⑤ 혈전 형성 성분의 증가로 인한 부작용을 예방하기 위해 혈액량이 증가하기 때문

101

다음 중 회음부(샅) 국소감염 시의 간호중재로 옳은 것은?

① 가능한 침상안정을 취한다.

② 좌욕은 감염의 원인이므로 하지 않는다.

③ 원인균 제거를 위해 처방된 항생제를 투여한다.

④ 배뇨 시 통증이 심하므로 수분섭취를 1,000 cc/일 이하로 제한한다.

⑤ 회음부를 깨끗하게 유지하기 위해서 뒤에서 앞으로 닦거나 패드를 교체한다.

102 기출 17, 20, 21

표재성 혈전성 정맥염이 나타난 산부의 치료로 올바른 것은?

① 치료될 때까지 침상에서 절대안정을 취한다.

② 침범된 혈관을 따라 냉찜질이나 온찜질을 해준다.

③ 농양이나 감염의 확산을 막기 위해 헤파린을 투여한다.

④ 침범된 다리는 똑바로 뻗은 상태에서 수평으로 유지한다.

⑤ 잠자리에 들 때에는 탄력붕대나 스타킹을 착용하도록 한다.

103 기출 18, 21

임신 수태산물의 영양배엽에서 발생하는 악성질환으로 폐 전이가 흔히 일어나는 질환은?

① 자궁육종

② 유피낭종

③ 포상기태

④ 융모상피암

⑤ 미분화세포종

104 기출 18, 20, 21

폐경과 폐경생리에 관한 설명으로 올바른 것은?

① 만 45세 이전 폐경을 조기폐경이라고 한다.

② 무월경이 12개월 이상 지속되면 폐경이라고 한다.

③ 폐경기 초기 난포자극호르몬 분비 저하로 월경주기가 길어진다.

④ 폐경 전에 난포성장속도가 느려지면서 배란이 안 되어 폐경이 초래된다.

⑤ 폐경 전후 혈중 난포자극호르몬 수준은 떨어지고 에스트로겐 수준은 상승된다.

105 기출 19

자궁내막증식증에 관한 설명으로 올바른 것은?

① 자궁내막이 비정상적으로 증식하는 것이다.

② 자궁외막이 과도하게 증식되어 있는 상태이다.

③ 자궁내막이 자궁 이외의 자궁 부속기에서 증식하는 것이다.

④ 자궁내막이 난포호르몬의 지속적 자극으로 증식하는 것이다.

⑤ 자궁내막과 유사한 조직이 자궁강 이외의 부위에서 비정상적으로 발견되는 것이다.

NOTE

1회 2교시

문항별 상세 풀이

아동간호학

001 기출 17, 21

간호사가 병실 순회 시 10개월된 아동이 울면서 몸을 돌리고 불안한 모습을 보였다. 간호중재로 옳은 것은?

① 아동을 꼭 껴안아 달래준다.
② 아동을 무릎에 앉혀 이야기한다.
③ 보호자를 잠시 나가 있도록 한다.
④ 아동에게 크게 웃으면서 다가간다.
⑤ 아동과 거리를 유지한 채 보호자와 먼저 이야기한다.

002 기출 16, 17, 18, 21

다음 중 신경계 검사 결과상 추가적인 검사가 요구되는 경우는?

① 5개월 영아에게 바빈스키반사가 나타난다.
② 12개월 영아에게서 손바닥 잡기 반사가 나타난다.
③ 생후 2일 만삭아는 손가락과 발가락 및 사지가 굴곡 상태이다.
④ 4세 아동의 동공에 빛을 비추었을 때 양쪽 동공이 함께 축소된다.
⑤ 10세 아동에게 눈을 감고 손가락으로 코끝을 만지게 했을 때 코끝을 만질 수 있다.

003 기출 21

9세 아동의 죽음에 대한 인식은?

① 잠자는 것
② 단순한 이별
③ 악마의 소행
④ 잘못에 대한 처벌
⑤ 보편적이며 피할 수 없는 것

004 기출 16, 17, 19, 20, 21

정상적인 성장발달을 보이는 10개월 영아의 운동발달 특성을 고려하고 사고를 예방하기 위해 부모에게 교육할 내용은?

① "몸을 뒤집기 시작하므로 소파 위에 눕히지 마세요."
② "혼자 잘 앉을 수 있지만 앉을 때 등에 쿠션을 대주세요."
③ "가구를 붙잡고 일어서므로 가구 위에 물건을 놓지 마세요."
④ "목을 가누지 못하므로 목을 잘 지지하면서 아이를 업어 주세요."
⑤ "기어 다니면서 보이는대로 주워 먹으므로 바닥을 청결히 하세요."

005 기출 16, 21

한 공간에서 비슷한 장난감을 가지고 주변 아동의 영향을 받지 않고 따로 노는 놀이는?

① 단독놀이
② 평행놀이
③ 연합놀이
④ 협동놀이
⑤ 단체놀이

006 기출 20

2개월 유아에게서 골수천자를 하는 부위는?

① 흉골
② 치골상부
③ 후장골능선
④ 요추 3번과 4번 사이
⑤ 요추 4번과 5번 사이

007 기출 16, 19, 21

출생 직후 신생아가 다음과 같은 증상을 보일 때 아프가점수는?

- 체온 37 ℃, 맥박 101회/분
- 느리고 불규칙하게 호흡함
- 사지를 약간 구부린 상태로 누워 있음
- 몸체는 붉고 사지는 푸르스름한 색을 띰
- 카테터를 콧속에 넣었을 때 재채기와 기침을 함

① 5점
② 6점
③ 7점
④ 8점
⑤ 9점

008 기출 19

문진을 통해 학령전기 아동의 건강력을 수집할 때 효율적인 전략은?

① 의학용어를 사용하여 질문한다.
② 아동과의 면담을 위해 부모와 분리시킨다.
③ 대부분의 건강 정보를 아동에게서 수집한다.
④ 편안한 분위기 조성을 위해 놀이를 활용한다.
⑤ 시선을 떼지 않으면서 큰 웃음으로 면담을 시작한다.

009 기출 19

유아의 대소변가리기 훈련에 대한 부모교육 내용은?

① 배변 실수가 있을 때마다 벌을 준다.
② 배변 시간을 정하여 엄격하게 지킨다.
③ 놀이에 집중할때는 대소변가리기 훈련을 중지한다.
④ 야간소변가리기는 5세까지 늦어지면 정밀검사가 필요하다.
⑤ 주간 소변가리기는 야간 소변가리기보다 먼저 훈련한다.

010 기출 14, 19

구순구개열이 있는 영아의 수술 후 적절한 간호중재는?

① 구강흡인을 자주한다.
② 엎드린 자세로 눕힌다.
③ 팔꿈치 억제대를 적용한다.
④ 음식섭취는 빨대를 이용한다.
⑤ 노리개젖꼭지로 울음을 달랜다.

011 기출 19

미숙아의 발달을 지지하는 간호중재는?

① 시각을 자극하기 위해 조명을 환하게 한다.
② 에너지 보존을 위해 가능한 한 아기를 적게 만진다.
③ 촉각을 자극하기 위해 아기의 자세를 자주 바꾸어 준다.
④ 아기가 팔다리를 편안하게 유지하도록 신전자세를 취해준다.
⑤ 한 번에 여러 가지 자극을 제공하여 감각자극 발달을 촉진한다.

012 기출 20

발달성 고관절 이형성증으로 진단받은 신생아에게 파브릭(Pavlik) 보조기를 착용시키고자 할 때 올바른 설명은?

① 보조기 안에 내의는 피한다.
② 하지 석고붕대를 적용한다.
③ 기저귀를 갈 때 보조기를 제거한다.
④ 매일 일정한 시간에 끈 길이를 조절한다.
⑤ 양쪽 고관절을 60° 외전시킨 체위의 동적 부목이다.

013 기출 17, 18, 19, 20

영아의 디프테리아, 파상풍, 백일해 혼합백신(DTaP) 예방접종에 대해 부모에게 교육할 내용은?

① "1회라도 설사를 했다면 예방접종을 삼가세요."
② "접종 후 휴식을 위해 가급적 오후 늦게 접종하세요."
③ "2개월 간격으로 3회 접종하면 영구면역이 생깁니다."
④ "접종 후 경련이 나타나면 즉시 진찰을 받도록 하세요."
⑤ "구토나 설사를 예방하기 위해 예방접종 후에는 금식시키세요."

014 기출 19

뇌종양 제거 수술 후 아동의 동공이 이완되어 있고, 동공의 크기가 비대칭이며 동공반사가 느리다. 적절한 간호중재는?

① 산소를 투여한다.
② 드레싱을 교환한다.
③ 안정을 취하게 한다.
④ 수술한 쪽으로 눕힌다.
⑤ 즉시 의사에게 보고한다.

015 기출 19

태아의 혈액 순환에 대한 설명으로 옳은 것은?

① 정맥관은 폐동맥과 대동맥을 연결하여 폐를 우회한다.
② 동맥관은 제대정맥과 하대정맥을 연결하여 간을 우회한다.
③ 하대정맥을 통과한 혈액은 우심방과 동맥관을 통하여 좌심방으로 간다.
④ 우심방으로 들어온 혈액은 우심실과 폐동맥을 통하여 대부분 폐순환을 한다.
⑤ 산소를 다량 함유한 모체의 혈액은 제대정맥을 통하여 태아에게 전달된다.

016 기출 15, 20

황달 치료를 위해 2일째 광선요법(phototherapy)을 받고 있는 신생아의 간호중재로 옳은 것은?

① 수분섭취를 제한한다.
② 옷을 벗기므로 저체온에 유의한다.
③ 피부보호를 위해 오일이나 로션을 자주 바른다.
④ 수유 시 안대를 제거하거나 시각자극을 제공한다.
⑤ 경피적 빌리루빈 측정기를 이용하여 빌리루빈 검사를 한다.

017 기출 19

영아가 동전을 삼키다 목에 걸려 기침을 하면서, 숨을 잘 못 쉬고, 얼굴이 파래졌다고 어머니가 다급하게 전화를 하였다. 간호사의 답변으로 적절한 것은?

① "아기에게 진통제를 먹이세요."
② "지금 바로 아기를 데리고 병원으로 오세요."
③ "아기의 입에 손가락을 넣어 동전을 꺼내세요."
④ "아기를 엎드린 채 머리와 상체를 아래로 기울이고 등을 세게 두드리세요."
⑤ "아기를 바닥에 눕힌 후 깍지 낀 두 손의 손바닥으로 가슴을 3 cm 깊이로 압박하세요."

018 기출 13

뇌수종으로 단락(shunt)을 삽입하고 퇴원한 영아의 행동 중 의사에게 보고해야 할 사항은?

① 계속 배고파한다.
② 밤에 잠을 못 잔다.
③ 요실금 증세가 있다.
④ 창백하고 자주 지친다.
⑤ 불안정하고 잘 먹지 못한다.

019 기출 12

다음 중 서혜부 탈장에 대한 설명으로 옳은 것은?

① 탈장 부위에 부드러운 압박을 가하면 크기가 증가한다.
② 서혜관(샅굴) 내에 덩어리가 있어 누르면 울음을 터뜨린다.
③ 울거나 웃을 때 서혜관 내에 복강 내용물이 돌출되는 것을 알 수 있다.
④ 가장 빈번하게 탈장이 발생하는 부위는 십이지장(샘창자)와 큰 창자이다.
⑤ 서혜부 탈장이 발생했을 시 영아의 요도 입구에서 대변 찌꺼기가 발견된다.

020 기출 18, 19

다음 중 열성경련에 대한 설명으로 옳은 것은?

① 재발하지 않는다.
② 여아가 남아보다 많다.
③ 신경적인 손상을 나타낸다.
④ 뇌파에 간질 소견이 나타난다.
⑤ 열이 상승하는 동안에 잘 발생한다.

021 기출 18

인지장애 아동에게 가족들과 계획할 수 있는 사항으로 올바른 것은?

① 정상 아이와 같은 교육을 계획한다.
② 아동의 발달사항을 고려하여 계획한다.
③ 아동의 이상행동은 교육을 통해 제한하도록 한다.
④ 가족이 아동에게 원하는 활동을 사정하여 계획한다.
⑤ 놀이 활동은 도움이 되지 않으므로 혼자서 놀도록 한다.

022 기출 16, 17, 19, 21

6개월 영아에게 고형식이를 제공하는 방법으로 옳은 것은?

① 숟가락을 이용하여 스스로 떠먹도록 한다.
② 과일로 시작하고 이어서 곡류를 추가한다.
③ 한 번에 한 가지씩 새로운 음식을 추가한다.
④ 알레르기가 있는 영아에게는 달걀을 먼저 먹인다.
⑤ 고형식을 젖병에 넣어 구멍이 큰 젖꼭지로 먹인다.

023 기출 21

신경모세포종(neuroblastoma)의 특징적인 증상은?

① 혈뇨
② 단백뇨
③ 체중증가
④ 상지부종
⑤ 복부 덩어리

024 기출 18

11개월 영아가 상기도 감염으로 치료를 받았다. 그러나 그 이후에도 계속 열이 있고 베개에 귀를 비비고 울고 있다. 이에 대한 간호중재로 옳은 것은?

① 귀의 청결이 중요하므로 귀지를 제거한다.
② 가운데귀(중이)의 염증 증상이므로 항생제를 투여한다.
③ 내림프액 증가로 인한 증상이므로 먼저 이뇨제를 투여한다.
④ 건조하게 유지하기 위해 바깥귀길(외이도)을 솜으로 꽉 막는다.
⑤ 바깥귀길(외이도)에 이물질이 들어간 것이므로 이물질을 제거한다.

025 기출 19, 20

2주 전 비인두염을 앓았던 7세 아동이 고열과 인후염으로 입원하였다. 심전도상 PR 간격이 연장되어 있고, 혈액검사 결과가 다음과 같을 때 예상되는 것은?

- 함연쇄상구균 항체(ASO) 역가: 580 Todd units(< 240 Todd units)
- 적혈구 침강속도(ESR): 65 mm/시간(0~10 mm/시간)
- C-반응단백질(CRP): 3.6 mg/dL(0.06~0.79 mg/dL)

① 결막출혈
② 딸기 모양의 혀
③ 오슬러(Osler) 결절
④ 압통이 있는 피하결절
⑤ 통증이 있는 이동성 다발관절염

026 기출 19

천식 발작으로 입원한 학령기 아동의 퇴원 후 천식 악화 예방을 위한 부모교육 내용은?

① 실내 습도를 65% 이상 유지한다.
② 외부 체육활동에 참여시키지 않는다.
③ 호흡곤란이 있을 때 찬 습기를 제공한다.
④ 베개 커버는 부드러운 면제품을 사용한다.
⑤ 거실 바닥에 양모 카펫을 깔아 보온을 유지한다.

027 기출 18, 20

낮에 소변을 잘 가리던 24개월 유아가 입원 후 다시 옷에 오줌을 싼다고 속상해하는 부모에게 교육할 내용은?

① "입원기간 중에는 수분섭취를 최소화하세요."
② "병원에서도 정해진 시간에 맞추어 변기에 앉혀 주세요."
③ "옷에 오줌을 쌀 때마다 엄격하게 꾸짖어 훈육하세요."
④ "일시적인 현상이므로 병원에서는 기저귀를 채우세요."
⑤ "입원한 같은 또래의 유아와 함께 배변훈련을 해 보세요."

028 기출 20, 21

건강한 9세 아동이 최근에 저녁이 되면 양쪽 다리를 아파하며, 자다가 깨기도 하는데 다음 날 아침에는 증상이 사라진다고 한다. 통증이 나타날 때 가정에서 적용할 수 있는 중재는?

① 항생제를 먹인다.
② 수면제를 먹인다.
③ 운동량을 늘린다.
④ 아픈 부위를 마사지해 준다.
⑤ 종아리를 탄력붕대로 감싼다.

029 기출 21

9개월 여아가 4일 전부터 하루 10회 설사를 하여 축 늘어진 상태로 입원하였다. 신체사정결과가 다음과 같을 때 제공해야 할 간호중재는?

- 대천문 함몰
- 움푹 들어간 눈
- 건조한 피부
- 빠르고 약한 맥박
- 체중이 9.7 kg에서 8.6 kg로 감소

① 수유   ② 고형식이
③ 수분제한   ④ 체위배액
⑤ 정맥수액요

030 기출 17, 19

아동에게 흔한 골절로 뼈의 압박받은 쪽은 휘어지고, 반대쪽은 불완전 골절이 나타나는 골절 유형은?

① 팽륜골절   ② 생목골절
③ 완전골절   ④ 끼임골절
⑤ 압박골절

031 기출 20

24개월 여아가 표백제를 먹었다며 응급실로 전화한 부모에게 제시할 중재는?

① 맑은 공기를 마시게 한다.
② 무엇을 얼마나 먹었는지 확인한다.
③ 재발을 예방하는 방법을 교육한다.
④ 손가락을 밀어 넣어 구토하게 한다.
⑤ 약국에 가서 해독제를 구입하게 한다.

032 기출 16, 18, 19, 20

홍역이 유행할 때 7개월 남아에게 적용할 수 있는 예방접종 방법은?

① 12개월에 MMR 백신 접종함
② 지금부터 2개월 간격으로 홍역 단독백신 3회 접종함
③ 지금 홍역 단독백신 접종하고 4~6세에 MMR 백신 접종함
④ 지금 홍역 단독백신 접종하고 4주 후 홍역 단독백신 재접종함
⑤ 지금 MMR 백신 접종하고 12~15개월과 4~6세에 MMR 백신 접종함

033 기출 16, 19, 20

5살 남아가 병원 복도에서 갑자기 의식을 잃고 바닥에 쓰러졌다. 다음과 같은 증상이 있을 때 중재는?

- 호흡곤란, 침흘림, 눈동자가 위로 올라감
- 사지가 뻣뻣한 상태로 심하게 떨림

① 사지 억제대를 적용한다.
② 설압자를 이용하여 입안을 검진한다.
③ 응급수술을 준비한다.
④ 주변의 물건을 치운다.
⑤ 입안에 설압자를 물린다.

034 기출 16, 17, 18, 19, 20, 21

아동의 급성 백혈병에 대한 설명으로 옳은 것은?

① 호중구의 수치가 급격하게 증가한다.
② 가장 흔한 형태는 급성 골수성 백혈병이다.
③ 진단에는 골수검사가 필수적이며, 보통 골반뼈를 쓴다.
④ 성숙한 백혈구가 급속하게 증가하는 것이 발생 원인이다.
⑤ 아동에서 뇌종양 다음으로 가장 많이 발생하는 악성 종양이다.

035 기출 16, 17, 20

7세 아동이 심한 부종, 고혈압, 혈뇨 증상으로 입원하여, 급성사구체신염이 의심될 때 중재는?

① 활동을 제한한다.
② 고단백식이를 제공한다.
③ 수분섭취를 증가시킨다.
④ 항바이러스제를 투여한다.
⑤ 프레드니손을 6주간 투여한다.

지역사회간호학

036 기출 19

다음 중 지역사회의 기능에 초점을 둔 유형은?

① 집단의 구성원의 요구가 충족되는 곳이다.
② 가치와 제도를 공유하는 사람들의 집단이다.
③ 공통된 생활의 교류가 있는 사회적 단위이다.
④ 성취하고자 하는 목표가 같은 사람들의 집단이다.
⑤ 지역사회의 감각이나 감성을 중심으로 모인 집단이다.

037 기출 18, 19, 20, 21

지역사회 보건관리체계는 투입-과정-산출 회환과정을 통한다. 이 중에서 투입에 해당하는 것은?

① 보건의료기술
② 적정기능수준
③ 건강수준 변화
④ 지역사회 과정
⑤ 지역사회 상호작용

038

보건사업의 근거가 되는 최초 보건소법이 제정된 해는?

① 1956년
② 1980년
③ 1990년
④ 1991년
⑤ 1995년

039 기출 21

가정방문의 장점으로 옳은 것은?

① 비용과 시간이 적게 소요된다.
② 가족관계 및 가족 환경을 관찰할 수 있다.
③ 조용한 환경에서 사정 및 간호를 수행할 수 있다.
④ 가족구성원 중 한 명에게만 집중교육을 시킬 수 있다.
⑤ 상황이 비슷한 다른 가족들과 모임을 갖고 긍정적인 상호작용을 할 수 있다.

040 기출 13

지역사회를 조사하기 위해 5일장이 열리는 시장과 지역 축제에 참여하여 조사하는 방법은?

① 면담
② 설문지
③ 지역시찰
④ 참여관찰
⑤ 차창 밖 조사

041

먹는 물의 수질 기준은?

① 대장균군: 검수 200 ml 중 불검출
② 일반세균: 검수 1 ml 중 100 CFU 이하
③ 불소: 건강상 유해영향 무기물질로 5 mg/L 이하
④ 총트리할로메탄: 먹는 물 수질기준은 1 mg/L 이하
⑤ 탁도: 먹는 물 수질기준은 5도

042 기출 17

환자가 충수절제술을 받았을 때 미리 보수단가를 설정하여 보상하는 의료비지불제도는 무엇인가?

① 인두제
② 봉급제
③ DRG제도
④ 행위별 수가제
⑤ 상대가치수가제

043 기출 18, 20

국가보건의료체계의 유형 중 자유방임형에 대한 설명으로 옳은 것은?

① 예방 중심이다.
② 의료의 포괄성이 낮다.
③ 정부의 통제가 강하다.
④ 의료인의 선택이 제한적이다.
⑤ 의료수준이나 자원이 지역적으로 균형적이다.

044

우리나라 보건소 행정은 이원화된 구조를 가지고 있다. 다음 중 올바르게 이어진 것은 무엇인가?

① 사업관리: 행정자치부 / 예산 & 인력 관리: 보건복지부
② 사업관리: 보건복지부 / 예산 & 인력 관리: 행정자치부
③ 사업관리: 행정자치부 / 예산 & 인력 관리: 기획재정부
④ 사업관리: 보건복지부 / 예산 & 인력 관리: 기획재정부
⑤ 사업관리: 기획재정부 / 예산 & 인력 관리: 보건복지부

045

다음 중 "농어촌 보건의료를 위한 특별조치법"에 의해 설치된 보건의료원 제도의 시행에 직접적으로 영향을 준 사건은 무엇인가?

① 알마아타 선언
② 오타와 헌장 선포
③ 대한간호협회의 발족
④ 미국의 골드마크 보고서
⑤ 미국의 전문간호사제도 도입

046

보건소가 1차 보건의료기관으로서 기능을 다할 수 있도록 발전방향을 제시한 것으로 옳은 것은?

① 도시에 중심으로 발전시킨다.
② 내부에서 모든 것을 해결한다.
③ 탄력적인 보건소 조직운영이 필요하다.
④ 노인인구가 증가하므로 노인 프로그램만 강화해야 한다.
⑤ 업무추진력을 높이기 위해 수직적 조직구조의 강화가 필요하다.

047

현대 우리나라 보건의료의 특징은?

① 보건소의 20%가 취약지역에 있다.
② 보건의료가 도시에 집중되어 있다.
③ 치료보다 예방서비스에 주력하고 있다.
④ 보건의료자원이 효율적으로 이용되고 있다.
⑤ 경제적 지원이 개개인에 의해 조달되고 있다.

048

우리나라 학교 아동들의 결핵 관리 중 학교보건사업으로 가장 중요한 활동은?

① 객담검사
② 집단검진 및 BCG 접종
③ 학부모에 대한 보건교육
④ 이환 아동의 의학적 치료
⑤ 질병 이환 아동 발견 및 귀가 조치

049

보건간호사가 가정방문 시 안전을 위해 주의할 점으로 옳은 것은?

① 가정방문 시 소음이 발생할 수 있어 출입문을 꼭 닫는다.
② 가정에 위협적인 동물이 있을 시 방문 대상에서 제외한다.
③ 대상자가 간호사에게 성적요구를 할 시 야단을 친다.
④ 범죄가 빈번히 일어나는 지역을 방문할 때 그 지역의 이장과 동행할 수 있다.
⑤ 혼자 거주하는 남성만 있을 때는 방문 대상에서 제외를 시킨다.

050 기출 16

지역사회 정신보건사업의 1차 예방 사업에 해당하는 것은?

① 우울증 조기검진사업을 실시한다.
② 정신과적 응급진료 또는 응급상담서비스를 실시한다.
③ 직장인 스트레스 대처프로그램을 실시한다.
④ 정신장애자의 사회복귀 직업훈련을 실시한다.
⑤ 정신장애자의 재활훈련을 통하여 사회적응을 돕는다.

051

노인환자가 있는 가정을 방문하여 가정환경을 사정하고 있다. 다음 관찰내용 중 즉각적인 조치가 필요한 것은?

① 방안에 있는 변기
② 단차가 있는 화장실
③ 벽과 다른 색깔의 출입구
④ 작동하지 않는 화재경보기
⑤ 거실에 여기저기 놓여 있는 작은 양탄자

052

다음 중 런던형 스모그와 LA형 스모그의 공통적인 조건으로 옳은 것은?

① 우풍
② 겨울
③ 다습
④ 기온역전
⑤ 해안지대

053

가족을 사정할 때 간호사가 알아야 하는 가장 중요한 원칙으로 옳은 것은?

① 가족 강점을 사정하고 활용한다.
② 문제점이 없는 대상자는 제외한다.
③ 가족 구성원 개개인에게 중점을 둔다.
④ 건강한 가족을 기준으로 두고 사정한다.
⑤ 가족 구성원을 통해서만 정보수집이 이뤄진다.

054

지역사회간호사가 가정방문 중 다음의 상황을 관찰하게 되었다. 다음 중 적절한 간호사의 중재방법으로 옳은 것은?

> 7세 된 아이의 머리에 5 cm 정도 찢어진 상처가 있어 가정방문간호사가 살펴보려고 했으나 아이가 괜찮다며 관찰을 거부하고 상처를 숨겼다. 그래서 다친 이유에 대해서 물으니 이야기를 하지 않고 부모의 눈치만 살폈다. 아이를 병원에 데려 가려고 설득을 했지만 어머니는 병원에 갈 필요가 없다고 한다.

① 지진아동의심: 부모의 양육 및 상담
② 학대아동의심: 아동학대 사실 확인 및 상담
③ 학대아동의심: 학대관련기관 신고 및 아동 격리
④ 과인 행동아동 의심: 양육에 대한 상담 및 부모교육
⑤ 지진아동의심: 부모의 양육에 대한 상담 및 지역자원 소개

055

만성질환으로 장애를 가진 아버지를 대신하여 어머니가 생계유지를 위해서 식당에서 일을 시작했을 때 가족 내에서 일어날 수 있는 가장 큰 변화는 다음 중 무엇인가?

① 가족역할 재조정
② 경제적 상황 향상
③ 아버지의 질병 양상
④ 가족의 치료적 기능
⑤ 가족의 건강 신념 및 가치관

056 기출 20

타 문화를 수용하고 이해하며 다른 소수집단의 문화와 그들의 욕구를 이해하고 반응하는 능력은?

① 문화적 기술
② 문화적 지식
③ 문화적 태도
④ 문화적 경험
⑤ 문화적 역량

057 기출 18

다음 식중독 중에서 세균성 식중독에 속하는 것은?

① 조개중독
② 복어중독
③ 매실 중독
④ 살모넬라 식중독
⑤ 조미료 과량 사용

058 기출 20

다음 중 보건교육 시 학습목표 작성 요령으로 옳은 것은?

① 변화 기준 제시
② 추상적인 용어로 기술
③ 교수자 입장에서 작성
④ 암시적인 행동용어 사용
⑤ 교육 중 학습자에게 기대되는 최종행동을 기술

059 기출 13

당뇨환자를 대상으로 하여 혈당 측정기 사용법을 교육하려 한다. 이때 가장 적절한 교육매체는 무엇인가?

① 모형
② 실물
③ 비디오
④ 대중매체
⑤ 투시환등기

060

다음 중 학교에서 실시하는 건강검사의 실시 근거는 무엇인가?

① 보건복지부령에 따라
② 교육청의 결정에 따라
③ 학교장의 재량에 따라
④ 보건교사의 재량에 따라
⑤ 교육인적자원부령에 따라

061 기출 17

세균성 이질이 의심되는 학생을 발견했을 때 보건교사가 우선적으로 취해야 할 행동은?

① 학교장에게 보고한다.
② 보건소장에게 신고한다.
③ 학생의 학부모에게 연락한다.
④ 간단한 응급처치와 치료를 시행한다.
⑤ 발생한 학생의 반에 감염된 학생이 없는지 감시한다.

062 기출 16

체육시간이 끝나고 3학년 학생이 코피를 흘리면서 보건실을 찾아왔다. 학생은 뛰어서 교실에 들어가다가 앞에 가는 친구의 머리에 코를 세게 부딪쳤다고 한다. 보건교사가 가장 우선적으로 해야 할 처치는?

① 앙와위로 눕힌다.
② 과거 병력을 알아본다.
③ 찬 수건을 콧등에 얹어준다.
④ 코피의 양과 빈도를 관찰한다.
⑤ 지혈을 위해 솜이나 거즈로 막아준다.

063

학교보건교육의 방법을 선정할 때 고려사항으로 옳은 것은?

① 학부모 교육 수준
② 교사의 교육 수준
③ 학생들의 경제수준
④ 교육목표의 난이도
⑤ 학교보건교육의 예산

064 기출 16

보건관리자가 산업장 건강 관리자로서 역할을 수행할 때 올바른 것은?

① 근로자의 건강관리
② 산업재해 발생 원인 분석
③ 물질보건자료 게시 및 비치
④ 작업방법공학적 개선 및 지도
⑤ 근로자 보호를 위한 의료행위

065

섬유조직 사업장의 300명 근로자를 대상으로 진폐증 예방교육을 하려고 한다. 작업장 내 소음수준은 90 dB 이며 근로자의 근무형태는 3교대 근무일 때 효율적인 홍보방법은?

① 집단강연
② 사보 배포
③ 1 : 1 개별 보건교육
④ 작업시간 중 사내 방송
⑤ 건강관리실 리플렛 비치

066

산업 간호사가 분진 발생이 심한 사업장에서 정기적으로 근로자의 폐기능 검사를 실시하였다. 이때 폐기능 검사의 목적은?

① 의사의 진단을 확진한다.
② 대상자의 예후를 결정한다.
③ 대상자의 건강위험 정도를 판단한다.
④ 작업장의 환경 위험 정도를 판단한다.
⑤ 근로자 피해보상기준을 결정하는 데 자료로 사용하기 위해서이다.

067 기출 16

다음 직업병의 종류 중 유발요인이 물리적인 것에 해당하는 것은?

① 감압병
② 납중독
③ 진폐증
④ 직업성 암
⑤ 유기용제 중독

068

노인 장기요양보험제도의 특성은?

① 본인부담금이 발생한다.
② 보건복지부에서 주관한다.
③ 장기등급은 5개 등급만 있다.
④ 재가 급여, 시설급여만 받을 수 있다.
⑤ 해당 대상자는 1년 이상의 기간 동안 일상생활을 혼자서 수행하기 어렵다고 인정되는 경우이다.

069 기출 19

다음 중 비례사망지수가 높다는 것은 무엇을 의미하는 가?

① 전체 인구 중 총 사망자 수가 많다.
② 총 사망자 중 50세 이상의 사망자 수가 많다.
③ 전체 인구 중 특정 질병으로 인한 사망자 수가 많다.
④ 전체 사망자 중 특정 질병으로 인한 사망자 수가 많다.
⑤ 특정 질병에 이환된 자 중 그 질병으로 인한 사망자 수가 많다.

070 기출 19

다음 중 면역획득의 종류에 따른 예시와 옳게 연결된 것은?

① 자연능동면역: 모유수유 후 획득한 면역
② 인공능동면역: 혈청을 주사 맞고 얻은 면역
③ 자연수동면역: B형 간염을 앓은 후 획득한 면역
④ 인공수동면역: B형 감염 예방 접종 후 획득한 면역
⑤ 인공능동면역: 약독화 생백신 접종 후 획득한 면역

정신건강간호학

071 기출 19

다음 중 정신분석 모형에서 사용되는 치료방법으로 옳은 것은?

① 로고요법
② 신체 치료
③ 환경의 조작
④ 사고로 자유연상
⑤ 의사소통 유형 해석

072 기출 11, 13, 14, 15, 16, 17, 18, 19, 20, 21

타인에 대한 증오심으로 가득 찬 중년 여성 A씨는 밖에서는 타인에게 따뜻하게 대하고 자선단체 등의 활동에 적극적이다. A씨가 사용하는 방어기제에 해당되는 것은?

① 투사
② 저항
③ 전치
④ 이타주의
⑤ 반동형성

073

원시시대 정신질환의 개념에 대한 설명으로 옳은 것은?

① 정신질환의 원인을 찾고자 하였다.
② 정신질환은 약물로 다스릴 수 있다고 생각했다.
③ 정신질환자에 대해서 보호 관리와 심리적 간호를 시작했다.
④ 정신장애를 책망할 것이 아니라 이해해야 한다고 생각했다.
⑤ 질병은 도덕규범을 어긴 죄인들에게 주는 저주와 벌이라고 생각했다.

074 기출 13, 18

정신사회적 발달이론의 특성에 관한 설명으로 옳은 것은?

① 노년기: 상실을 경험하고 지난날의 삶을 통합한다.
② 학령기: 자신이 누구인지 결정하며 정체감을 형성한다.
③ 성인기: 가족과 친구들의 과도한 기대로 의존성이 생긴다.
④ 중년기: 직업적 꿈을 실현시키고 타인과 친밀한 관계를 발달시킨다.
⑤ 청소년기: 개인에게 의미 있는 목표를 세우고 달성하기 위한 근면성을 개발한다.

075 기출 11, 12, 13, 14, 16

다음은 성격의 구조 중에서 자아(Ego)에 대한 설명이다. 옳지 <u>않은</u> 것은?

① 전체 체계의 에너지의 원천이다.
② 모든 인간은 자아개념을 가지고 있다.
③ 행동에 있어서도 자아개념은 영향을 끼친다.
④ 스스로 자기 자신에 대해 가지고 있는 개념이다.
⑤ 개인의 내적 경험뿐 아니라 타인과의 경험을 통해서 학습된다.

076 기출 11, 13, 14, 15, 16, 17, 18, 19, 20, 21

방어기전으로 '취소'를 가장 잘 예시하고 있는 상황은 무엇인가?

① 남편이 부인과 싸우고 나서 부인에게 꽃다발을 보냈다.

② 3세가 된 민수는 엄마를 사랑하기도 하고 미워하기도 한다.

③ 며느리가 시어머니와 한 집에 살게 되자 사지에 마비가 왔다.

④ 김 부인은 어제 아이를 사산한 사실에 대해 아무런 감정 없이 말했다.

⑤ 자신감이 부족한 박 양은 학급 급우들이 자기를 미워한다고 믿고 있다.

077 기출 11, 13, 14, 15, 16, 17, 18, 19, 20, 21

청소년기의 왕성한 공격적, 성적 에너지가 격렬한 운동이나 춤으로 발산될 때 작용하는 방어기제는?

① 전치

② 승화

③ 억제

④ 합리화

⑤ 반동형성

078 기출 11, 12, 13, 14, 16, 17, 18, 19, 20, 21

다음 중 면담 시 간호사가 환자에게 자신의 생각을 다시 정리할 수 있는 시간을 줄 수 있는 치료적 의사소통 기법에 대한 설명으로 가장 적절한 것은?

① 반복해서 같은 내용을 질문한다.

② 말없이 들어주며 침묵 시간을 제공한다.

③ 특정 주제에 초점을 맞춘 대화를 진행한다.

④ 대상자가 생각하는 것을 그대로 나타내 보인다.

⑤ 수용적인 태도를 보이며 대상자의 의견에 동의한다.

079

정신과 병동에서 한 환자가 담배가 피고 싶어 죽을 것 같다고 하며 담배를 요구할 때 간호사의 옳은 반응은?

① 담배를 참아보자고 한다.

② 의사에게 환자의 상태를 자세히 보고한다.

③ 병원 규정상 금지되어 있다고 말하며 엄격히 거절한다.

④ 담배를 주고 피우는 동안 죽을 것 같은 심정에 대해 말하도록 한다.

⑤ 금고문이 잠겨 있어서 담배를 줄 수 없다고 조용히 말하며 거절한다.

080 기출 15, 16, 18, 21

다음 중 병실 내에서 파괴적이고 공격적인 행동을 보이는 환자가 다른 환자를 못살게 괴롭힐 때 간호사는 어떤 중재를 하여야 하는가?

① 질병으로 인한 증상이므로 무시한다.

② 환자를 방에 감금하고 억제대를 적용한다.

③ 환자의 행동을 제한하고 일관성 있는 태도로 접근한다.

④ 엄격한 태도로 병실 내 활동계획을 알리고 함께 참여한다.

⑤ 현재 사용하고 있는 약물의 부작용이므로 사용하고 있는 약물을 중단한다.

081 기출 12

일주일 전 퇴원한 정신분열증 환자가 정신보건센터에 등록되었다. 정신보건간호사가 환자에게 통합적이고 지속적이며, 포괄적인 관리를 제공하는 관리체계는?

① 사례관리   ② 위기관리

③ 종합관리   ④ 직업재활관리

⑤ 일생생활관리

082 기출 13, 15, 20

활동요법의 목적에 관한 설명으로 옳은 것은 무엇인가?

① 대상자는 자신이 부정적인 감정을 억제하도록 한다.
② 다른 대상자들과의 인간관계에서 긴장감을 제공한다.
③ 내적인 갈등을 사정하여 근본적인 문제 해결을 모색한다.
④ 전문기술을 습득하게 하여 경제적인 어려움을 해결해 준다.
⑤ 환자의 잠재능력을 개발하고, 성취감을 경험하게 하여 자의식을 증진하도록 한다.

084 기출 18, 21

지역사회 정신보건사업의 특징으로 옳은 것은?

① 민간단체는 참여하지 않는다.
② 질병 예방과 건강 증진을 강조한다.
③ 병상 수를 증가시켜 대상자의 욕구를 충족시킨다.
④ 환자를 병원에 단기 입원시켜 나타나는 문제를 제거하려는 목적에서 시작되었다.
⑤ 지역사회 정신보건사업의 문제점은 병원에서 환자를 내보낼 준비가 되어 있지 않다는 것이다.

085 기출 12, 13, 14, 18

다음 중 조현병의 특징에 해당되는 것은 무엇인가?

① 뇌의 기질적 이상으로 인하여 발생한다.
② 사고, 정동, 지각, 행동장애를 포함한다.
③ 후천적으로 발생한 지적 기능의 감퇴이다.
④ 질병이 자신에게 있다는 사실을 받아들인다.
⑤ 적절한 지적 기능의 발달을 이루지 못한 경우 발생한다.

083

지역사회 정신건강 서비스는 1, 2, 3차 예방의 3가지 수준이 있다. 이에 대한 설명으로 옳은 것은?

① 2차 예방에 가장 효과적인 방법은 교육이다.
② 1차 예방에는 정신질환자의 재활을 위한 활동이 포함된다.
③ 1차 예방에 정신건강과 관련된 교육, 홍보, 위기중재 등이 포함된다.
④ 1차 예방은 새로운 환자를 조기에 발견하여 입원시키는 것에 목적이 있다.
⑤ 3차 예방은 새로운 환자를 조기에 발견하여 입원시키는 것에 목적이 있다.

086 기출 19

조현병을 진단받아 입원 중인 A씨는 현재 Clozapine(Clozaril)을 복용하고 있다. A씨의 혈액검사 결과 WBC가 800으로 나타났을 때 간호사가 가장 먼저 시행해야 할 중재로 적절한 것은 무엇인가?

① 혈압을 측정한다.
② 항생제를 투약한다.
③ 열이 있나 확인한다.
④ 궤양성 인후염의 유무를 관찰한다.
⑤ 약물복용을 즉시 중단하고 의사에게 알린다.

087 기출 11, 12, 15, 17, 18, 19

항정신성 약물을 9개월 동안 복용 중인 조현병 환자인 A씨에게 시행할 수 있는 약물교육 내용으로 옳은 것은?

① 항정신성 약물은 중독을 일으킨다.
② 약물 복용 시 절대 재발하지 않는다.
③ 부작용이 나타나면 즉시 복용을 중단한다.
④ 상태가 좋아지면 복용을 지속하지 않아도 된다.
⑤ 항정신성 약물을 계속 사용하여도 중독이 되는 것은 아니다.

088

다음 중 의심행동을 나타내는 환자 간호 시 가장 중요한 것은 무엇인가?

① 주기적 접촉
② 솔직한 답변
③ 치료자로서의 권위
④ 특별히 친절한 태도
⑤ 한 가지 주제에 대한 논의

089 기출 11, 14, 15, 17, 19, 21

양극성 장애로 치료받고 1개월 전에 퇴원한 20세 여성 A씨의 친오빠는 A씨를 재입원시켰다. 엄마는 딸이 쇼핑으로 사치를 좀 부렸을 뿐이라고 딸을 변호했다. 또한 그 돈이 아까워 동생을 재입원시켰다며 A씨의 오빠에게 화를 냈다. 엄마에게 재교육이 필요한 것은?

① 질병 효과
② 질병의 원인과 치료
③ 질병의 증상 및 징후
④ 진단적 검사 및 방법
⑤ 약물의 효과와 부작용

090 기출 21

MAO 억제제를 사용할 때 주의할 점에 해당되는 것은?

① 모양근의 이완으로 시력장애가 온다.
② 사용 초기에 독성 간질환이 나타난다.
③ 노인 환자에게서 고혈압 위험이 있다.
④ 티라민과 병용 시 고혈압 위험이 크다.
⑤ 장기복용으로 지연성 장애가 올 수 있다.

091 기출 12

우울증 환자 A씨는 자신은 음식을 먹을 가치가 없다면서 식사를 거부하여 영양불균형의 위험 상태에 놓였다. 가장 적절한 간호사의 태도는?

① 강제로 위관영양을 한다.
② 간호사가 음식을 먹여준다.
③ 의사에게 보고하거나 지시를 받는다.
④ 먹지 않으면 정맥주사를 놓겠다고 한다.
⑤ 음식을 먹을 만한 충분한 가치가 있음을 설명한다.

092 기출 11, 14, 15, 17, 19, 21

매일 잠도 자지 않고 사업을 구상하는 50대 남성 A씨는 월급을 모두 주식에 투자한 후 가정불화로 가족들에 의해 강제 입원하였다. 간호사가 이 씨에게 행할 간호중재로 가장 적절한 것은?

① 집단치료를 격려한다.
② 낮에 행동을 제한한다.
③ 같은 증상의 환자와 어울리게 한다.
④ 활동을 격려하고 적절한 신체적 중재를 한다.
⑤ 성취감을 경험하기 위해 경쟁적인 행동에 참여시킨다.

093 기출 12, 15, 20

회사를 가기 위해 택시를 탄 38세 이 씨는 회사로 가는 도중 교통체증이 심해 차가 움직이지 않자 가슴이 답답해져오고, 조여 오는 느낌을 받았다. 이런 증상을 호소하는 환자에 대한 설명으로 가장 적절한 것은?

① 우울장애 증상이다.
② 원인을 명확히 규정하기 어렵다.
③ 대상을 전혀 알 수 없는 불안이다.
④ 스스로 불안 유발요인에 자주 노출시킨다.
⑤ 증상의 시작을 예측할 수 없고 예방이 어렵다.

094

시험기간에 여행을 다녀와서 시험공부를 하지 못한 대학생 A는 시험 도중 심한 스트레스 반응을 나타내었다. 이에 대한 생리적 반응으로 옳은 것은?

① 식욕 증가
② 체온 감소
③ 호흡 감소
④ 동공 축소
⑤ 심박동수 증가

095 기출 11, 12, 13, 14

손 씻기와 머리감기를 반복하는 환자들은 어떤 방어기전을 사용하여 불안을 해결하려 하는가?

① 퇴행, 취소, 해리
② 투사, 격리, 해리
③ 전환, 취소, 억제
④ 응축, 해리, 투사
⑤ 취소, 격리, 반동형성

096 기출 12, 15, 17, 18, 19

다음 사례를 보고 대상자에게 적용 가능한 정신의학적 진단명과 간호진단으로 옳은 것은?

> 응급실로 방문한 27세 여성 A씨는 어지럽고 가슴이 마구 뛴다고 호소하며, 땀을 흘리고 숨이 가쁜 호흡을 보이고 있다. A씨의 진단검사 결과 심혈관계에는 문제가 없음이 판명되었다. A씨의 말에 의하면 지난달부터 갑자기 이러한 증세가 시작된 후 일주일에도 몇 번씩 같은 증세가 나타났고 이에 대해 심한 불안과 걱정이 있다고 하였다.

① 범불안장애: 무력감
② 공포장애: 손상가능성
③ 전환장애: 사회적응장애
④ 공황장애: 비효율적 대응
⑤ 외상 후 스트레스 장애: 사회적 고립감

097 기출 14

심장이 뛰지 않고 맥박이 없다고 계속 호소하면서 매시간 맥박을 재어주기를 요구하는 환자를 위해 취할 수 있는 가장 적절한 간호사의 태도는?

① 아무런 이상이 없음을 강조해서 말해준다.
② 환자를 무조건 수용하고 신체검사를 실시한다.
③ 환자의 증상에 대해 자주 물어보면 관심을 보인다.
④ 환자의 호소를 무시하고 다른 화제에 대해 이야기를 한다.
⑤ 맥박을 재어서 정상맥박이란 것을 친절하게 말해 주지만, 매시간 재어 줄 필요는 없다.

098 기출 11, 18

다음 중 조현성 성격장애에 대한 설명으로 옳은 것은 무엇인가?

① 기이한 환상에 집착한다.

② 법적 규범에 순응 능력이 부족하다.

③ 친구가 거의 없고 다른 사람과 말하는 것을 꺼린다.

④ 자신에게 관심을 끌기 위해 항상 육체적 외모를 사용한다.

⑤ 사소한 말이나 사건 속에서 위협적인 숨은 의도를 해석한다.

099 기출 12, 20

다른 환자들을 무시하며 공격적인 모습을 보이는 성격장애 환자에 대하여 옳은 간호중재는 무엇인가?

① 억제대를 적용한다.

② 처벌하겠다고 말한다.

③ 갈등해소법이므로 그대로 본다.

④ 적극적인 중재를 하고 감정을 표현하도록 격려한다.

⑤ 관심을 보이지 않으면 그만 둘 것이므로 그냥 둔다.

100 기출 12

다음 중 신경인지장애의 공통적인 증상은?

① 정서장애

② 전환장애

③ 반사장애

④ 청각장애

⑤ 주의력 향상

101 기출 12, 20

입원한지 7일된 알코올 중독 환자가 "우리 마누라는 잔소리가 많아서 싫어요. 하지만 내가 병원에 있어서 고생을 많이 하는 것 같아 불쌍해요. 그래도 착한 여자죠."라고 말한다. 이 환자의 증상은?

① 착각

② 망상

③ 환각

④ 백일몽

⑤ 양가감정

102 기출 12, 20

다음 중 만성 알코올 중독 환자의 금주 치료 원칙으로 옳은 것은?

① 입원은 필요 없다.

② 서서히 줄여가면서 끊도록 한다.

③ 동호회 단체에 참여할 필요는 없다.

④ 갑자기 끊고 술을 절대로 못 먹게 한다.

⑤ 심리적 안정을 필요로 할 때는 가끔 음주를 허용한다.

103 기출 13, 14, 17, 20

다음 중 자살의 위험성이 우려되는 환자에게 가장 먼저 사정해야 하는 것은?

① 불안의 원인을 사정한다.

② 자살 계획이 있는지 확인한다.

③ 대상자의 자살 경험을 사정한다.

④ 과거 자살시도 시 선행 사건에 대해 조사한다.

⑤ 시도할 계획이 있는 구체적인 자살 방법을 물어본다.

104 기출 12, 13

50대의 A씨는 개복수술을 받았다. 수술 후 이틀째 되는 날 탈수증세가 있고 체온이 39 ℃였다. A씨는 간호사를 알아보지 못하며 오늘 날짜가 며칠인지 알지 못하고 있다. A씨의 간호진단으로 옳은 것은?

① 적응장애
② 자가간호 결핍
③ 사고과정의 장애
④ 역할수행의 변화
⑤ 비효율적인 대처

105 기출 11, 13, 14, 16, 17, 19, 20, 21

치매 환자가 지시사항을 자주 까먹을 때 알맞은 중재는?

① 손짓으로 의사소통을 한다.
② 지시사항을 암기하도록 시킨다.
③ 큰 소리로 외치듯이 다시 말해준다.
④ 잊어버린 부분을 하나하나 지적해 준다.
⑤ 천천히 분명하게 지시사항을 다시 알려준다.

NOTE

1회 3교시

문항별 상세 풀이

001 기출 15

초기 기독교의 간호활동에 대한 설명으로 알맞은 것은?

① 인도주의 이념을 실천하였다.
② 수도원을 중심으로 간호활동이 이루어졌다.
③ 여성해방운동의 전개를 통해 간호사업이 활발해졌다.
④ 로마상류층 여성으로 이루어진 여집사들을 중심으로 간호사업과 사회사업이 발달되었다.
⑤ 국가로 의료기관 운영권이 이양되면서 교육을 받지 않고 사명감 없는 여성들이 고용되어 돈벌이 수단이 되었다.

002 기출 19, 20, 21

나이팅게일의 주요 업적으로 옳은 것은?

① 면허제도 실시
② 국제간호협회 창립
③ 최초의 가정방문 사업
④ 간호사의 독자적인 직업 인정
⑤ 통계방법을 적용한 간호의 과학화

003 기출 18, 20

다음 중 국제적십자사에 대한 설명으로 옳은 것은?

① 나일팅게일이 설립하였다.
② 보건의료 강화를 위해 정부를 지원한다.
③ 간호사업의 국제적 통계 및 정보를 보관한다.
④ 보건문제 관련 국제회의와 동맹 제의를 한다.
⑤ 전시나 사변 시 중립적인 의료, 간호 및 구호 활동을 한다.

004

일제강점기의 간호방식으로 인해 나타난 것은?

① 교육연한의 기간은 2년이었다.
② 실습을 대폭 줄이고 강의를 증가시켰다.
③ 실습은 외래환자 간호와 진료보조가 주를 이루었다.
④ 간호에 대한 감독과 책임은 한국인 간호사에게 있었다.
⑤ 독일 계통의 방법을 받아들여 의사 보조 역할보다 환자간호에 치중하였다.

005

병원윤리위원회의 특징으로 옳은 것은?

① 강제적인 법령이다.

② 의료사고 발생 시 분쟁의 기준이 될 수 있다.

③ 병원에서 발생하는 도덕적인 문제의 기준이다.

④ 환자의 치료 및 간호와 관련된 윤리문제를 다각도로 해결하기 위함이다.

⑤ 미국 매독연구를 통한 비윤리성으로 인해 국가위원회가 임상연구의 바탕이 되는 기본적 윤리 원칙을 정의한 지침서이다.

006 기출 21

의무론에 대한 설명으로 옳은 것은?

① 목적이 수단을 정당화시킨다.

② 최대다수의 최대행복을 강조한다.

③ 신축성 있게 도덕규칙을 적용한다.

④ 도덕규칙 간 상충 시 문제해결이 어렵다.

⑤ 결과적으로 나타난 선의 유무가 윤리 행동의 척도이다.

007

간호의 본질은 돕는 행동이며, 이는 반드시 대상자와 간호사 간의 역동적인 관계에 의해 이루어진다. 이러한 내용으로 옳은 것은?

① 대상자와 간호사의 합일화

② 대상자와 간호사의 의존적 관계

③ 대상자와 간호사의 전인격적 만남

④ 대상자와 간호사의 전문적 지적 수준

⑤ 대상자와 간호사의 양적인 깊은 관계

008 기출 20

가장 이론적이며 보편적인 수준의 윤리적 판단, 사고로서 규칙과 원칙의 모체가 되며 개인이나 집단의 도덕규범이나 규범이론을 가리키는 윤리적 사고단계는?

① 윤리적 판단과 행동

② 윤리이론

③ 윤리원칙

④ 윤리규칙

⑤ 윤리규범

009 기출 18

다음 국제간호사 윤리강령 서문에 기록되어 있지 <u>않은</u> 간호사의 임무는?

① 질병예방

② 건강증진

③ 재활촉진

④ 건강회복

⑤ 고통경감

010

환자보호자의 요청에 의하여 회복이 어렵다고 판단되는 환자의 퇴원(hopeless discharge)도 이 범주에 속한다고 할 수 있는 안락사의 유형은?

① 소극적 안락사

② 수동적 안락사

③ 자의적 안락사

④ 간접적 안락사

⑤ 무의식적 안락사

011

최근에 간호윤리가 강조되는 이유는 무엇인가?

① 대상자의 권위가 낮아졌다.
② 간호가 표준화되고 국제화되었다.
③ 새로운 의료기술의 발달이 정체되었다.
④ 간호사의 옹호자적 역할이 감소하였다.
⑤ 간호사에 대한 사회적 인식이 변화하였다.

012 기출 19

한국 간호사 윤리강령 4항 '간호사는 대상자가 정확한 정보 제공과 설명에 의해 의사결정을 하도록 돕고 대상자가 간호행위를 선택하거나 거부할 권리가 있음을 존중한다.'와 관련한 간호사의 행동으로 옳은 것은?

① 간호사는 환자의 지위에 관계없이 동등하게 간호를 제공한다.
② 간호사는 환자에게 간호를 제공하기 이전에 여러 가지 정보를 충분히 제공한다.
③ 간호사는 환자가 의사를 결정할 수 없을 경우에 의사와 상의하여 치료를 결정한다.
④ 간호사는 환자에게 질 좋은 간호를 제공하기 위하여 심도 있는 공부를 하고, 연구를 한다.
⑤ 간호사는 환자에게 충분한 정보를 제공하기 위해 자신의 능력 밖의 범위도 자세히 설명한다.

013 기출 19

다음 중 무의식 환자의 장기기증에 대한 간호사의 올바른 태도는 무엇인가?

① 환자가 다니던 종교기관에 의뢰한다.
② 환자 부모의 의견을 전적으로 따른다.
③ 장기이식센터의 코디네이터에게 문의한다.
④ 무의식 상태이므로 장기기증을 할 수 없다.
⑤ 환자의 가족이나 환자를 가장 잘 대변할 수 있는 사람의 의견을 존중한다.

014 기출 13

보호자가 경제적 사정으로 환자를 퇴원시키고자 한다. 이때 간호사가 "이대로 퇴원하면 환자가 죽을 수 있습니다. 다시 한 번 생각해보십시오, 우리는 최선을 다해 환자를 끝까지 간호할 것입니다."라고 말할 때 간호사의 이러한 행위는 다음 중 어떤 윤리적 이론에 근거한 것인가?

① 의무론
② 공리주의
③ 정의의 원칙
④ 선행의 원칙
⑤ 자율성 존중의 원칙

015 기출 18

간호사는 약물 투여 시 과민반응의 소인을 알기 위해 문진을 해야 할 의무가 있다. 문진 시 고려해야 할 사항 중 가장 우선되어야 할 것은?

① 환자의 체중
② 환자의 성격
③ 환자의 과거력
④ 환자의 경제상태
⑤ 환자의 교육정도

016 기출 14

간호사의 고의로 혹은 실수로 환자에게 상해를 입혔고 그 인과관계가 인정되었을 경우 이를 무엇이라고 하는가?

① 간호사고
② 간호과실
③ 불법행위
④ 책무불이행
⑤ 주의의무태만

017 기출 17

면허제도의 목적으로 가장 옳은 것은?

① 간호사의 임금 향상을 위해
② 간호사를 법적으로 보호하기 위해
③ 면허간호사를 법적으로 다루기 위해
④ 의료인으로서의 최대한의 능력을 국가, 사회가 합법적으로 인정하기 위하여
⑤ 전문 인력 파악을 위한 통계적 정보를 국가가 독점하여 알리지 않기 위하여

018

다음 중 신규간호사가 경험을 통해 전문가로 거듭난다는 이론을 주장한 사람은 누구인가?

① 달톤
② 베너
③ 쉴즈
④ 너팅
⑤ 나이팅게일

019 기출 18

관료제 이론을 적용한 간호 관리 개선 방법은?

① 직위별로 업무를 나누어 전문화한다.
② 비공식 조직을 활용하여 구성원의 단합을 유도한다.
③ 상급자와 하급자가 서로 논의하여 관리 체계를 수정한다.
④ 상급자가 하급자에게 업무를 위임하여, 업무의 효율성을 높인다.
⑤ 목표관리를 통해 조직원이 달성가능한 적절한 업무량을 제공한다.

020 기출 17

조직 구성원들의 심리적 측면이 생산성을 향상시키는 데 중요하다는 이론으로, 조직의 생산성을 높이기 위하여 조직 구성원들을 기계적이고 경제적 존재로만 볼 것이 아니라 인간의 정서와 감정요인, 그리고 비합리적인 요인도 능률을 향상시키는 데에 큰 역할을 끼친다는 구성원 중심의 관리 이론은 무엇인가?

① 관료제 이론
② 의사소통 이론
③ 인간관계 이론
④ 동기부여 이론
⑤ 과학적 접근론

021 기출 17

간호부에서 2022년 간호만족도 향상을 위한 전략적 기획을 세울 때, 특징으로 옳은 것은?

① 중간관리자가 수립한다.
② 실무적 기술이 요구된다.
③ 자원의 배정을 계획한다.
④ 위험하고 불확실한 환경 하에서 기획한다.
⑤ 실제 업무수행에 필요한 활동계획을 한다.

022 기출 17, 21

다음 중 목표관리(MBO)에 의한 평가사례로 볼 수 있는 것은?

① 간호간위관리자는 간호사가 실시한 자가간호 교육을 평가하기 위해 퇴원환자의 기록지를 검사한다.
② 간호단위관리자는 환자의 퇴원 전일에 간호사가 담당 환자의 퇴원교육을 잘 수행하고 있는지 평가한다.
③ 간호단위관리자는 간호실무기준안을 마련하고 간호사들이 기준안에 맞게 간호를 하는지 2주일간 평가한다.
④ 간호단위관리자는 하지순환장애가 있는 환자를 위한 발간호의 목표가 잘 수행되고 있는지 직접 환자를 관찰한 후 평가한다.
⑤ 간호사가 간호단위관리자와 협의하여 심폐소생술 기초과정을 3개월 내에 이수하도록 목표를 세우고 이 결과를 평가한다.

023 기출 19

구성원이 모여서 대화나 토론 없이 종이에 생각을 적어 제출하고 토론을 거쳐 투표로 의사 결정하는 기법은 무엇인가?

① 전자회의
② 델파이 기법
③ 브레인스토밍
④ 명목집단 기법
⑤ 창의적 의사소통

024 기출 15

다음 중 포괄수가제에 관한 설명으로 옳은 것은?

① 진료행위별로 상대가치 점수를 매겨 금액화하는 제도
② 질병군에 따라 1인당 1일 평균 지용을 지급하는 제도
③ 질병군에 따라 미리 책정된 정액 진료비를 지급하는 제도
④ 환자 당 진료행위료, 약대, 진료재료대 등을 합산하여 산정하는 제도
⑤ 질병군에 따라 직접 간호비와 간접 진료비를 각각 산정하여 비용을 산출하는 제도

025

다음은 조직의 통솔 범위에 관한 사항이다. 올바른 것은?

① 지역이 분산되어 있으면 넓어진다.
② 업무가 전문화되고 복잡할수록 넓어진다.
③ 통솔자가 유능할수록 통솔 범위는 넓어진다.
④ 부하직원이 유능하고 경험이 많으면 좁아진다.
⑤ 결과에 대한 객관적 평가 기준이 명확할수록 좁아진다.

026 기출 19

조직구성원들이 공유하는 기본 가치체계로, 각 조직의 고유한 상징 및 상호작용 체계는 무엇인가?

① 철학
② 조직문화
③ 조직전략
④ 인간적인 관계
⑤ 효율적인 의사소통

027

다음 중 문제인식 단계를 순서대로 연결한 것은 무엇인가?

A. 요약	B. 비교
C. 추론	D. 범주화

① A-B-C-D
② D-A-B-C
③ B-A-C-D
④ C-B-A-D
⑤ A-D-B-C

028 기출 17, 21

다음 중 목표관리이론(MBO)의 가장 중요한 핵심은 무엇인가?

① 위임
② 목표설정
③ 자아실현
④ 상황변수 고려
⑤ 업무의 권한 설정

029 기출 21

사례관리에 대한 설명으로 옳은 것은?

① Critical pathway를 이용할 수 있다.
② 간호직원들을 지도하는 데 많은 시간이 소모된다.
③ 전문직 간호사와 간호보조인력이 팀을 이루어 간호한다.
④ 간호사는 의사의 보조적인 위치에서 간호과정을 적용할 수 있다.
⑤ 환자가 입원해서 퇴원할 때까지 24시간 간호를 계획하고 수행하며 평가할 수 있도록 간호를 분담하는 방법이다.

030 기출 17

변혁적 리더십과 거래적 리더십을 비교한 것으로 옳은 것은?

① 기간: 변혁적 리더십은 단기적, 거래적 리더십은 장기적이다.
② 통제기전: 변혁적 리더십은 의지로, 거래적 리더십은 자율적으로 이루어진다.
③ 시간 지향성: 변혁적 리더십은 현실지향적, 거래적 리더십은 미래지향적이다.
④ 의사결정: 변혁적 리더십은 집단적으로, 거래적 리더십은 분산적으로 이루어진다.
⑤ 권력의 원천: 변혁적 리더십은 구성원들로부터, 거래적 리더십은 직위로부터 온다.

031 기출 18, 19

병동에서 가장 효과적으로 자기주장 행동을 하는 것으로 옳은 것은?

① 상대방을 배려하는 것이 최우선되어야 한다.
② 다른 사람의 권리를 위해 나의 권리를 양보한다.
③ 정서적으로 정직하지 못하고 간접적으로 표현한다.
④ 정서적으로 정직하나 누군가를 희생하도록 표현한다.
⑤ 다른 사람의 권리를 침해하지 않으면서 자신의 권리를 주장한다.

032 기출 19

복부수술 환자간호의 결과적 평가를 위한 기준으로 옳은 것은?

① 환자에게 냉 가습기를 적용한다.
② 환자의 체위를 반좌위로 유지한다.
③ 수술 후 2일 내에 환자의 창자소리(장음)가 들린다.
④ 병동에 수술 전후 환자 교육지침서가 마련되어 있다.
⑤ 간호사는 환자가 입원한지 12시간 이내에 환자의 가족력 등의 자료를 수집한다.

033 기출 19

다음 중 안전사고 발생으로 인한 간호사의 업무상 과실이 되는 것을 방지하기 위한 간호사의 책임은?

① 낙상 예방을 위해 모든 환자가 침상에서 생활하도록 한다.
② 안전사고가 발생한 경우 즉시 치료한 뒤 개인적으로 보상한다.
③ 간호사는 사고를 미연에 방지하기 위해 계획을 수립하고 실시한다.
④ 의료기기 사용으로 인한 사료를 예방하기 위해 기구를 사용하지 않는다.
⑤ 모든 환자에게 간병인을 두어 안전관리의 권한을 위임하고 책임지도록 한다.

034

다음 중 행정적 책임이 있는 간호부장의 중요 직무는?

① 병동 내 간호업무 계획, 지시, 감독
② 병원 직원의 책임권한과 업무의 한계 규정
③ 간호부서 직원의 예비교육/실무교육의 계획 실천
④ 간호단위에 필요한 의약품, 의료장비, 공급품, 시설 청구
⑤ 간호인력 모집, 선발, 배치, 승진 등 병원 내 인사방침에 따라 간호부서 인사행정 담당

035

의사에게 구두처방을 받았을 때 간호사는 어떻게 해야 하는가?

① 투약 후 투약 사실을 기록한다.
② 간호 단위 관리자에게 보고한다.
③ 서면 처방을 받기까지 투약을 미룬다.
④ 투약 후 의사로부터 서면 처방을 받는다.
⑤ 인계하는 간호사에게 그 사실을 알리고 서면 처방을 받은 후 투약하도록 지시한다.

036 기출 19

다음 질병행위의 단계(Suchman, 1979) 중 환자역할 회복 및 재활단계에 있는 대상자는 누구인가?

① 관절염 환자가 질병의 원인을 이전에 다친 것 때문이라고 말함
② 심한 두통이 지속되는 환자가 회사를 결근하고 진통제를 복용함
③ 오른쪽 손이 절단된 환자가 왼쪽 손으로 밥 먹는 것을 배워 연습함
④ 결장루 수술을 한 환자가 계속 간호사에게 결장세척을 해줄 것을 요구함
⑤ 복부수술 후 보행이 가능한 환자가 회복의 불안감으로 조기이상을 거부함

037 기출 14

로이(Roy)의 간호이론에서 간호사의 역할은?

① 대상자의 적응 능력을 지지하고 도움
② 대상자가 자가 간호를 수행하도록 도움
③ 대상자가 환경변화에 적응하는 방식이 향상되도록 도움
④ 대상자가 건강해질 수 있도록 의지와 지식을 제공하여 도움
⑤ 대내적, 대내 간, 대외적 스트레스를 규명하고 스트레스원에 대응하도록 도움

038

다음 중 대상자의 가족력을 조사하는 이유로 가장 알맞은 것은 무엇인가?

① 가족의 형태를 파악하기 위해서

② 간호기록의 완성도를 높이기 위해서

③ 가족이 원하는 교육의 필요를 채워주기 위해서

④ 가족 수와 가정의 경제 상태를 파악하기 위해서

⑤ 가족의 유전질환 및 감염병에 대한 정보를 얻기 위해서

039 기출 12

다음은 간호계획과정 중 목표 설정을 잘 세운 것은 무엇인가?

① 대상자가 24시간 배뇨 측정을 한다.

② 대상자가 혈압약을 거르지 않고 챙겨 먹는다.

③ 대상자에게 3일 동안 처방된 항생제를 투약한다.

④ 대상자가 3월 2일까지 체온을 36.8 ℃로 유지한다.

⑤ 대상자가 퇴원할 때까지 인슐린 주사 방법을 안다.

040 기출 12, 14

충수돌기 절제술을 받은 환자의 SOAP 간호 기록이다. 그 중 P에 해당하는 것은?

> 충수돌기 절제술을 받은 환자가 "수술부위가 너무 아파요."라며 통증을 호소하였고 몸에 땀이 나는 상태였다. 이에 급성 통증으로 진단을 내리고 의사의 처방에 따른 진통제를 투여하였다.

① 땀이 남

② 급성 통증

③ 충수돌기절제술

④ 통증이 있다고 호소함

⑤ 의사의 처방에 따른 진통제를 투여함

041 기출 14

다음은 뇌신경 검사 중에서 삼차신경(trigeminal nerve) 사정 방법으로 가장 옳은 것은?

① 제4뇌신경을 의미한다.

② 혀를 내밀어보도록 한다.

③ 대화하고 쉬고 있을 때 얼굴을 자세히 관찰한다.

④ 측두근과 저작근을 촉진하면서 대상자에게 이를 다 물도록 하여 근육의 수축을 본다.

⑤ 대상자에게 "아" 소리를 내거나 하품하게 하여 연구개와 구개수의 상방운동을 관찰한다.

042 기출 13

귀 세척 시 차가운 용액을 사용하면 어떤 부작용이 있을 수 있는가?

① 추위, 경련

② 출혈, 쇼크

③ 소양증, 두드러기

④ 현기증(현훈), 구역

⑤ 빠른맥(빈맥), 혈압하강

043 기출 14, 18, 19

성인에게 소아가 사용하는 혈압계 커프로 혈압을 측정했다면 측정결과는 어떻게 되는가?

① 정상과 똑같이 측정된다

② 정상보다 높게 측정된다.

③ 정상보다 낮게 측정된다.

④ 수축기압은 높게, 이완기압은 낮게 측정된다.

⑤ 측정 시 팔의 위치에 따라 높게 또는 낮게 측정된다.

044 기출 13

다음은 대상자가 배변 시 항문의 통증과 약간의 출혈이 있어 내원하였다. 검진시 대상자가 취해야 할 체위는?

① 복위   ② 앙와위
③ 쇄석위   ④ 슬흉위
⑤ 심스체위

045 기출 20

기관절개관 환자의 기도흡인에서 흡인기간을 10~15초 이내로 제한하는 가장 중요한 이유는?

① 흡인시간이 길어졌을 때 발생하는 저산소증의 위험을 예방하기 위해
② 흡인시간이 길어지면 환자가 심리적으로 불안과 초조를 보이므로
③ 흡인시간이 길어지면 점막이 괴사되고, 혈종이 형성되므로
④ 흡인시간이 길어지면 점막 자극으로 기침반사를 일으키므로
⑤ 흡인시간이 길어지면 점막손상으로 인한 출혈이 생기기 쉬우므로

046 기출 12, 15, 21

다음 중 비위관이 제 위치에 있는지 확인하는 방법으로 가장 옳은 것은?

① 흡인 시 액체의 산도가 4 이하이다.
② 흡인 시 아무 액체도 나오지 않는다.
③ 주사기를 통해 공기를 주입 시 대상자가 트림을 한다.
④ 삽입 후 비위관의 외부 끝을 물에 담그면 기포가 발생한다.
⑤ 주사기를 통해 5~15 cc 공기 주입 시 상복부에서 소리가 나지 않는다.

047

다음은 혈장 내 K^+ 농도가 5.7 mEq/L인 대상자에게 시행해야 하는 관장은?

① 수돗물 관장
② 글리세린 관장
③ 생리식염수 관장
④ 인산나트륨 관장
⑤ Kayexalate 관장

048

다음 중 마사지에 의한 통증경감의 원리로 알맞은 것은 무엇인가?

① 최면
② 피부자극
③ 산소확산
④ 자율적 훈련
⑤ 위약의 사용

049

장루 간호 시 간호중재로 가장 옳은 것은?

① 알칼리비누로 세척한다.
② 주머니와 장루의 구멍 크기를 같게 한다.
③ 파우더를 바르지 않고 습기를 유지한다.
④ 장루 관리 시 누공 주위 피부의 발적, 궤양, 자극 유무를 관찰한다.
⑤ 감염 예방을 위하여 장루 주위의 털을 면도하지 않는다.

050

다음 중 당뇨환자를 위한 발 관리로 알맞은 것은 무엇인가?

① 신발을 자주 바꿔준다.
② 꼭 맞는 신발을 신는다.
③ 발가락 사이에 보습제를 바르지 않는다.
④ 티눈, 애벌뼈(가골)은 발생 즉시 제거한다.
⑤ 통풍이 잘 되도록 양말은 거의 신지 않는다.

051

고막체온 측정 결과 38.6 ℃ 환자에게 해야 할 간호중재는?

① 차가운 물로 목욕을 한다.
② 즉시 얼음으로 마사지 한다.
③ 제한이 없으면 수분섭취를 충분히 하게 한다.
④ 염분제제나 염분이 없는 수분을 섭취하도록 한다.
⑤ 더운 물주머니를 사용하여 국소적인 혈액순환을 증가시킨다.

052

간호사가 바퀴의자에서 침상으로 환자를 들어 이동시키려고 한다. 이때 간호사가 다리근육을 사용하는 것은 다음 중 신체역학의 어떤 원리인가?

① 지면과의 마찰이 감소된다.
② 안정성을 높이기 위해 기저면을 넓게 한다.
③ 안정성을 높이기 위해 강한 근육군을 사용하여 근육의 피로와 손상을 막는다.
④ 중력선이 기저면을 지나면 물체의 안정성이 높아진다.
⑤ 중력과 무게중심선을 같은 방향으로 옮기면 힘이 덜 든다.

053

T_6, T_7 부위의 척수손상 시 환자의 활동범위로 올바른 것은?

① 서서 소변을 볼 수 있다.
② 보조기를 대고 걷는다.
③ 휠체어를 손으로 민다.
④ 혼자서 식사는 불가능하다.
⑤ 다리를 구부릴 수 있지만 걸을 수 없다.

054

Kubler-Ross의 죽음에 대한 심리적 적응의 단계로 옳은 것은?

① 부정 – 분노 – 우울 – 협상 – 수용
② 부정 – 분노 – 협상 – 우울 – 수용
③ 부정 – 우울 – 분노 – 협상 – 수용
④ 분노 – 부정 – 협상 – 우울 – 수용
⑤ 분노 – 부정 – 우울 – 협상 – 수용

055

다음 대상자는 3도 화상의 환자로 적용할 수 있는 침상은?

① 개방 침상
② 폐쇄 침상
③ 크래들 침상
④ Gatch 침상
⑤ Stryker 침상

056 기출 11, 18

뇌수술을 받고 의식 회복 중인 환자가 안절부절하여 정맥요법을 실시하려 한다. 이때 적용할 수 있는 억제대는 무엇인가?

① 벨트 억제대

② 손목 억제대

③ 사지 억제대

④ 자켓 억제대

⑤ 전신 억제대

057

간호사가 퇴원 환자 교육 중 성관계에 관련해 교육을 한다. 이 중 특히 심박수 증가와 고혈압 증상에 대하여 교육해야 하는 환자는?

① 치질

② 당뇨병

③ 전립샘염

④ 갑상샘암

⑤ 심근경색증환자

058

다음 중 환자가 임종에 임박했음을 알리는 증상 및 징후는 무엇인가?

① 안면근육의 수축

② 고정되고 확대된 동공

③ 혈압과 맥박이 비정상적으로 상승

④ 꿈틀(연동)운동이 항진되면서 설사를 함

⑤ 팔·다리(사지) 말단이 따스하고 분홍빛임

059

출혈이 있으며 삼출물이 많고 사강이 큰 상처를 채우기 위한 패킹용으로 사용하는 드레싱은 무엇인가?

① 폼 드레싱

② 투명 드레싱

③ 하이드로 겔(hydrogel) 드레싱

④ 하이드로 콜로이드(hydrocolloid) 드레싱

⑤ 칼슘 알지네이트(calcium alginate) 드레싱

060

다음 입원환자 중 병원감염 위험성이 가장 높은 대상자는 누구인가?

① 생후 1주된 신생아

② 하루에 담배를 2갑 피우는 55세 남자

③ WBC 수치가 5,000/mm³인 32세 여자

④ 표준체중 미달이며 채식만 하는 23세 여자

⑤ 10일 동안 유치도뇨관을 삽입하고 있는 70세 남자

061

다음 중 역격리(보호격리)에 해당하는 것은?

① 외과적 무균법을 실시

② 욕실과 변기는 공동사용

③ 대상자가 감염성 질환인 경우

④ 환자의 감염병으로부터 타인을 보호하는 것

⑤ 일반 환자로부터 감염을 얻을 수 있는 환자를 대상으로 하는 것

062

다음 중 얼굴신경(안면신경)의 기능을 확인하기 위한 방법은?

① 혀를 내밀어보도록 한다.

② 삼킴(연하) 기능을 확인한다.

③ 어금니를 꽉 물어보게 한다.

④ 눈을 모든 방향으로 움직여보게 한다.

⑤ 혀 앞쪽 2/3에서 소금이나 설탕을 맛보게 한다.

063 기출 16, 18, 19, 20, 21

환자에게 하루 동안 Ampicillin 2.0 g을 네 번에 나눠 경구투여하라는 처방이 있다. Ampicillin 1정이 250 mg일 때 1회 몇 정을 투여해야 하는가?

① 2정

② 4정

③ 6정

④ 8정

⑤ 10정

064

질 좌약 삽입 시 간호로 옳은 것은?

① 외과적 무균술을 시행한다.

② 심스체위를 취하도록 한다.

③ 검사 전 방광을 채우도록 한다.

④ 적어도 10~30분 정도 좌약을 보유하도록 앙와위 자세를 취한다.

⑤ 음순을 벌리고 질 전벽을 따라 5~8 cm 정도 좌약을 깊숙이 밀어 넣는다.

065

다음에서 의심되는 말초정맥주사 합병증은?

> 말초정맥요법 대상자가 "주사 부위가 아파요."라고 호소하였다. 사정 결과 정맥주사 부위에 부종, 냉감이 있었고 주사 부위를 눌러보니 통증을 호소하였으며, 수액은 잘 주입되고 있지 않았다.

① 침윤

② 혈전

③ 정맥염

④ 공기색전

⑤ 체액과부하

보건의약관계법규

066 기출 11, 13

가정간호 시 투약을 할 때 의사 처방전의 유효기간으로 올바른 것은 무엇인가?

① 30일

② 50일

③ 90일

④ 120일

⑤ 150일

067 기출 12, 13

의료기관 개설과 관련한 설명으로 옳지 <u>않은</u> 것은 무엇인가?

① 국가는 의료기관을 개설할 수 있다.

② 의사는 종합병원을 개설할 수 있다.

③ 한의사는 요양병원을 개설할 수 있다.

④ 의료업을 목적으로 설립된 법인은 의료기관을 개설할 수 있다.

⑤ 민법이나 특별법에 따라 설립된 영리법인은 의료기관을 개설할 수 있다.

068 기출 15, 19, 21

다음 중 진료에 관한 기록 보존기간에 대한 설명으로 옳은 것은?

① 진료기록부 5년, 처방전 3년, 간호기록부 3년, 진단서 등 부본 1년
② 진료기록부 5년, 처방전 3년, 간호기록부 3년, 진단서 등 부본 3년
③ 진료기록부 10년, 간호기록부 5년, 진단서 등 부본 3년, 처방전 2년
④ 진료기록부 10년, 처방전 3년, 간호기록부 5년, 진단서 등 부본 3년
⑤ 진료기록부 10년, 처방전 5년, 간호기록부 10년, 진단서 등 부본 5년

069 기출 14, 17, 19

다음 중 의료법에서 의료인인 것은?

① 의사, 치과의사, 한의사, 약사
② 의사, 치과의사, 간호사, 수의사
③ 의사, 치과의사, 한의사, 수의사
④ 의사, 치과의사, 한의사, 간호사, 조산사
⑤ 의사, 치과의사, 조산사, 간호조무사, 간호사

070 기출 20

다음 중 간호사의 법적 업무에 해당하지 않는 것은?

① 진료의 보조
② 모자보건 및 가족계획 활동
③ 간호조무사의 업무보조에 대한 지도
④ 보건진료 전담공무원으로서의 보건활동
⑤ 임산부, 해산부, 산욕부에 대한 보건과 양호지도

071 기출 13, 16

국가시험에서 부정행위를 하여 그 시험을 정지당하고 무효로 된 자에 대한 설명으로 옳은 것은?

① 앞으로의 국가시험에 응시할 수 없다.
② 그다음 해의 시험에 응시할 수 있다.
③ 특정업무에 종사할 것을 조건으로 면허를 부여한다.
④ 위반행위의 정도와 관계없이 그다음 치러지는 국가시험의 응시를 3회 제한한다.
⑤ 위반 정도에 따라 그다음 치러지는 국가시험의 응시를 3회의 범위에서 제한할 수 있다.

072 기출 21

다음 중 감염병 신고에 대한 내용으로 올바른 것은?

① 제2급감염병환자 진단 보고를 받은 의료기관의 장은 즉시 관할 보건소장에게 신고
② 제1급감염병환자 진단 보고를 받은 의료기관의 장은 즉시 관할 보건소장에게 신고
③ 제2급감염병환자 진단 보고를 받은 의료기관의 장은 7일 이내에 관할 보건소장에게 신고
④ 제4급감염병환자 사체 검안 보고를 받은 의료기관의 장은 24시간 이내에 관할 보건소장에게 신고
⑤ 제3급감염병환자 사체 검안 보고를 받은 의료기관의 장은 3일 이내에 관할 보건소장에게 신고

073 기출 14, 19

우리나라는 예방접종으로 인하여 피해가 발생한 경우 감염병의 예방 및 관리 법률에 따라 국가가 보상을 실시하고 있다. 다음 중 보상내용으로 옳은 것은?

① 장제비
② 복지비용
③ 장애연금
④ 정기보상금
⑤ 건강검진비용

074

예방접종 증명서를 교부할 수 있는 사람은 누구인가?

① 보건소장
② 시 · 도지사
③ 의료기관의 장
④ 담당 의사
⑤ 시장 · 군수 · 구청장

075 기출 11, 16

다음 중 마약류관리법에 의해 식품의약품안전처장의 허가를 받아야하는 자가 <u>아닌</u> 것은?

① 마약류 도매업자
② 마약류 제조업자
③ 마약류 원료사용자
③ 마약류 수출입업자
⑤ 마약류 취급학술연구자

076 기출 13

다음 중 마약중독자에 대한 설명 중 옳은 것은?

① 치료보호기관에서 보건복지부장관의 허가를 얻은 경우에는 마약을 투약할 수 있다.
② 마약중독자에게 모든 마약류 취급의료업자는 치료를 목적으로 마약을 처방할 수 있다.
③ 마약중독자에게 모든 마약류 취급의료업자는 치료를 목적으로 마약을 투약할 수 있다.
④ 모든 마약류 취급의료업자는 마약중독자의 중독 증상을 치료하기 위해 마약을 투약해 줄 수 있다.
⑤ 마약류 취급의료업자는 마약 중독 증상 완화를 위해 관할 기관에서의 보호 아래 마약을 제공할 수 있다.

077

다음 중 마약류 취급의료업자는 마약을 기재한 처방전을 얼마 동안 보존하여야 하는가?

① 1년
② 2년
③ 3년
④ 4년
⑤ 5년

078 기출 11, 13, 17, 20, 21

다음 중 '검역법'에 따른 감시기간으로 옳지 <u>않은</u> 것은?

① 황열 144시간
② 콜레라 120시간
③ 페스트 144시간
④ 중증 급성호흡기 증후군 80시간
⑤ 동물인플루엔자 인체감염증 240시간

079 기출 12, 13

다음 중 요양급여를 받을 수 <u>없는</u> 기관은?

① 약사법에 의한 약국
② 의료법에 의한 의료기관
③ 지역보건법에 의한 보건소
④ 사회복지법에 의한 사회복지시설
⑤ 약사법에 의해 설립된 한국희귀 · 필수의약품센터

080

다음 중 국민건강보험법에 의해 건강보험료의 경감 대상이 되는 사람은?

① 올해 62세가 된 박 씨
② 소형 마켓을 하는 김 씨
③ 2달 동안 유럽 배낭여행 중인 송 씨
④ 1년 전 사고로 청각장애인이 된 최 씨
⑤ 직장에서 1달 전에 퇴직하여 현재 무직인 이 씨

081

후천선 면역결핍증 감염인 중 부양가족의 생계유지가 곤란하다고 인정될 때에 부양가족의 생활보호에 필요한 조치를 해야 하는 자는?

① 시 · 도의원
② 국립보건원장
③ 지방검역소장
④ 보건복지부장관
⑤ 시장 · 군수 · 구청장

082 기출 20

다음 중 '지역보건법'의 목적으로 옳지 <u>않은</u> 것은?

① 보건사업에 관한 연구를 추진한다.
② 지역주민의 건강 증진에 이바지한다.
③ 보건의료 관련기관 · 단체와의 연계 · 협력한다.
④ 지역보건의료기관의 설치 · 운영에 관한 사항을 규정한다.
⑤ 지역보건의료기관의 기능을 효과적으로 수행하는 데 필요한 사항을 규정한다.

083 기출 14, 20

다음 중 지역보건법에 의한 보건소 관장업무로 알맞지 <u>않은</u> 것은?

① 감염병의 예방 및 관리
② 모성과 영유아의 건강유지 · 증진
③ 국민건강보험에 관한 교육 및 홍보
④ 건강 친화적인 지역사회 여건의 조성
⑤ 지역보건의료정책의 기획, 조사 · 연구 및 평가

084

다음 중 보건소 비용 보조에 대한 설명으로 옳은 것은?

① 보건소 설치와 운영에 대한 모든 비용을 보조한다.
② 설치비와 부대비에 있어서는 그 비용의 2/3 이내로 한다.
③ 운영비에 대한 비용에 있어서는 그 비용의 2/3 이내로 한다.
④ 보건소 운영에 필요한 비용을 보조하는 것에서 보건의료원은 제외된다.
⑤ 지역보건의료계획의 시행에 필요한 비용에 있어서는 그 비용의 1/3 이내로 한다.

085 기출 15

다음 중 응급의료의 설명 및 동의를 얻어야 하는 의무에서 예외가 되는 경우는?

① 의식이 있는 경우
② 모든 응급 상황의 경우
③ 법정대리인이 있는 경우
④ 응급환자가 의사결정능력이 없는 경우
⑤ 응급환자가 설명에 대한 이해능력이 있는 경우

NOTE

2회 1교시

문항별 상세 풀이

성인간호학

001

중년기 대상자에 대한 간호로 옳은 것은?

① 시각장애는 청력장애보다 좀 늦게 오는 경향이 있다고 설명한다.

② 여성은 에스트로겐, 프로게스테론 양이 감소되면서 질 감염의 위험성도 감소한다.

③ 폐경기의 여성에게도 여성으로서의 아름다움은 잃지 않고 유지된다고 교육한다.

④ 청력장애가 있을 때 보청기를 사용하면 청력을 더욱 저하시킬 수 있으므로 권장하지 않는다.

⑤ 여성은 에스트로겐의 증가로 피하혈관의 보호 작용이 저하되어 얼굴이 화끈거리는 증상이 생길 수 있다고 교육한다.

002

65세 이상의 비만 노인에게 권장되는 적절한 운동은?

① 수영

② 걷기

③ 당구

④ 줄넘기

⑤ 배드민턴

003　기출 18

다음 중 대사성 산증과 관련된 사항으로 알맞는 것은?

① pH 7.45

② 위액 흡인

③ $PaCO_2$ 55 mmHg

④ 제산제 섭취

⑤ HCO_3^- 22 mEq/L 이하

004　기출 20

과량의 이뇨제 사용으로 인해 심장질환자에게 저칼륨혈증이 나타났다. 관련 증상으로 옳은 것은?

① 핍뇨, 변비, 상승된 T파

② 식욕부진, 골격근 약화, 넓어진 QRS파

③ 구역(오심), 구토, 설사, 넓어진 QRS파

④ 구역(오심), 구토, 약한 맥박, 상승된 T파

⑤ 골격근 약화, 마비성 장폐색, 식욕부진, 부정맥, 내려간 T파

005　기출 19, 20

다음 중 설사, 탈수와 관련된 간호진단과 상관없는 것은?

① 설사와 관련된 배변장애

② 탈수와 관련된 피부통합성 장애

③ 탈수와 관련된 체액부족 가능성

④ 뇌부종 및 기능장애와 관련된 사고과정 변화

⑤ 배뇨량 감소와 관련된 배뇨양상의 변화 가능성

006 기출 16, 18, 19, 20

ABGA 판독 결과가 아래와 같다. 다음 중 의미하는 바로 옳은 것은?

> - HCO_3^- 15.0 mEq/L
> - H_2CO_3 1.2 mEq/L (HCO_3: H_2CO_3 = 12.5: 1)
> - $PaCO_2$: 40.0 mmHg
> - pH: 7.2

① 과호흡
② 호흡성 산증
③ 대사성 산증
④ 호흡성 알칼리증
⑤ 대사성 알칼리증

007

알레르기 비염이 나타난 환자에게 가장 먼저 취해주어야 하는 중재는?

① 수분공급을 한다.
② 몸을 따뜻하게 해준다.
③ 항콜린제를 투여한다.
④ 기관지 확장제를 투여한다.
⑤ 알레르기 위험인자를 제거한다.

008 기출 18, 19

페니실린을 투여받은 환자에게 아나필락시스 반응 (anaphylactic reaction)이 일어났다. 아나필락시스 반응이 유발된 이유는?

① 지연된 감작반응
② 획득된 아토피성 감작
③ 페니실린 알레르겐(allergen)에 대한 수동면역
④ 최초 정맥주입 시작 후 발현한 잠재성 2가항체
⑤ 이전에 페니실린 사용에 의해 획득된 항체의 활성화

009

다음 중 알레르기 반응에 대한 내용으로 옳지 <u>않은</u> 것은?

① 혈중에 호산구가 증가한다.
② 혈중에 IgE가 높게 나타난다.
③ 페니실린 쇼크는 즉시형 과민반응이다.
④ 즉시형 과민반응은 24시간 후에 나타난다.
⑤ 알레르기 반응은 타인에게 감염되지 않는다.

010 기출 18

다음 중 5-Fu, cytoxin을 투여로 후두암 환자에게 나타날 수 있는 부작용인 것은?

① 당뇨
② 고혈압
③ 고지혈증
④ 백혈구 증가증
⑤ 구역(오심), 구토

011

세포성 면역과 체액성 면역에 관한 설명으로 옳은 것은?

① 세포성 면역은 면역글로불린을 형성한다.
② 세포성 면역은 B림프구에 의하여 활성화된다.
③ 체액성 면역은 감마인터페론에 의하여 바이러스 성장을 예방한다.
④ 세포성 면역과 체액성 면역의 발생기전은 대식세포에 의한 림프구의 활성화이다.
⑤ 체액성 면역은 자연살해 세포에 의하여 종양 세포에 의하여 종양세포에 대항하는 면역 감시 역할을 한다.

012

암의 위험요인과 관련된 설명으로 적절한 것은?

① 식이는 발암요인과 큰 연관성이 없다.
② 전립선암은 유전적 소인과 관련이 없다.
③ 방사선 조사나 자외선은 암을 유발한다.
④ 암은 모든 연령층에 분포해있으나 고령과는 연관성
　이 없다.
⑤ 바이러스, 박테리아 등의 만성감염은 암 발생과 관련
　이 없다.

013 기출 19, 20, 21

다음 환자들이 응급실에 왔을 때 가장 빠르게 응급 처치를 시행해야 하는 환자는?

① 호흡부전을 보이는 환자
② 대퇴골절이 일어난 환자
③ 고열이 있는 어린이 환자
④ 구역, 구토를 보이는 환자
⑤ 교통사고로 출혈이 있는 환자

014

식도게실(곁주머니)의 초기증상으로 맞는 것은?

① 가슴앓이
② 호흡곤란
③ 체중감소
④ 소화불량
⑤ 삼킴곤란

015 기출 16, 19, 20

모든 부류의 쇼크환자에게서 공통적으로 볼 수 있는 혈액학적 변화는?

① 체온상승
② 심박출량 감소
③ 부적절한 혈액량
④ 부적절한 조직관류
⑤ 비정상적인 말초혈관 저항

016

전신마취 2기의 대상자의 상태로 옳은 것은?

① 구토와 오심의 증상이 있다.
② 의식은 있으나 아픔은 느낄 수 없다.
③ 의식은 있으나 사지를 움직일 수 없다.
④ 안검반사가 소실되면서 턱이 이완된다.
⑤ 호흡과 맥박이 불규칙해지면서 자극에 예민해진다.

017 기출 18

다음 중 수술 후 병실에 돌아온 환자에게 가장 먼저 해야 할 간호중재는?

① 통증을 사정한다.
② 기도 개방 상태를 확인한다.
③ 활력징후와 맥박 산소포화도를 측정한다.
④ 통증을 호소하기 전 미리 진통제를 투여한다.
⑤ 출혈 여부를 확인하고, 응급 수혈세트를 준비한다.

018

저체온요법을 받는 환자에게 추위를 예방하는 간호를 해야 한다. 그 이유로 옳은 것은?

① 호흡중추를 억압하기 때문이다.
② 체온이 급격히 하강하기 때문이다.
③ 체내 순환량을 과도하게 증가시키기 때문이다.
④ 체내 산소 소모량이 급격히 증가하기 때문이다.
⑤ 두개강(머리뼈공간) 내압을 급격히 하강시키기 때문이다.

019

70세 노인이 대퇴골절로 내부고정술을 받았다. 2일째 침상에서 대퇴사두근 등척성 운동을 실시하는 목적은?

① 호흡원활
② 배설기능 촉진
③ 피부의 압력을 최소
④ 근육의 탄력 및 유지
⑤ 관절 가동범위 최대보장

020

곤봉형 손가락, 호흡곤란 등의 증상을 나타낼 때 취해주어야 하는 자세는 무엇인가?

① 복위
② 심스체위
③ 앙와위(바로누움)
④ 반좌위(반앉은자세)
⑤ 슬흉위(무릎가슴자세)

021

통증을 호소하는 환자가 있을 때 다음 중 알맞은 일반적인 간호는?

① 기분전환요법은 심한 통증보다는 경한 통증일 때 효과가 있다.
② 환자가 피곤하지 않도록 하고 주간에 낮잠을 충분히 자도록 격려한다.
③ 마사지는 근육을 수축시켜 통증을 감소시키는 효과가 있는 방법이다.
④ 통증을 호소할 경우 주변에서 말을 소곤거리는 정도로 함으로써 긴장을 풀어준다.
⑤ 전기치료(TENS)는 만성통증 치료에 특히 효과가 있으며 특별한 금기사항 없이 사용할 수 있다.

022

만성폐쇄성질환 환자의 폐기능 검사 결과는?

① 잔기량(RV)이 감소한다.
② 폐활량(VC)이 감소한다.
③ 노력 호기량(FEV)이 증가한다.
④ 기능적 잔기량(FRC)이 정상이다.
⑤ 중간 최대호기 유속(PEF 25~75%)이 정상이다.

023

기관지확장증 환자가 기관지조영술을 마치고 병실로 돌아왔다. 4시간 후 목이 마르다며 물을 달라고 요청했을 때 간호사의 행동으로 옳은 것은?

① 물이나 음료수를 마시도록 한다.
② 구개반사를 확인한 후 물을 제공한다.
③ 검사 3시간 후까지 기다리라고 지시한다.
④ 의사에게 물어본 후 알려주겠다고 말한다.
⑤ 체위배액을 실시한 후 물을 마시도록 한다.

024 기출 16, 19

폐기종 환자의 증상 및 관련 내용으로 옳은 것은?

① 호흡음 증가
② 호기시간 단축
③ $PaCO_2$ 상승
④ 흉곽 전후경 감소
⑤ 호흡보조근의 위축

025

다음 중 간헐적 흡인 시 비인두 손상 예방을 위해 올바른 방법은?

① 삽입과 제거 시 모두 흡인한다.
② 삽입 시는 흡인하지 않고 제거 시 흡인한다.
③ 삽입 시 흡인하고 제거 시는 흡인하지 않는다.
④ 삽입 시는 간헐적으로 흡인하고 제거 시는 계속적으로 흡인한다.
⑤ 완전한 삽입된 상태에서 흡인하고 삽입 도중이나 제거 시는 흡인하지 않는다.

026 기출 17

다음 중 후비공 심지삽입에 대한 설명으로 옳은 것은?

① 수술 후 언제나 시행한다.
② 위험하므로 수술실에서만 시행한다.
③ 비중격 만곡증에 대한 염증제거를 위함이다.
④ 만성 부비동염에 의한 삼출물의 제거하기 위함이다.
⑤ 출혈 부위를 확인할 수 없고 멈추지 않는 비출혈 시 적용한다.

027

다음 중 폐결핵균의 특성으로 맞는 것은?

① 직사광선에 강하다.
② 완치될 때까지 반드시 격리시킨다.
③ 내성이 생기기 때문에 단독 투여한다.
④ 화학치료 후 2~4주가 지나면 격리시키지 않아도 된다.
⑤ 투베르쿨린 검사 후 5 mm 이상일 때 BCG 접종을 실시한다.

028 기출 17

폐렴환자가 호흡곤란을 호소하고 있다. 다음 중 어떤 간호중재를 우선으로 해야 하는가?

① 의사에게 알린다.
② 기침을 하게 한다.
③ 항생제를 투여한다.
④ 반좌위(반앉은자세)를 취해준다.
⑤ 곧 괜찮아지니 안심하라고 한다.

029

중심정맥압 상승이 있을 때 나타날 수 있는 현상이 <u>아닌</u> 것은?

① 우심부전
② 울혈성 심부전
③ 말초혈관 울혈
④ 정맥혈관 울혈
⑤ 정맥혈관 이완

030

야간에 병실에서 응급벨이 울려 가보니 폐부종(pulmonary edema)으로 입원한 환자가 극심한 호흡곤란을 호소하고 있었다. 이 환자의 증상을 완화시키는 체위는?

① 슬흉위(knee-chest position)
② 복위(prone position)
③ 앙와위(supine position)
④ 쇄석위(lithotomy position)
⑤ 좌위(sitting position)

031 기출 18, 21

응급실에서 PVC (조기심실수축)가 나타난 환자에게 lidocaine을 투여했지만 효과가 없었다. 그 다음으로 시행해야 하는 중재는?

① 인공호흡
② 제세동기 사용
③ Atropine 투여
④ Dopamine 투여
⑤ Epinephrine 투여

032

심박조동(atrial flitter)의 심전도상 전형적인 특징은?

① 선명한 P파
② 넓은 QRS파
③ 보상성 휴지기
④ 불규칙적 리듬
⑤ 톱니바퀴 모양의 기저선

033

심근경색증 병태생리 과정에 관한 설명으로 옳은 것은?

① 경색된 심근 부위는 일정기간 지나면 회복이 된다.
② 심근경색증은 관상동맥이 폐쇄되면서 즉각적으로 일어난다.
③ 심근경색증 부위의 형태학적 변화는 24시간까지는 정상이다.
④ 심근이 허혈되는 동안 심내막 및 심외막은 크게 영향 받지 않는다.
⑤ 심근허혈이 35~45분 이상 지속되면 심근에 불가역적 세포손상을 가져올 수 있다.

034 기출 17, 19

심부전 환자에게 라식스(Lasix) 투여 시 부족할 수 있는 전해질은?

① 인
② 칼슘
③ 칼륨
④ 나트륨
⑤ 마그네슘

035

아래 사례의 환자의 질환은 무엇인가?

> 33세 여자가 지속적인 체중증가와 함께 고혈압이 확인되어 내원하였다. 6개월 동안 10 kg이 증가했으며 얼굴이 점차 둥글게 변하고 피부가 얇아진다고 호소하였다. 신체사정 시 키 160 cm, 몸무게 85 kg 이었으며 붉은 선조가 배에서 여러 개 보였다. 혈당 검사 시 고혈당으로 나타났다.

① 에디슨병
② 점액수종
③ 단순 비만
④ 갈색세포종
⑤ 쿠싱증후군

036

다음 중 Adams–stokes attack이 발생하였을 때 증상으로 알맞은 것은?

① 심실 빈맥
② 심방 빈맥
③ 정신적 쇼크
④ 심한 고혈압
⑤ 심실수축이 지연되어 심박출량 급격히 감소

037

재생불량성 빈혈과 관련된 설명으로 옳은 것은?

① 골수부전으로 인한 범혈구감소증 발생
② 흉선의 기능장애로 인한 적혈구의 미성숙
③ 적혈구파괴속도의 증가로 인한 순환적 혈구수 감소
④ 만성출혈로 적혈구를 다량 손실한 후 골수재생 불가능
⑤ 만성설사, 위절제술 등 영양결핍으로 인한 골수내 적혈구 생성 중단

038 기출 19

DIC의 검사 결과로 옳은 것은?

① 혈소판 증가
② 적혈구 감소
③ 응고인자 증가
④ 섬유소원 증가
⑤ aPTT/PT 지연

039 기출 19

다음 중 방광염 증상으로 옳은 것은?

① 경련
② 당뇨
③ 세균뇨
④ 고혈압
⑤ 짙은 황색 소변

040

림프부종을 가진 대상자의 부종을 경감시키는 간호중재로 옳은 것은?

① 좌위를 취한다.
② 고염식이를 한다.
③ 림프절을 따라 마사지한다.
④ 침대발치는 높이지 않는다.
⑤ 잘 때 탄력스타킹을 착용한다.

041

다음 중 동맥폐색 질환 대상자를 사정할 때 말초맥박을 사정하는 방법으로 옳은 것은?

① 피부온도, 맥박수 관찰
② 동맥수축력, 맥박리듬 관찰
③ 피부색깔, 양쪽 동시성 관찰
④ 피부강직 유무, 맥박크기 관찰
⑤ 동맥리듬, 강도, 양측 동시성, 횟수 관찰

042

스트레스성 위궤양(Curling's ulcer)을 의심할 수 있는 주요 증상으로 옳은 것은?

① 잦은 복통과 설사

② 며칠간 지속되는 혈변

③ 원인을 알 수 없는 쇼크 증상

④ 헤마토크릿의 점차적인 감소

⑤ 갑작스럽게 나타나는 다량의 위출혈과 저혈압

043 기출 16, 17, 18, 19

부분 위절제술을 받은 대상자에게 나타날 수 있는 급속이동증후군을 예방하기 위한 간호중재로 옳은 것은?

① 고탄수화물 식사를 제공한다.

② 식전에 항콜린제제를 투여한다.

③ 식사를 정해진 시간에 하루 3회로 시행한다.

④ 식후 적어도 30분간은 똑바로 앉아 있도록 한다.

⑤ 식사 시나 식후 2시간까지는 수분을 섭취해도 좋다.

044

TPN 적용 환자에서 소변량 감소, 저체온, 호흡곤란, 고혈당 등의 증상을 보일 때 적절한 간호중재는?

① 다른 수액으로 교환한다.

② 수액을 즉시 중단하고 의사를 부른다.

③ 환자의 머리를 낮추는 자세를 취한다.

④ 수액관을 교환하고 감염여부를 사정한다.

⑤ 수액의 주입속도를 확인하고 속도를 조절한다.

045

식도열공 탈장 환자에 대한 적절한 간호중재는 어느 것인가?

① 취침 전 간단한 식사를 한다.

② 취침 시 베개를 사용하지 않는다.

③ 식사는 규칙적으로 세 끼를 모두 먹는다.

④ 담배, 알코올은 식도열공과는 관련이 없다.

⑤ 식사 전후로 눕지 않고 윗몸을 일으킨 채 휴식을 취하도록 한다.

046 기출 20, 21

다음 중 유방암 환자에게 근치유방절제술 후 압박 드레싱을 적용하는 이유로 옳은 것은?

① 수술 부위 혈액량을 감소시킨다.

② 수술 후 팔 운동하기에 용이하다.

③ 수술 부위 조직이 잘 유착되도록 한다.

④ 이식 피부 밑에 꽂은 배액관을 고정시킨다.

⑤ 절제 부위의 치유과정 중 발생하는 통증을 감소시킨다.

047

골절 시 염발음이 발생하는 이유로 맞는 것은?

① 염증으로 인한 소리

② 뼈와 조직이 마찰하는 소리

③ 인대가 끊어져서 나는 소리

④ 부러진 골편이 부딪치는 소리

⑤ 출혈로 인해 뼈의 파편이 움직이는 소리

048 기출 17

문맥성 고혈압일 때 나타나는 증상이 <u>아닌</u> 것은?

① 황달
② 뇌부종
③ 내치질
④ 비장비대
⑤ 식도정맥류

049 기출 21

다음 중 폐쇄성 황달 환자가 회백색 대변을 보는 이유는?

① 과일과 육류의 섭취가 줄어들기 때문에
② 혈액 속의 bilirubin의 수치가 저하되므로
③ 소화장애로 음식물 섭취가 줄어들기 때문에
④ 지방의 소화장애로 Vit. K 흡수가 저하되므로
⑤ 장 속으로 쓸개즙(담즙)이 배출되지 않기 때문에

050 기출 17

진단검사 결과 활동성 결핵을 확진할 수 있는 근거는 무엇인가?

① 흉부X선 검사 상 폐 침윤을 보인다.
② 객담검사 결과 상 결핵균이 양성이다.
③ 적혈구 침강속도(ESR)의 증가를 보인다.
④ 결핵피부반응 검사 상 경결이 1 cm 이상이다.
⑤ 혈액검사 상 백혈구, 적혈구 수치가 증가하였다.

051

다음 중 만성 신부전 환자 간호로 옳은 것은?

① 칼슘을 제한한다.
② 비타민 D를 제공한다.
③ 인 섭취를 많이 늘린다.
④ 나트륨 섭취를 1일 10 g으로 제한한다.
⑤ 수분섭취량을 전날 배뇨량과 같게 한다.

052

다음 환자에게 내릴 수 있는 진단명으로 가장 적절한 것은?

> 53세 남자가 건강검진에서 발견된 흉부X선 이상으로 내원하였다. 과거 20년간 유리공장에서 근무해 왔으며, 가슴 X-ray에서 다수의 1 cm 미만의 결절이 양쪽 폐에서 발견되었다.

① 기흉　　　　　　② 폐수종
③ 규폐증　　　　　④ 폐허탈
⑤ 기관지 확장증

053

아래 사례의 환자에게 내릴 수 있는 진단명은 무엇인가?

> 50세 남자가 3개월 전부터 발생한 운동 시 호흡곤란과 하지부종을 주 호소로 내원하였다. BP 110/80, HR 90이고 경정맥이 팽창되어 있다. 청진상 심장 끝에서 수축기 잡음이 들렸고 심장초음파에선 좌심방과 좌심실이 커져 있었다.

① 심장압전　　　　② 비후성 심근병증
③ 확장성 심근병증　④ 제한성 심근병증
⑤ 승모판막 부전증

054 기출 18, 19, 20

다음 중 급성 사구체신염에 대한 설명 중 올바른 것은?

① 노년기에 호발한다.

② 사구체 여과율이 증가한다.

③ 가장 흔한 원인 균은 포도상구균이다.

④ 콩팥 네프론의 극심한 부족이 나타난다.

⑤ 질환 예방을 위해 호흡기 및 피부감염이 발생했을 시 빠르게 치료해야 한다.

055

다음 중 직장경검사를 하는 환자를 간호할 때 간호중재로 적절하지 않은 것은?

① 검사 중 슬흉위를 취한다.

② 검사 전 국소마취를 한다.

③ 검사 전날 밤 하제를 투여한다.

④ 검사 당일에는 청결관장을 실시한다.

⑤ 검사의 과정 및 불편감 등을 교육해야 한다.

056

다음 환자에게 간호사가 가장 먼저 취할 중재로 옳은 것은?

> 응급실로 내원한 환자가 충수돌기염으로 진단을 받았다. 무릎을 구부린 자세로 누워 있으며 복통, 구역 및 구토를 심하게 호소한다. 창자소리(장음)를 청진해보니 점차 소실되고 있다.

① 수술을 위해 관장을 시행한다.

② 활력증후를 면밀하게 관찰한다.

③ 진통제를 투여하여 통증을 완화시킨다.

④ 바로 의사에게 보고하고 응급수술을 준비한다.

⑤ 환자의 통증을 완화시키기 위해 이완요법을 적용한다.

057

L$_{3-4}$ 손상을 입은 환자가 있다. 환자의 신체 가동 가능성에 대한 것으로 맞는 설명은?

① 기구의 도움을 받아 보행이 가능하다.

② 두발로 스스로 보행이 가능하다.

③ 일반 숟가락으로 식사가 불가능하다.

④ 전신마비로 욕창 가능성이 높아 주의해야 한다.

⑤ 휠체어에서 침대로 올라갈 때 도움을 받아야 한다.

058

다음 중 고환 자가검진에 관한 설명으로 옳은 것은?

① 목욕 전에 시행한다.

② 정상은 덩어리가 있다.

③ 부고환은 검사하지 않는다.

④ 정상인 경우 달걀형에 대칭적 구조이다.

⑤ 정상적인 정삭은 딱딱한 관상구조를 이루고 있다.

059

화상의 단계에 대한 설명으로 옳지 않은 것은?

① 1도 화상은 압박 시 피부가 창백하고 건조하게 된다.

② 3도 화상인 경우 피하조직까지 파괴되어 무감각하게 된다.

③ 감각기능이 소실되어 2도 화상부터는 통증감각이 거의 없다.

④ 2도 화상은 표피와 진피가 파괴되어 수포가 광범위하게 나타난다.

⑤ 넓은 부위의 2도 화상은 수분과 전해질 손실이 많기 때문에 좁은 범위의 3도 화상보다 더욱 위험하다.

060

40세 남자 환자가 오른쪽 팔, 흉부의 앞면과 복부에 3도 화상을 입었을 때 환자의 화상 표면적은 몇 %인가?

① 10%
② 15%
③ 27%
④ 36%
⑤ 45%

061 기출 20

다음 중 대상포진의 특징으로 옳지 <u>않은</u> 것은?

① 신경절을 따라 나타난다.
② 염증은 일반적으로 일측성이다.
③ 홍역바이러스에 의해 발생한다.
④ 수포성 발진과 통증이 나타난다.
⑤ 면역력이 약해진 환자에게 생긴다.

062

다음의 환자에게 의료진이 가장 우선적으로 시행해야 할 중재는?

> 하루 전 급성 심근경색으로 입원한 58세 남자가 병실에서 갑자기 의식을 잃고 쓰러졌다. 심전도상 부정맥이 관찰되며 혈압은 측정되지 않았다.

① 기관내 삽관
② 생리식염수 투여
③ 외부 심장마사지
④ 즉시 제세동 시행
⑤ 아미오다론 정맥주입

063 기출 21

다음 중 경추(목뼈) 수술 후 가장 주의 깊게 살펴봐야 하는 사항은 어느 것인가?

① 욕창
② 호흡장애
③ 배뇨장애
④ 수술부위 감염
⑤ 사지(팔다리)마비

064 기출 17, 19, 21

메니에르 증후군(Meniere's syndrome)이 있을 때 동반되는 3대 증상은?

① 오심, 구토, 관절통
② 실신, 두통, 청력소실
③ 안구진탕증, 관절통, 현훈
④ 현훈, 이명, 화농성 분비물
⑤ 감각신경성 난청, 현훈, 이명

065

신경계 증상에 관한 설명으로 옳지 <u>않은</u> 것은?

① 실어증: 성대는 정상이지만 대뇌이상으로 말을 하지 못하는 상태
② 운동실조증: 불규칙적이고 경련을 동반하는 수의운동
③ 실행증: 수의적이며 목적적인 행동을 하지 못하는 상태
④ 실인증: 익숙한 물건 등을 인지하지 못하는 상태
⑤ 무정위운동증: 불규칙적, 경련을 동반하는 수의적 운동

066

삼차신경통 환자에게 가장 흔히 나타나는 증상은?

① 연하(삼킴)곤란
② 병에 대한 염려로 인해 말이 많아짐
③ 마비로 인해 음식물을 씹을 수 없음
④ 극심한 안면통증으로 인한 허탈과 피로
⑤ 안면근 이완으로 인한 혀 전면 미각 상실

067 기출 16

다음 중 녹내장 환자에게 적용하는 필로카핀(pilocarpine)의 작용은?

① 대칭작용
② 이뇨작용
③ 축동작용
④ 산동작용
⑤ 수렴작용

068

수정체의 투명도가 상실되어 나타나는 백내장의 가장 흔한 요인으로 올바른 것은?

① 화상
② 외상
③ 당뇨
④ 노화
⑤ 스테로이드 복용

069

뇌졸중으로 인해 좌측 팔과 다리, 우측 안면에 마비가 온 환자가 재활을 위해 입원하였다. 대상자는 신경계의 어느 부위에 손상을 입었을 것으로 예측할 수 있는가?

① 우측 대뇌수질
② L_{2-4} 부위의 척수
③ 좌측 반구의 추체로
④ 우측 대뇌피질 및 우측 뇌신경
⑤ 좌측 대뇌피질 및 우측 뇌신경

070

아토피 피부염으로 입원한 환자가 호소할 수 있는 간호문제로 옳은 것은?

① 변비
② 발적
③ 구토
④ 혈뇨
⑤ 소화불량

여성건강간호학

071 기출 18, 19, 20

다음 중 여성간호에서 가족 중심 접근을 강조하는 이유는?

① 사회의 가장 기본적인 단위는 가족이므로
② 아기의 성장발달에는 남편의 역할이 중요하므로
③ 출산은 결혼하여 가족이 형성된 후에 가능하므로
④ 임신은 여성에게 위기이기 때문에 가족의 도움이 필요하므로
⑤ 임신, 분만, 육아는 어머니의 일만이 아니라 가족 전체의 과업이므로

072 기출 13

여성생식기에 대한 설명으로 옳은 것은?

① 질전정내에는 3개의 구멍이 존재
② 바르톨린샘은 성적 다량의 점액물질 배출
③ 스킨샘은 질구의 하외측에 존재
④ 질은 알칼리(pH 7)로 세균 침입 막음
⑤ 전질원개에서 암세포 검사물 채취함

073

임신 38주인 27세 초산부가 바로 누워서 초음파검사를 받던 중 어지러움을 느꼈을 때 적절한 처치는?

① 측위로 변경한다.
② 항히스타민제를 투여한다.
③ 벤조디아제핀을 투여한다.
④ 0.9% 식염수를 투여한다.
⑤ 정맥내로 철분제를 투여한다.

074 기출 21

산부인과 외래에 한 여성이 찾아왔다. 원발성 무월경으로 의심되는 경우는?

① 폐경이 된 40세 여자
② 임신 6개월인 34세 여자
③ 초경이 나타나지 않은 16세 여자
④ 자궁근종으로 전자궁절제술을 받은 40세 여자
⑤ 마지막 월경 이후 6개월 이상 월경이 없는 20세 여자

075 기출 18, 19, 20

35세 36주차 임산부의 소변에서 포도당이 검출되었다. 당뇨병의 과거력은 없으며, 이전 산전검사는 정상이었다. 어떠한 조치가 필요한가?

① 경과 관찰
② 공복혈당 측정
③ 50 g 당부하검사 실시
④ 75 g 당부하검사 실시
⑤ 100 g 당부하검사 실시

076 기출 19

28세 여성이 처음으로 자궁경부질세포진 검사를 받을 예정이다. 교육내용으로 옳은 것은?

① "검사한 후 2주 동안 성교를 금해야 합니다."
② "월경 중이면 다른 날에 검사를 받아야 합니다."
③ "검사 24시간 이내에 질세척을 해야 합니다."
④ "방광이 팽만된 상태에서 검사하므로 소변을 참으셔야 합니다."
⑤ "질경을 삽입할 때 지용성 윤활제를 사용하므로 불편감이 없습니다."

077

다음 중 배포의 발달에 대한 설명으로 옳은 것은?

① 내배엽은 뼈, 치아, 근육을 형성한다.
② 외배엽은 피부, 심혈관계, 신장을 형성한다.
③ 림프, 맥관계 등 순환계를 형성한다.
④ 중배엽은 호흡기계, 간, 췌장을 형성한다.
⑤ 내배엽은 위장계, 심혈관계를 형성한다.

078 기출 16, 18, 20, 21

태아전자감시기로 검진할 때 자궁수축 이후에 태아심음이 하강하기 시작하여 자궁수축이 끝났음에도 태아심음이 기저선으로 회복되지 않았다. 이때 적절한 조치에 해당되지 <u>않는</u> 것은?

① 산소를 공급한다.
② 좌측위를 취해준다.
③ 정맥주입 속도를 증가시킨다.
④ 내진으로 제대탈출을 확인한다.
⑤ 자궁수축제를 주입하고 있다면 주입을 중단한다.

079 기출 19, 20

다음 중 임신 12주인 임부에게 해줄 수 있는 말로 옳은 것은?

① "태지와 솜털이 생깁니다."
② "폐 성숙이 완전히 이루어집니다."
③ "심박동은 아직 들을 수 없습니다."
④ "태아 신장에서 소변이 생성되어 양수로 배설합니다."
⑤ "태아의 외생식기와 내생식기가 구별되어 성감별이 가능합니다."

080 기출 20, 21

다음 중 태아 심박동 변화와 원인으로 바르게 연결된 것은?

① 서맥(느린맥) – 조기 저산소증
② Late deceleration – 아두압박
③ Variable deceleration – 제대압박
④ Early deceleration – 산모출혈, 빈혈
⑤ Prolonged deceleration – 자궁수축 저하

081 기출 17, 21

다음 중 임부의 가슴앓이 원인으로 적절한 것은?

① 증대한 자궁이 심낭벽을 압박
② 위운동 저하로 인한 식도역류
③ 미주신경 자극으로 인한 위산분비
④ 과도한 위산분비로 인한 위염 증상
⑤ Progesterone분비 저하에 의한 위운동 저하

082 기출 13

자궁경관무력증의 증상으로 옳은 것은 무엇인가?

① 임신 후기 무통성 질 출혈
② 임신 초기 경련성 하복부 통증
③ 임신 초기 날카로운 편측성 복부 통증
④ 임신 초기 암적색 질 분비물과 포도상의 낭포 배출
⑤ 임신 중기 무통성의 자궁경관개대로 인한 태아 배출

083 기출 14, 17, 19

임신에 따른 변화로 옳은 것은?

① 심장은 자궁증대로 횡격막이 점점 상승하여 심장은 좌측 상방으로 전위
② 임신 전반기에는 하지 정맥압 상승
③ 심장질환 임신 초기부터 매우 위험
④ 혈액량은 감소, 생리적 빈혈 생김
⑤ 혈장 섬유소원 50% 이상 감소

084 기출 16, 19, 20

임신 10주째인 초임부가 무통성 질 출혈이 약하게 있었고, 복통은 미미하다고 전화하였다. 이때 간호사의 답변으로 가장 적절한 것은?

① "바로 병원으로 오세요."
② "임신초기의 정상적인 반응이니 안심하세요."
③ "자궁수축을 감소하기 위해 약물을 복용해야 합니다."
④ "혈액손실이 있으니 충분한 수분 섭취와 영양 섭취를 하세요."
⑤ "침상에 누워 안정을 취하고 그래도 지속적으로 출혈이 있다면 즉시 병원으로 오세요."

085 기출 21

임신 12주된 초임부의 유방 변화로 옳은 것은?

① 유선 발달이 완성된다.
② 몽고메리결절이 작아진다.
③ 유방의 민감성이 증가한다.
④ 유방 크기가 3배 정도 증가한다.
⑤ 유방의 정맥성 울혈로 초유가 나온다.

086 기출 21

자궁외 임신이 의심될 때 가장 먼저 행해야 할 간호중재는?

① 즉시 MTX를 투여한다.
② 옥시토신 치료를 시작한다.
③ 처방된 진통제를 투여한다.
④ 항생제를 투여하여 염증을 예방한다.
⑤ 활력징후를 매 15분마다 측정하고 저혈압 빈맥 등을 사정한다.

087

다음 중 태아심음을 측정하기에 가장 좋은 시기와 부위는 언제인가?

① 언제 어디든 상관없다.
② 자궁수축 시의 자궁저부
③ 자궁수축 시의 태아의 등부분
④ 자궁수축과 수축 사이의 자궁저부
⑤ 자궁수축과 수축 사이의 태아의 등 부분

088 기출 11, 17

다음 중 자궁수축으로 인해 나타나는 생리적 견축륜에 대한 설명으로 옳은 것은?

① 상·하로 구분되었던 경계선이 사라진다.
② 생리적 견축륜이 나타나면 즉시 C/S가 필요하다.
③ 자궁수축이 장시간 진행되어 자궁체부로 이동한다.
④ 자궁상부 근육은 짧아지고 자궁하부 근육은 늘어난다.
⑤ 자궁상부 근육은 얇아지고 자궁하부 근육은 두꺼워진다.

089 기출 14, 20

재왕절개를 한 산부에게 적절한 간호중재는?

① 퇴원할 때까지 침상안정을 취하도록 한다.
② 심호흡이나 기침은 최대한 자제하도록 교육한다.
③ 자궁저부 마사지는 수술 부위 치유에 방해되므로 금지한다.
④ 출혈을 사정하기 위해 자궁하부 촉진을 한다.
⑤ 유치도뇨관 제거 후 4~8시간 이내 자연배뇨를 확인한다.

090

옥시토신 정맥주입 중인 산부에게 바람직한 간호중재로 올바른 것은?

① 15분마다 태아심음, 산부의 혈압과 맥박을 측정한다.
② 자궁수축이 10초 이상이면 옥시토신 주입을 중단한다.
③ 태아 심박동에 이상이 있어도 다시 괜찮아지므로 지켜본다.
④ 약물의 이뇨효과로 인한 요배설량의 증가에 따른 탈수 현상을 관찰한다.
⑤ 강한 자궁수축이 오기 전까지 산부가 충분히 안정을 취하도록 혼자 있게 한다.

091 기출 20

임신 34주 이전에 조기진통이 있는 임산부에게 스테로이드를 투여하는 것은 무엇을 예방하기 위한 것인가?

① 신생아감염
② 양막파열
③ 태아성장제한
④ 태반조기박리
⑤ 신생아 호흡곤란 증후군

092 기출 19

다음 중 회음절개술 시행 시기로 적절한 것은?

① 분만실 이송 직후 바로 시행
② 외음에서 아두가 0~1 cm 보일 때 시행
③ 외음에서 아두가 3~4 cm 보일 때 시행
④ 경부개대가 5 cm 정도 진행되었을 때 시행
⑤ 경부개대가 9 cm 정도 진행되었을 때 시행

093 기출 11, 16, 20

분만 1기 활동기에 산부의 요정체를 사정하는 방법으로 옳은 것은?

① 얼굴의 부종 여부를 관찰한다.
② 인공도뇨를 하여 소변량을 확인한다.
③ 산부에게 직접 배뇨하고 싶은지 물어본다.
④ 제와부 상부의 동그란 덩어리를 확인한다.
⑤ 치골 결합상부의 동그란 덩어리를 확인한다.

094 기출 15, 18

다음 중 분만 시 태아곤란증이 나타났을 경우 해주어야 할 중재는?

① 복위를 취한다.
② 산소를 투여한다.
③ 경구로 수분을 공급한다.
④ 옥시토신을 주어서 조속히 분만을 촉진한다.
⑤ 자궁이완제(tocolytic agent)를 주어서 분만을 지연시킨다.

095 기출 16, 18, 19

임신 39주된 산부가 질분만을 하고 있다. 두정위 분만기전에서 내회전 다음 단계에 대한 옳은 설명은?

① 태아 두개골의 대횡경선이 골반입구로 들어간다.
② 태아가 턱을 앞가슴에 바싹 붙여 몸을 구부린다.
③ 태아 어깨의 횡경선을 골반출구의 전후경선에 맞추려고 회전한다.
④ 태아의 후두, 이마, 얼굴 순으로 질 밖으로 배출된다.
⑤ 태아의 어깨가 질구를 통해 배출된다.

096

산후감염의 위험요인들이다. 산후 감염률이 가장 낮은 경우는?

① 헤모글로빈 수치가 10 g/dL인 산모
② 출산 28시간 전에 양막이 파막된 산모
③ 전체 분만시간이 14시간인 질 분만 산모
④ 태아 심음 내부 감시 장치를 적용한 산모
⑤ 아두의 출산과 내회전을 돕기 위해 진공흡인 분만한 산모

097 기출 13, 16, 18, 20

다음 중 분만 후 증상으로 맞는 것으로 옳은 것은?

① 2주 후 자궁의 무게가 50~60 g이다.
② 모유수유를 하면 자궁수축이 지연된다.
③ 경산부가 초산부보다 오로의 양이 적다.
④ 자궁저부 높이는 하루에 2~3 cm씩 내려간다.
⑤ 분만 1일 후, 자궁저부 높이는 제와부 1 cm 아래이다.

098

제태기간 38주 21일, 몸무게 4.5 kg, 5분 아프가 점수 9점, 질식분만으로 출생한 여아가 신생아실에 입원하였다. 초기 사정 시 의미 있게 보아야 하는 증상은?

① 피부가 축축하고 태변이 묻어 있다.
② 맥박이 140~150회/분으로 확인되었다.
③ 점액성인 질 분비물에 피가 섞여 나왔다.
④ 쇄골 부위의 촉지가 매끄럽지 못하고 부어 있었다.
⑤ 대천문 주위가 말랑하게 만져지고 머리를 들어 올리면 약간 함몰되었다.

099 기출 14

다음 중 산욕기 수유 중인 산모에게 교육할 영양 섭취 관련 내용으로 옳은 것은?

① 칼슘은 하루 1,200 mg를 섭취한다.
② 단백질은 임신 전과 동일한 양으로 섭취한다.
③ 철분 결핍 증상은 출산 후 완화되므로 따로 섭취하지 않아도 무방하다.
④ 산후 심장 부담이 증가하므로 수분섭취는 하루 2,000 cc 이하로 제한한다.
⑤ 임신 전 상태 회복을 위해 임신 전보다 500 kcal 정도 증가된 2,300 kcal를 섭취한다.

100

5가지의 골반 유형 중 골반입구가 삼각형으로, 좌골극이 돌출되어 분만 중 내회전이 어렵기 때문에 제왕절개를 시행해야 하는 유형은?

① 여성형
② 중간형
③ 편평형
④ 남성형
⑤ 유인원형

101 기출 12, 14, 15

다음 중 모유수유 시 유두간호로 옳은 것은?

① 꽉 끼는 브래지어를 착용한다.
② 수유 전 비누로 씻고 수유 후 건조시킨다.
③ 유두열상이 발생하면 바로 수유를 중지한다.
④ 매일 하루에 한 번씩 유두를 소독수로 소독한다.
⑤ 심한 유두열상 시 구멍난 플라스틱 덮개로 유두를 덮는다.

102 기출 21

출산 후 3시간이 지난 산모의 자궁저부가 배꼽 부위에서 단단하게 만져지나 질로부터 선홍색의 질 출혈이 있다. 우선적으로 예상되는 건강문제는?

① 난소낭종
② 자궁내번증
③ 산도열상
④ 자궁내막염
⑤ 회음부 감염

103 기출 11, 18

산후 3일째인 산모가 아기를 안으려 하지 않는다. 다음 중 가장 적절한 간호중재는?

① 아기를 격리시킨다.
② 정신과 입원을 의뢰한다.
③ 아기를 돌보는 방법을 적극적으로 교육한다.
④ 호르몬 변화로 생기는 정상적 변화이므로 산모를 그대로 둔다.
⑤ 산모가 경험하고 있는 부정적인 감정을 모두 표현하도록 한다.

104 기출 12

39주 30세 다산부가 30분 전부터 미약한 분만통이 있어 병원에 왔다. 입원 후 58분만에 2,950 g의 남아를 질 분만했다. 임산부에게 나타날 수 있는 합병증은?

① 폐부종
② 폐혈증
③ 산도열상
④ 태반경색증
⑤ 고긴장성 자궁기능부전

105 기출 19, 21

분만 진통 중인 40주 28세 조산부가 자궁경부개대 6 cm, 소실 100%에 태향은 ROA이었다. 현재 선진부 하강도는 +1이고, 6시간 동안 하강이 정지된 상태였으며, 자궁수축은 미약했다. 골반은 정상이었으며, 태아는 3,100 g이었을 때 적절한 처치는?

① 흡입분만
② 겸자분만
③ 리토드린
④ 옥시토신
⑤ 제왕절개술

2회 2교시

문항별 상세 풀이

아동간호학

001 기출 17, 18, 19, 20

아동의 성장과 발달 특성에 대한 설명으로 옳은 것은?

① 발달순서는 예측할 수 있다.
② 신체 각 부분의 발달 속도는 동일하다.
③ 사지에서 몸통, 머리의 순서로 발달한다.
④ 복잡한 동작에서 단순한 동작으로 발달한다.
⑤ 말초신경계가 중추신경계보다 먼저 발달한다

002 기출 15, 19

9세 남아가 최근 1주일간 등교 시간이 되면 배가 아프고, 숨이 막히며, 쓰러질 것 같다고 하며 학교 가기를 거부하였다. 혈액검사, 흉부/복부 X선 검사, 심전도 검사가 모두 정상이었다면 간호사가 어머니에게 설명할 내용은?

① "자택 학습(home schooling)을 고려해 보세요."
② "꾀병이니 반복되지 않도록 단호하게 다루세요."
③ "뇌컴퓨터단층촬영과 뇌전도검사가 필요합니다."
④ "선생님에게 아이의 학교생활에 대하여 물어보세요."
⑤ "타임아웃을 적용하여 반성의 시간을 갖게 하세요."

003 기출 15, 19

키 154 cm, 몸무게 44 kg인 15세 여아가 자신이 뚱뚱하다고 생각하여 인터넷 쇼핑몰에서 다이어트 알약을 구매하여 복용하였다. 지난 2주간 학교 급식을 거르고 저녁 식사도 거부하여 가족과 함께 내원하였다. 적절한 간호진단은?

① 발달장애로 인한 사회적 상호작용 장애
② 약물 오남용과 관련된 자주적 의사결정 장애
③ 부모의 과도한 통제와 관련된 가족과정 손상
④ 체형에 대한 왜곡된 인식과 관련된 신체상 혼란
⑤ 가족관계의 역기능과 관련된 만성적 자존감 저하

004 기출 19

유아를 건강검진할 때 적절한 접근법은?

① 검진 절차를 유아에게 자세히 설명한다.
② 억제가 필요하면 부모에게 도움을 청한다.
③ 유아가 스스로 옷을 벗을 때까지 기다린다.
④ 검진을 실시해도 되는지 유아에게 물어본다.
⑤ 기구를 사용하는 눈, 귀, 입 검진을 먼저 실시한다.

005 기출 17, 21

10세 아동이 '규칙을 지키고, 자신의 의무를 다하여 사회질서를 유지하는 것이 옳은 행동'이라고 판단한다. 이에 해당하는 콜버그(Kohlberg)의 도덕발달 수준은?

① 인습적 수준
② 관념적 수준
③ 현실적 수준
④ 전인습적 수준
⑤ 후인습적 수준

006 기출 17, 20, 21

다음 중 DDST 검사에 대한 설명으로 옳지 않은 것은?

① 6세 이전 아동의 발달검사이다.
② 판정결과 한 번으로 확실한 진단적 조치를 할 수 있다.
③ 미숙아의 경우 현재 나이에서 조산 주수만큼 빼어 연령선을 교정해야 한다.
④ 지능검사가 아닌 특정 나이의 아동이 무엇을 할 수 있는지 보여주는 검사이다.
⑤ 아동의 수행을 저해하는 일시적인 요인으로 피로, 공포, 부모와 떨어짐 등이 있다.

007 기출 17, 18

청소년기 남아와 여아의 신체변화 차이에 관한 설명으로 옳은 것은?

① 남아는 여아보다 변성이 현저하게 일어난다.
② 남아는 호르몬으로 여아보다 골격성장이 일찍 발현된다.
③ 청소년기에는 남아와 여아 모두에서 체내 지방량이 증가한다.
④ 남아는 여아에 비해 근육 세포의 수와 크기가 현저히 증가한다.
⑤ 청소년기 급성장 발현은 남아와 여아 간에 약 3~4년의 차이가 있다.

008 기출 17, 19, 21

4개월 영아의 사고예방을 위한 지침으로 적절한 것은?

① 푹신하고 부드러운 침요와 베개를 준비하여 잠을 재운다.
② 달래기 젖꼭지의 위생을 위하여 영아의 목에 걸어두도록 한다.
③ 차에 태울 때는 카시트를 이용하여 뒷자리에 뒤를 바라보게 앉힌다.
④ 차가운 우유는 복통을 유발하므로 먹이기 전에 전자레인지에 데운다.
⑤ 목욕 시 샤워기를 이용하여 직접 몸에 물이 닿도록 하여 열손실을 최소화한다.

009 기출 21

다음 중 호흡곤란 증후군으로 입원한 신생아의 증상으로 옳은 것은?

① 호흡수가 58회/분이다.
② 청색증은 나타나지 않는다.
③ 흉부 근육의 긴장이 일어난다.
④ 수면 시 2~3초간 간헐적 무호흡이 있다.
⑤ 호흡을 몰아쉬면서 문제없이 수유를 할 수 있다.

010 기출 15

4세 아이가 팔다리 굴곡부의 태선화와 심한 소양증을 보이며 병원에 왔다. 생후 4개월 전부터 호전과 악화를 반복했으며 신체검진 시, 다리에는 피부감염으로 인한 소수포가 있었다. 이 아이의 예상 질환으로 가장 적절한 것은?

① 감염습진
② 접촉 피부염
③ 아토피 피부염
④ 지루성 피부염
⑤ 장바이러스 감염

011

다음 중 페닐케톤뇨증 아이의 엄마에게 교육할 내용으로 옳은 것은?

① "아미노산 섭취를 제한해야 합니다."
② "아동 피부에 색소결핍이 나타납니다."
③ "저페닐알라닌식이는 꼭 피해야 합니다."
④ "초기부터 식이요법을 할 필요는 없습니다."
⑤ "다행히 정신지체나 뇌손상은 동반되지 않습니다."

012 기출 20

다음 중 모유수유가 가능한 경우는?

① 어머니가 C형 간염인 경우
② 어머니가 알코올 중독자인 경우
③ 신생아에게 갑상샘 저하가 의심되는 경우
④ 어머니가 활동결핵을 치료받지 않은 경우
⑤ 신생아에게 갈락토오스혈증이 의심되는 경우

013 기출 17, 19

다음 중 구순열이 있는 환아에게 수술 전 수유 방법으로 적절한 것은?

① 수유 시 점적기를 이용한다.
② 가급적 모유수유를 권장한다.
③ 젖병 수유 및 위관영양을 한다.
④ 유출량이 적은 젖꼭지로 수유한다.
⑤ 경구수유를 금하고 정맥으로 영양 공급을 한다.

014 기출 13, 21

만삭아로 태어난 생후 3일된 신생아의 공막과 피부가 노르스름하다고 아기의 어머니가 걱정하며 내원하였다. 혈액 검사결과 총빌리루빈이 16.2 mg/dL일 때 간호중재로 옳은 것은?

① 골수천자
② 광선치료
③ 격리치료
④ 산소텐트
⑤ 교환수혈

015 기출 16, 17, 21

제1형 당뇨병 아동이 호흡할 때 아세톤 냄새가 난다. 혈중에 증가된 것은?

① 요소
② 케톤체
③ 글리코겐
④ 리파아제
⑤ 빌리루빈

016 기출 19, 20

미숙아가 2주째 신생아 집중치료실에서 입원 치료 중이다. 괴사소장대장염으로 의심되는 특이 소견은?

① 소변량 증가
② 담즙성 구토
③ 복부둘레 감소
④ 청색증
⑤ 올리브 모양의 복부 덩어리

017 기출 19

다음 중 5개월 아동의 운동발달 특성으로 옳은 것은?

① 가구를 잡고 일어선다.

② 손을 짚고 혼자 앉는다.

③ 한 손만 가구를 잡은 상태로 걷는다.

④ 엎드린 자세에서 누운 자세로 뒤집는다.

⑤ 배를 바닥에서 떼고 손과 다리로 기어 다닌다.

018 기출 19, 20

류마티스열로 진단받은 아동에게 갑자기 사지의 불수의적 움직임이 나타난다고 부모가 걱정할 때 간호상담 내용으로 옳은 것은?

① "압박붕대로 사지를 고정시켜 주세요."

② "보행을 위한 재활훈련을 준비하세요."

③ "일시적이며 서서히 사라지는 증상입니다."

④ "증상 완화를 위해 진통제를 투약할 것입니다."

⑤ "합병증이므로 추가적인 신경과 진료가 필요합니다."

019 기출 19

영아의 안전사고를 예방하기 위한 부모교육 내용은?

① 화장실 문은 항상 닫아둔다.

② 아기가 보챌 때는 젤리를 준다.

③ 푹신한 매트리스 위에서 재운다.

④ 노리개젖꼭지는 끈으로 묶어 목에 걸어준다.

⑤ 자동차 안에서는 아기를 엄마의 무릎 위에 앉힌다.

020 기출 19, 21

영아가 2~3일 동안 하루 4~5회 설사를 하였고, 체중이 8.3 kg에서 7.8 kg으로 감소하였다. 적절한 간호중재는?

① 설탕물을 먹인다.

② 과일 주스를 먹인다.

③ 모유수유를 중단한다.

④ 경구재 수화용액을 먹인다.

⑤ 정맥으로 수액을 주입한다

021 기출 19, 20

7개월 영아가 갑자기 자지러지게 울고, 점액과 혈액 섞인 대변, 구토가 있어 응급실을 방문하였다. 영아의 우상복부에서 소시지 모양의 덩어리가 촉진되어 공기 관장이 처방되었다. 부모는 아기에게 관장이 아플 것 같다며 다른 방법이 없는지 문의하였다. 간호사의 답변으로 적절한 것은?

① "통증 완화를 위해 진통제를 먹이겠습니다."

② "아기의 진정을 위해 따뜻한 물을 먹이면 됩니다."

③ "위관삽입 후 복부마사지를 하면 통증이 완화됩니다."

④ "아기의 복부 통증이 사라지면 그때 관장을 하겠습니다."

⑤ "지연되면 장 괴사 가능성이 있으니 바로 관장을 하는 것이 좋습니다."

022 기출 17, 21

다음 중 양심이 발달하는 시기는 언제인가?

① 유아기   ② 학령기

③ 청년기   ④ 학령전기

⑤ 청소년기

023 기출 19, 21

생후 4일된 재태기간 31주 미숙아의 증상이 다음과 같을 때 영양공급을 위한 간호중재는?

- 호흡 62회/분
- 호기 시 신음소리
- 늑간 함몰
- 청색증과 창백함
- 산소포화도 88%

① 비경구영양을 공급한다.
② 점성이 높은 조제유를 공급한다.
③ 경구수유 시 밝은 조명을 비춘다.
④ 수유 시에는 산소공급을 중단한다.
⑤ 구위관 삽입 길이는 코에서 검상돌기까지이다.

024 기출 19

육아상담교실을 찾아온 어머니가 6개월 영아가 요즘 유난히 침을 많이 흘리고 자주 보채며, 젖을 먹을 때 잇몸을 자주 문지른다고 호소한다. 다음 중 올바른 상담내용이 <u>아닌</u> 것은?

① 치아가 나오는 기간 동안에 식욕부진과 수면장애가 올 수 있다.
② 수유 후 깨끗한 헝겊에 물을 적셔 치아와 잇몸을 마사지하며 닦아준다.
③ 칫솔질은 탈락치아(젖니, 유치)가 12~14개 정도 날 때 시작하도록 한다.
④ 영아는 치아가 날 때 많이 보채고 잇몸을 문지르며 잇몸이 부어오른다.
⑤ 고무 장난감 같은 것들을 씹도록 하는 것이 젖니가 나는 것을 방해한다.

025 기출 21

다음 견인의 유형은?

- 한 방향으로만 당기는 피부 견인
- 주로 2세 이하의 아동에게 적용
- 체중이 12~14 kg 이하인 아동
- 아동의 체중이 역견인 역할
- 대부분 고관절 탈구 정복을 위해 적용

① 90°-90° 견인
② 러셀(Russell) 견인
③ 던롭(Dunlop) 견인
④ 브라이언트(Bryant) 견인
⑤ 벅 확장(Buck extension) 견인

026 기출 16, 17, 19, 21

자꾸 싫다고 말하며 심하게 떼를 쓰는 2세 여아의 어머니가 간호사에게 도움을 요청했다. 간호사가 해줄 수 있는 말로 가장 적절한 것은?

① "예민한 성격의 아이인가봐요."
② "아이가 성질이 까다로운 것 같네요."
③ "아이만의 문제만은 아닌 것 같군요."
④ "모아애착이 제대로 발달되지 못해서 나타나는 반응입니다."
⑤ "유아가 자율성을 표현하는 한 방법으로 정상적인 반응입니다."

027 기출 19, 21

크룹 증후군 아동을 간호할 때 먼저 수행할 간호중재는?

① 측위를 취해준다.

② 열을 떨어뜨려 준다.

③ 철저하게 격리를 시행한다.

④ 호흡 상태를 지속적으로 사정한다.

⑤ 탈수가 일어나지 않도록 우유를 충분히 먹인다.

028 기출 20

경결이 5 mm 이상일 때 결핵반응검사 결과가 양성이라고 판단하는 경우는?

① 6세 이상의 아동

② 림프종으로 진단받은 아동

③ 결핵유병률이 높은 지역을 여행한 아동

④ 결핵유병률이 높은 지역에서 태어난 아동

⑤ 결핵으로 진단된 가족과 함께 거주하는 아동

029 기출 18, 21

다음 중 아동의 신증후군의 특징적 임상소견으로 옳은 것은?

① 혈뇨

② 혈종

③ 체중감소

④ 고단백혈증

⑤ 저알부민증

030 기출 16, 19

혈우병 진단을 받은 8세 아동의 부모에게 제공할 교육내용은?

① 운동으로 수영이 좋다.

② 통증이 있으면 아스피린을 먹인다.

③ 출혈시 5분간 출혈부위를 압박한다.

④ 또래와 함께 축구나 야구를 하게 한다.

⑤ 출혈 시 출혈 부위를 심장 높이보다 낮게 한다.

031 기출 16, 21

뇌성마비의 질병 특성은?

① 급성

② 퇴행성

③ 가역적

④ 진행성

⑤ 영구적

032 기출 17, 21

볼거리 아동에 대한 간호중재는?

① 항생제 투여

② 환부 온습포 금지

③ 신 음식 제공

④ 씹는 음식 제공

⑤ 부드러운 유동식 제공

033 기출 19

천식 아동과 가족을 위한 가정간호 교육 내용은?

① 애완동물을 키우지 않는다.
② 실내를 차갑고 습하게 유지한다.
③ 순모로 만들어진 이불을 사용한다.
④ 고형식이를 6개월 이전에 시작한다.
⑤ 진공청소기로 집안을 자주 청소한다.

034

울혈성 심부전이 있는 3세 아동이 놀이방에서 또래들과 어울리지 않고 구석에서 웅크리고 있는 모습을 보고 부모가 걱정하고 있다. 이 부모에게 간호사가 해줄 말로 가장 적절한 것은?

① "연령에 맞는 정상 놀이 과정입니다."
② "부모의 양육방식이 부적절해서 의한 증상입니다."
③ "우울증 초기 징후이므로 전문적인 진단이 필요합니다."
④ "심장으로의 귀환혈량 감소를 위해 웅크리고 있는 것입니다."
⑤ "아이와 함께 당장 병원으로 오셔서 정밀검사를 받아야 합니다."

035 기출 15

다음 중 골수염 환아의 급성기 간호로 옳은 것은?

① 목발보행을 격려한다.
② 매일 아침 목욕을 할 수 있도록 돕는다.
③ 통증을 조절하고, 환측 다리를 조심히 다룬다.
④ 경축 완화 및 예방을 위해 물리치료사에게 의뢰한다.
⑤ 환측 다리에도 가능한 체중을 실어 걸을 수 있게 격려한다.

036

정책 결정과정 중 이해관계를 달리하는 개인 및 집단이 보다 자기에게 유리한 정책이 통과되도록 갖가지 전략과 수단을 동원하는 것은 어느 과정인가?

① 정책 결정과정
② 정책 집행과정
③ 정책 평가과정
④ 정책 회환과정
⑤ 정책의제 형성과정

037 기출 20

한 지역에 이상기후 현상으로 가뭄이 지속되어 식수난으로 인하여 사망률이 증가하고 사람들이 폭동을 일으켰는데 이는 뉴만의 건강관리체계 이론 중 어떤 구조의 붕괴를 뜻하는가?

① 저항선
② 기본구조
③ 유연방어선
④ 정상방어선
⑤ 일차방어선

038 기출 21

산업장 간호사의 역할 중 변화촉진자의 역할로 옳은 것은?

① 동기부여
② 보건교육 계획을 작성
③ 근로자의 건강검진을 실시
④ 작업환경 개선 및 유지 관리
⑤ 대상자의 건강정보를 수지하고 대상자를 보호

039 기출 20

우리나라의 지역사회 건강증진을 위한 목표달성을 위해 활용할 수 있는 사회적 자원의 종류는?

① 전문가
② 자원봉사자
③ 시설 및 기구
④ 사회복지공동모금
⑤ 지역사회 내 종교단체

040 기출 18

다음 중 가족간호사업의 성과에 대한 평가 내용으로 옳은 것은?

① 대상자 의뢰건수는 몇 건인가?
② 가정간호 시 사용된 자원은 적절한가?
③ 가정간호 시 가족의 반응이 호의적이었는가?
④ 충분한 시간을 갖고 가족간호 시행하였는가?
⑤ 간호중재 결과와 목표를 어느 정도 달성하였는가?

041 기출 21

지역사회 간호사업을 시행할 때 가장 우선적 문제로 다루어져야 할 것은?

① 출산율이 낮다.
② 교육수준이 낮다.
③ 영아사망률이 높다.
④ 금연 실패율이 높다.
⑤ 주거환경이 불량하다.

042

다음 중 1차 예방활동은?

① 결핵 환자 재발 방지 교육
② 관절염환자 자가 관리 교육
③ 당뇨 환자 조기 진단 및 치료
④ 성인 남성들을 대상으로 한 금연 교육
⑤ 보건소에서 아이들을 대상으로 한 비만 캠프

043 기출 11

다음 중 사회보장형 의료전달체계에 대한 설명으로 옳은 것은?

① 의료인에게 재량권을 부여한다.
② 개개인에게 의료 선택에 자유를 보장한다.
③ 의료 서비스의 지속성 및 포괄성이 보장된다.
④ 예방 서비스가 강조되어 의료비가 점점 증가하게 된다.
⑤ 의료인들이 인센티브를 받게 되어 의료 질적 수준이 높다.

044 기출 15

우리나라 국민건강보험의 특징은?

① 장기 보험
② 현금급여 원칙
③ 보험료 균등부담
④ 보험급여의 균등 수혜
⑤ 필요 시 자유롭게 가입

045 기출 18

지역보건의료계획의 특징으로 옳은 것은?

① 매 5년마다 수립한다.

② 계획 내용변경이 불가능하다.

③ 시행 계획은 시도지사에게 2월말까지 제출한다.

④ 지역주민의 요구도 중요하여 3주 이상 공고하고 의견 수렴해야 한다.

⑤ 지역보건의료계획의 수립자는 시 · 도지사 및 시장 · 군수 · 구청장이다.

046

1995년 보건소법이 지역보건법으로 개정됨에 따라 보건소 중심의 간호 사업에서 강조된 활동은?

① 학교보건에 대한 협조

② 지역주민의 평생 건강관리

③ 감염병 위한 예방접종 사업

④ 보건에 대한 실험 또는 검사

⑤ 영세노인집단을 위한 방문보건 사업

047 기출 19

보건진료소 도입의 목적으로 알맞은 것은?

① 지역사회 보건 정보 수집을 위해서

② 지역사회 사업 계획 수립하기 위해서

③ 최상의 질 높은 의료서비스 제공을 위해서

④ 지역사회 모자보건 건강관리 및 가족계획을 위해서

⑤ 농어촌 등 보건의료 취약지역 주민에게 의료서비스를 제공하기 위해서

048

다음 중 보건교사가 학교보건사업을 계획하기 위해 자료로 수집하는 것은?

① 학교 예산계획서

② 학생의 교우관계

③ 학생의 생활기록부

④ 학생의 필기도구 유무

⑤ 장기결석자의 상담 기록지

049 기출 13

현대 사회에 가정간호사의 필요가 더 커진 이유로 적합한 것은?

① 의료기술의 발달

② 안정된 가족 구조

③ 질병 중심의 치료

④ 만성질환자의 증가

⑤ 급성 질환의 이환율 증가

050

다음 중 실내 공기오염의 지표가 되는 것은 무엇인가?

① 산소

② 이산화황

③ 이산화탄소

④ 이산화질소

⑤ 일산화탄소

051

전세계적으로 발생되고 있는 코로나바이러스 감염증-19에 해당되는 지역적 변수는?

① 산발성
② 유행성
③ 지방성
④ 범유행성
⑤ 돌연 유행성

052

다음 중 가족간호 사업에서 가장 강조되는 초점은 무엇인가?

① 모자 중심의 가족 간호
② 가족계획 대상 색출 및 지도
③ 가정에서의 만성질환자 간호
④ 가족을 단위로 한 건강관리의 지도
⑤ 감염병 환자의 접촉자 색출 및 접촉빈도

053 기출 17, 18, 20, 21

다음 중 가족의 형태와 기능에 관한 설명으로 옳은 것은?

① 개개인의 건강은 가족 전체의 건강과 아무런 연관성이 없다.
② 각 발달단계에서 완수되어야 할 기본발달과업은 가족마다 다르다.
③ 가족의 발달주기는 부모와 자녀로 구성된 핵가족을 중심으로 한다.
④ Duvall은 6단계에 걸쳐 가족생활주기에 따라 이행해야 할 발달과업을 제시하였다.
⑤ 가족은 사회체계와 상호작용하는 체계로, 모든 가족은 사회구조의 영향을 가장 크게 받는다.

054 기출 18, 19

다음 중 취약점을 가지고 있는 구성원을 중심으로 하며, 외부와의 상호작용을 보여주는 가족사정 도구는?

① 가계도
② 외부체계도
③ 가족 연대기
④ 가족 밀착도
⑤ 사회적 지지도

055

다음 중 고위험가족의 유형에서 '기능적으로 취약한 가족'은?

① 편부모 가족
② 저소득 가족
③ 미혼모 가족
④ 위험행위 가족
⑤ 학대부모 가족

056 기출 17

다음 중 보건교육 참가자가 많은 경우, 소그룹으로 나누어 토의한 후에 다시 모여 종합해서 정리하는 방법은 무엇인가?

① 시범
② 역할극
③ 심포지엄
④ 분단토의
⑤ 배심토의

057 기출 16

다음 중 보건소에서 심혈관질환 예방교육을 실시할 때 가장 마지막에 시행하는 활동은?

① 무엇을 교육할지 결정한다.
② 어느 정도 이해하는지 평가한다.
③ 언제 교육할 것인지를 결정한다.
④ 어느 정도 수준까지 교육할지를 결정한다.
⑤ 교육내용 중 의문이 있을 시 질문을 허용한다.

058

다음 중에 Bloom이 제시한 보건교육의 학습목표 영역 중 정의적인(Affective) 영역의 정의에 해당하는 것은?

① 학습자의 행동을 변화시키는 부분이다.
② 학습자의 응용능력을 증진시키는 부분이다.
③ 학습자의 기능능력을 변화시키는 부분이다.
④ 학습자의 분석, 평가능력을 증진시키는 부분이다.
⑤ 학습자의 태도, 느낌, 감정 등을 변화시키는 부분이다.

059

다음 중 어느 지역에서 감염병 환자가 발생하였을 때 보건교육매체로 가장 적절한 것은?

① 강연회
② 가정방문
③ 집단토론
④ 대중매체
⑤ 학교 보건교육

060

보건지표 중 지역사회의 건강수준을 나타내는 건강지표로서 널리 사용하는 것은?

① 성비
② 인구증가율
③ 모성사망률
④ 대학 입학률
⑤ 만성질환 유병률

061

학교간호사업에 대한 평가 시 보건인력참여와 건강관리실 소모품의 소비량을 분석평가는 무엇인가?

① 사업효율에 대한 평가
② 사업진행에 대한 평가
③ 사업적합성에 대한 평가
④ 투입된 노력에 대한 평가
⑤ 목표달성 정도에 대한 평가

062

폐결핵이 의심되는 초등학생을 발견하였을 때, 가장 정확한 진단검사는?

① 혈액 검사
② BCG 예방접종
③ 객담배양 검사
④ 흉부 X−선 검사
⑤ 투베르쿨린 검사

063

학생 수가 400명인 초등학교에서 집단 급식 후 세균성 이질 환자들이 발생하였을 때 신고체계는?

① 보건교사 − 교의 − 학교장
② 보건교사 − 보건소 − 학교장
③ 학교장 − 보건소 − 교육기관
④ 학교장 − 3차병원 − 보건복지부
⑤ 학교장 − 보건복지부 − 교육기관

064

다음 중 산업간호의 과정평가로 옳은 것은?

① 투입된 자원과 노력 평가
② 대상자의 보건교육 만족도
③ 대상자의 보건교육 참여율 증가
④ 계획한 교육프로그램을 30% 실시
⑤ 대상자의 보건교육에 대한 태도 변화

065 기출 19

배치 전 건강진단의 목적에 관한 설명으로 옳은 것은?

① 발견하기 어려운 질환을 진단한다.
② 상시 사용하는 근로자에 대하여 실시한다.
③ 급성으로 발병하는 질환을 조기에 진단한다.
④ 근로자의 배치 예정 업무에 대한 적합성을 평가한다.
⑤ 유해인자에 의한 직업병 소견을 보이는 경우 실시한다.

066 기출 18

산업 간호사가 일 년간의 산업간호사업을 평가하기 위해 사고발생빈도의 변화 정도를 판단하고자 할 때 사용할 수 있는 지수는?

① 도수율
② 중독률
③ 강도율
④ 평균손실률
⑤ 평균결근 일수

067 기출 18, 20

분진 작업장 내 유해요인을 관리하는 방법이다. 다음 중 가장 우선적으로 해야 할 일은?

① 특수 건강검진을 실시한다.
② 환기를 주기적으로 실시한다.
③ 작업장 내에 집진기를 설치한다.
④ 분진 발생이 적은 재료를 사용한다.
⑤ 근로자가 개인 보호구를 착용하도록 한다.

068 기출 19, 20

다음 중 0∼14세 인구가 50세 이상 인구의 2배가 안 되는 인구구조 유형은?

① 별형
② 종형
③ 호로형
④ 항아리형
⑤ 피라미드형

다음 중 한 국가의 보건학적 상태, 사회경제적 상태를 포함하는 대표적인 지표는?

① 조사망률
② 비례사망비
③ 영아사망률
④ 모성사망률
⑤ 원인별사망률

070 기출 17, 19

다음과 같은 형태의 인구분포를 가진 지역사회에서 노년부양비는?

- 0~14세: 200명
- 15~44세: 600명
- 45~64세: 400명
- 65~74세: 80명
- 75세 이상: 30명

① 5.9%
② 3.5%
③ 8.1%
④ 25.7%
⑤ 11.0%

정신건강간호학

071 기출 11

플라톤이 제시한 신체와 정신에 대한 설명으로 옳은 것은?

① 신체와 정신은 구분할 수 없다.
② 신체와 정신은 아무런 관련이 없다.
③ 신체적으로 건강해야 정신적으로 건강하다.
④ 신체와 정신은 구분할 수 있으며 서로 관련이 있다.
⑤ 신체적 문제와 정신적 문제가 동시에 있을 때 정신적 문제를 먼저 중재한다.

072 기출 12, 13, 14, 16, 17, 19, 20

다음에서 설명하고 있는 치료방법과 관련된 정신간호의 개념적 모형과 창시자를 조합한 것으로 옳은 것은?

- 과거 혹은 어린 시절의 경험을 말해보도록 한다.
- 어린 시절 부모와의 관계를 재현해보게 한다.
- 최근에 자주 꾸는 꿈 내용을 이야기해보라고 한다.
- 타인과의 관계 개선을 격려한다.

① 사회적모형: Caplan
② 대인관계모형: Freud
③ 정신분석모형: Freud
④ 정신분석모형: Caplan
⑤ 대인관계모형: Sullivan

073 기출 14

설리반과 메이의 이론을 기초로 하고 임상경험을 통해 전반적인 간호실무와 정신건강간호에 적용할 수 있는 인간관계 이론을 제시한 사람은 누구인가?

① 에릭슨
② 오렘
③ 뉴먼
④ 페플라우
⑤ 프로이트

074 기출 13

성적에너지가 지적흥미로 전환되어 동일한 성과의 동일시, 사회화가 나타나는 시기는?

① 구강기
② 항문기
③ 남근기
④ 잠복기
⑤ 성기기

075 기출 11, 12, 13, 15, 18, 21

프로이트–에릭슨–피아제 발달이론에 근거한 5세 아동의 발달단계로 옳게 연결된 것은?

① 성기기 – 근면성 – 형식적
② 항문기 – 자율성 – 형식적
③ 잠복기 – 주도성 – 직관적
④ 남근기 – 주도성 – 직관적
⑤ 남근기 – 자율성 – 감각운동

076 기출 11, 12

프로이트(Freud)의 성격구조에 관한 설명으로 옳은 것은?

① 이드는 부모나 또래의 동일시로 나타난다.
② 자아는 비교적 논리적이고 합리적인 사고를 한다.
③ 자아는 양심과 자아 이상의 두 부분으로 되어 있다.
④ 이드는 5~6세에 최고로 발달하며 개인의 사회화에 중요하다.
⑤ 이드는 스트레스를 효과적으로 처리하고 방어기전을 담당한다.

077 기출 13, 18

인격이 성숙되고 사회생활에 있어 융통성을 지니며 사회적 성취감에 대한 만족감을 가지고 사회적 책임감을 지니는 단계는?

① 학령기
② 노년기
③ 성인기
④ 갱년기
⑤ 청소년기

078 기출 12, 20

간호사가 대상자와 치료적 관계를 종결할 때에 대한 설명으로 옳은 것은?

① 대상자는 새로운 행동변화에 대해 저항한다.
② 대상자는 새로운 행동과 해결책을 시험해본다.
③ 대상자는 건설적인 대처기술을 개발하고 활용한다.
④ 시간적 여유가 있을 시에만 대상자와 종결에 대한 반응을 토의한다.
⑤ 대상자는 상실감, 슬픔, 거부감 같은 정서적 곤란을 경험할 수 있다.

079 기출 19, 20

현실과 접촉을 피하고 위축되어 혼자만의 생각 속에 몰두하고 있는 우울증 환자 A씨에게 접근할 때 간호사가 적용할 수 있는 대화로 가장 바람직한 것은 무엇인가?

① "혼자 계시지만 말고 운동을 하세요."
② "무엇하고 계세요? 얘기해야만 돼요."
③ "같이 앉아서 얘기를 해도 좋을까요?"
④ "왜 다른 사람과 얘기를 하지 않습니까?"
⑤ "안녕하세요. 날씨가 좋아 기분이 아주 좋군요."

080 기출 16, 17, 18, 20

다음 중 간호사와 같이 오락게임을 하던 환자가 간호사를 때리려고 할 때 적절한 반응은?

① 우선 간호사 자신을 보호하며 환자의 행동을 관찰한다.
② 행동이 어떤 의미인지 사정하기 위해 그대로 행동하게 한다.
③ 여러 사람이 함께 맞서서 신속하게 환자의 행동에 대항한다.
④ 그 자리를 신속히 떠나며 이젠 더 이상 함께 놀 수 없다고 한다.
⑤ 소리를 질러 다른 의료진으로부터 난폭한 행동을 저지하고 주의를 준다.

081 기출 18, 21

지역사회 정신보건에 대한 설명으로 적절한 것은?

① 직업난은 지역사회 정신보건과 관계가 없다.
② 대상은 정신질환을 가진 대상자만 포함한다.
③ 대상인 개인의 내적 역기능만 치료하면 된다.
④ 지역사회 정신보건은 질병의 예방에 초점을 둔다.
⑤ 지역사회 정신보건은 질병의 치료에 초점을 둔다.

082

우리나라 정신보건법이 제정된 해는 언제인가?

① 1970년
② 1980년
③ 1985년
④ 1990년
⑤ 1995년

083

위기상담을 하는 간호사의 간호중재 방법으로 가장 적절한 것은?

① 대상자가 해야 할 행동을 정해준다.
② 대상자와의 의사소통은 중요하지 않다.
③ 위기발견 후 시간 여유를 두고 해결한다.
④ 대상자가 적응적 방어기전을 사용하는 경우 이를 격려한다.
⑤ 현재 문제의 사정이 필수적이므로 시간이 걸리더라도 완벽하게 사정한다.

084

정신질환자 가족을 간호할 때 도움이 되는 내용으로 옳은 것은?

① 가족구성원들이 밀착된 구속력을 가지도록 한다.
② 가족 내 불문율인 가족규칙을 가족이 인식하도록 돕는다.
③ 역기능적인 규칙도 가족규칙이므로 이를 따르도록 돕는다.
④ 갈등이 심한 구성원끼리는 다른 사람을 통한 간접 의사소통이 효과적이다.
⑤ 정신질환의 원인이 가족에게 있음을 알려주고 모든 상황에서 양보하라고 한다.

085 기출 11, 12, 14, 17, 18, 19, 20, 21

피해망상으로 입원한 대상자 A씨가 병원의 밥에 독이 들어있어 먹으면 마비된다고 말하며 식사를 거부할 때, 적절한 간호수행은?

① 조용히 고개를 끄덕인다.
② "마비되지 않아요. 괜찮아요."
③ "원하실 때 드실 수 있도록 챙겨드릴게요."
④ "마비되지 않는다는 것을 증명해 보일게요."
⑤ "그래요? 병원 음식을 먹으면 마비된다고요?"

086 기출 11, 12

항정신병약물을 복용하기 전에 환자의 혈압을 재는 이유는?

① 약이 졸음을 유발하기 때문에
② 약물의 순응도를 높이기 위하여
③ 기립성 저혈압을 사정하기 위하여
④ 호르몬의 불균형을 초래하기 때문에
⑤ 대부분의 항정신병 약물들이 고혈압을 유발하기 때문에

087 기출 11, 12, 15, 17, 18, 19

Phenothiazine 계열 약물을 복용하고 있는 대상자에게서 갑자기 얼굴근육 강직이 일어났다. 이때 간호사가 해야 할 간호중재는?

① 늦기 전에 응급처치를 수행한다.

② 약물 부작용임을 알고 의사에게 알린다.

③ 일시적인 증상이라고 말하여 환자를 안심시킨다.

④ 곧 나을 것이라고 무시하며 다른 치료에 몰두한다.

⑤ 증상을 지적하면 불안이 증가하므로 무관심한 태도를 보인다.

088 기출 11, 12, 14, 17, 18, 19, 20, 21

망상환자에 대한 중재로 올바른 것은?

① 망상은 적절하지 않으므로 무시한다.

② 망상 내용에 대해 심도 있게 토의한다.

③ 망상이 환자에게 주는 의미를 파악한다.

④ 망상은 잘못된 것임을 논리적으로 설명한다.

⑤ 환자의 상태가 좋아질 때까지 망상이 사실인 것으로 받아들인다.

089 기출 13

행동이론의 관점에서 설명하는 우울장애의 원인은?

① 스트레스

② 인지적 오해

③ 유전적 요인

④ 학습된 무력감

⑤ 중요한 대상의 상실경험

090 기출 14

자살 때문에 입원한 심한 우울증 환자 치료를 위한 약물로 적절한 것은?

① Haldol

② Valium

③ Prozac

④ Lithium

⑤ Chlorpromazine

091 기출 11, 14, 15, 17, 19, 21

양극성 장애로 입원한 30세 여성 환자 A씨는 자주 병동에서 환자들과 다투고 다른 사람들에게 자신의 생각을 관철시키려고 한다. 이때 환자에게 해줄 수 있는 간호중재로 옳지 않은 것은?

① 대상자를 격리시킬 필요는 없다.

② 병동 환경의 자극을 최소화시킨다.

③ 대상자를 경쟁적 놀이에 참여시킨다.

④ 대상자에게 일관성 있는 태도로 대한다.

⑤ 대상자의 에너지를 해소할 수 있는 공간을 만들어 준다.

092 기출 19, 20

우울증 환자 간호를 위한 가족중심의 현실적 해결방안으로 옳은 것은?

① 가족의 문제 사정보다 강점 파악을 먼저 한다.

② 처음 면접 시에 가족에 대해 가장 자세히 질문한다.

③ 가족이 현실적으로 실현가능한 목표에 관심을 가진다.

④ 노동과 권력 등을 분담하는 가족규칙을 새로 만들어 준다.

⑤ 가족구성원들의 자주성 증대를 위해 부모 역할모델을 해준다.

093 기출 11, 12, 13, 14

강박장애 환자의 발병 전 성격에 해당하는 것은?

① 초자아가 강하고 완벽주의자
② 기분의 동요가 심하고 변덕스러운 성격
③ 피상적인 대인관계를 맺고 충동적 성격
④ 자기중심적이고 정서반응이 미숙한 성격
⑤ 타인을 의심하는 경향이 있고 불평하는 성격

094 기출 12, 14, 16, 19, 21

다음 중 불안에 대한 설명 중 틀린 것은?

① 심한 불안은 지각 상태를 붕괴시킨다.
② 경증의 불안은 지각 수준을 향상시킨다.
③ 중등도 불안은 지각의 선택 폭을 좁힌다.
④ 불안이 근육에 미치는 것을 초조라고 한다.
⑤ 공황은 일상생활을 수행하는 데 지장을 준다.

095 기출 12, 13, 17, 20

외상 후 스트레스 장애(PTSD)를 가장 정확하게 정의한 것은?

① 지속적이고 만성적인 근심
② 반복되는 공황발작과 정신과민
③ 치명적인 사건과 관련되어 나타나는 불안
④ 자신 의지와 무관하게 반복되는 사고나 행동
⑤ 개인이 지닌 자원의 한계를 초월하고 안녕을 위협하는 상태

096 기출 11, 13, 14, 18, 20, 21

A씨는 자지 않고 고개를 떨군 상태로 비틀비틀 병동을 배회하고 있다. 간호사는 A씨가 불안한 상태임을 인식하였다. 이때 제공할 수 있는 간호중재로 가장 적절한 것은?

① 환자가 그 행동에 대해 이야기하도록 돕는다.
② 환자의 불안에 대해 말로써 충분히 안심시킨다.
③ 그의 문제에 대한 대응책을 환자가 알도록 한다.
④ 의학적 이론을 설명해 주어서 환자의 관심을 유도한다.
⑤ 간호사가 환자를 도와주고자 하며 관심이 있음을 알린다.

097 기출 12, 20

전환장애 환자의 간호중재에서의 목표로 가장 바람직한 것은?

① 활동요법에 참여하게 한다.
② 스트레스 대처법을 교육한다.
③ 자신의 감정을 표현하게 한다.
④ 전환증상을 빠른 시일 내에 감소시킨다.
⑤ 개인 및 집단정신요법에 참여하게 한다.

098 기출 11, 12, 13, 15, 16, 17, 18, 19, 20, 21

20대 중반 여성 대상자 A씨는 무슨 일이든지 부모가 해주기를 바라며 혼자서는 아무것도 하려고 하지 않는 양상을 보이고 있다. 이는 어떤 유형의 성격장애인가?

① 의존성　　　　　　② 경계성
③ 강박성　　　　　　④ 회피성
⑤ 히스테리성

099

수동공격성 성격장애에 속하는 특징은 어느 것인가?

① 융통성이 부족하고, 경직 행동을 보인다.

② 충분한 근거 없이 자신을 속인다고 의심한다.

③ 세상과 타인에 대한 노골적 적개심을 나타낸다.

④ 다른 사람을 믿지 않고 그들의 사소한 일에 의심한다.

⑤ 우유부단하고, 자아확신이 부족하며, 권위대상에게 양가감정을 느낀다.

100 기출 12, 13, 14, 17, 19, 20

한 남성이 매력적인 여성의 옷을 입고 내원하였다. 자신은 어렸을 때부터 여성적인 것이 좋고 자신은 여성이라고 하며, 성전환 수술을 하겠다고 한다. 올바른 진단명은?

① 노출증

② 성욕장애

③ 성 도착증

④ 성 불감증

⑤ 성별 불쾌감

101 기출 12, 14, 16, 18, 21

알코올 중독 환자가 입원한 후 48~72시간 내 금단이 가장 심한 형태로 나타나는 것은 무엇인가?

① 진전

② 경련발작

③ 진전섬망

④ 영양실조

⑤ 체온하강

102 기출 12, 20

다음 중 알코올 의존 환자 간호 시 삶의 질 향상을 위한 궁극적인 목표는?

① 금단 증상을 조절하는 것이다.

② 사교적 음주로 복귀시키는 것이다.

③ 완전히 금주할 수 있게 하는 것이다.

④ 혐오제 사용을 할 수 있도록 하는 것이다.

⑤ 가정적·직업적·사회적 적응능력을 개선시키는 것이다.

103 기출 12, 13

약물중독 치료에서 치료의 성공과 실패의 가장 큰 영향을 미치는 요인은?

① 간호사의 태도

② 처방되는 약물

③ 변화시키려는 본인의 욕구

④ 약물중독에 대한 사회적 인식

⑤ 환자의 문제에 대한 가족의 이해

104 기출 15, 20

다음 중 치매환자에게 가장 적절한 환경은 어느 것인가?

① 낯익은 환경

② 생소한 환경

③ 고립된 환경

④ 공간적으로 넓은 환경

⑤ 다양한 자극이 주어지는 환경

치매와 섬망에 대한 설명으로 옳은 것은?

① 치매는 비가역적 질병이다.

② 치매의 치료는 낙관적이다.

③ 치매는 즉각적으로 발생한다.

④ 섬망은 만성적으로 기억과 지능의 상실이 온다.

⑤ 섬망은 의식수준의 변화와 증상의 기복이 경하다.

NOTE

2회 3교시

문항별 상세 풀이

001

중국의 의료 및 간호 형태에 대한 설명으로 옳은 것은?

① 예방보다 치료에 더 초점을 두었다.
② 갈렌(Galen)을 통하여 해부학을 발전시켰다.
③ 사람의 체질을 태양, 소양, 태음, 소음으로 분류하였다.
④ 마법이나 미신에 반대하여 합리적 전통의학을 세울 수 있도록 선구자적 역할을 하였다.
⑤ 수술은 궁중 외에서 남자를 대상으로 한 거세와 상처 치료, 산부인과 치료까지 포함하였다.

002 기출 15

성 프란시스가 지도하는 제3교단(third order)이라고도 하며, 가정이 있으면서 병원 사업과 환자 운반 등 자원 봉사를 하는 단체로 지금도 이탈리아에 남아 있는 간호조직으로 옳은 것은?

① 성 클라라단
② 터티아리스단
③ 성 프란시스단
④ 성 도미니크단
⑤ 성 요한 기사단

003 기출 17, 21

나이팅게일의 간호이념으로 옳은 것은?

① 간호사는 의사의 부분적인 역할을 대신할 수 있다.
② 간호사는 자신을 희생하여 간호활동을 하는 것이다.
③ 간호의 일체는 간호사와 의사 공동에 의해 관리되어야 한다.
④ 간호란 질병을 간호하는 것이 아니라 병든 사람을 간호하는 것이다.
⑤ 간호사업은 비종교적이어야 하므로 간호사의 신앙은 존중되지 않아야 한다.

004 기출 14

다음 중 간호의 암흑기 시대를 초래한 직접적인 원인은 무엇인가?

① 산업혁명
② 문예혁명
③ 종교개혁
④ 십자군 전쟁의 발발
⑤ 크리미아 전쟁의 발발

005 기출 20

국민의료법이 1962년에 의료법으로 개정되면서 간호계의 변화된 내용으로 옳은 것은?

① 간호 고등 기술학교 폐지
② 간호사의 보수교육 명문화
③ 간호사 취업동태 신고 의무화
④ 보건, 마취, 전신 간호사 인정
⑤ 간호원의 명칭이 간호사로 변경

006

간호사 영역이 넓어지고 새로운 기술이 많아지면서 도덕적 책임과 의무가 증가하고 있을 때 간호사에게 필요한 것은?

① 윤리의식
② 업무 표준
③ 법적 기준
④ 전문적 지식
⑤ 개인의 양심

007 기출 18, 19

다음 중 간호윤리강령 제정의 일차적 목적은 무엇인가?

① 간호사에게 자율성을 부여한다.
② 전문인으로서 사회적 책임을 완수한다.
③ 인간으로서 대상자의 존엄성을 존중한다.
④ 전문직의 행동을 윤리적으로 규제하기 위함이다.
⑤ 간호대상자가 스스로 문제를 해결할 수 있도록 한다.

008 기출 19

환자에게 치료에 대한 동의를 받기 위해서 모든 관련된 정보를 제공해주어 시행될 치료와 처치에 자발적으로 동의하는 생명윤리의 기본 원칙은?

① 선행의 원칙
② 정직의 원칙
③ 정의의 원칙
④ 무해성의 원칙
⑤ 자율성 존중의 원칙

009 기출 21

나이팅게일 선서에서 "간호사는 해로운 약인 줄 아는 자기나 남에게 쓰지 않는다."는 서약은 다음 중 어느 원칙에 기인한 내용인가?

① 자율성
② 정의성
③ 무해성
④ 성실성
⑤ 선행성

010 기출 21

다음 중 공리주의 이론의 설명으로 옳은 것은?

① 엄격한 도덕 규칙 적용
② 최대 다수의 최대 행복
③ 지켜야 할 절대 가치 전제
④ 인간을 대할 때 목적으로 대함
⑤ 결과보다는 취해진 행동의 형태나 본질 중시

011

간호는 인간을 대상으로 한다. 따라서 타 분야보다 의무를 더욱 강조한다. 다음 중 간호에서의 의무의 정의로 알맞은 것은 무엇인가?

① 권리와 책임에 수반된 의무의 이행
② 선한 의지에 따라 행하게 되는 분별적 활동
③ 자기중심적인 동기를 바탕으로 업무를 이행
④ 주어진 영역내의 일에 국한된 활동만을 이행
⑤ 도덕의식과 책임감에 따라 마땅히 해야 될 일은 하고 하지 말아야 될 일은 하지 않는 것

012

환자의 약혼자와 친분이 있는 간호사가 약혼자에게 환자 관련 정보를 알려주었다. 간호사가 위반한 원칙은 무엇인가?

① 의무론
② 성실의 의무
③ 사전동의의 의무
④ 비밀유지의 의무
⑤ 악행금지의 의무

013 기출 19

수혈이 필요한 환자가 종교적인 이유로 수혈을 거부하고 있다. 이때 간호사가 느끼는 윤리적 문제는 무엇인가?

① 선행의 원칙과 정의의 원칙
② 자율성의 원칙과 선행의 원칙
③ 자율성의 원칙과 정의의 원칙
④ 악행금지의 원칙과 선행의 원칙
⑤ 자율성의 원칙과 악행금지의 원칙

014 기출 18, 20

장기이식에 있어 중요한 문제는 장기부족이다. 이러한 장기수급의 분배문제를 위한 기초적인 윤리 원리로 가장 옳은 것은?

① 선행의 원칙
② 정의의 원칙
③ 성실성의 원칙
④ 악행금지의 원칙
⑤ 자율성 존중의 원칙

015

다음 중 한국 윤리 강령 · 의료법상 간호사의 '비밀보장'이란 무엇인가?

① 어느 누구에게도 말하지 않는 것을 의미한다.
② 환자 상태에 따라 부분적으로 말하는 것이 가능하다.
③ 환자 가족에게 필요 시 부분적으로 말해 주어도 된다.
④ 같이 일하는 간호사 및 의사에게 부분적으로 말하여도 된다.
⑤ 선의의 간섭주의에 입각하여 상황을 판단하고 가족에게만 말하여도 된다.

016 기출 20

간호사의 주의의무 태만으로 인해 낙상사고가 발생하여 의료소송분쟁으로 이어지게 되었을 때 병원측의 법적 책임은?

① 구상권
② 민사책임
③ 형사책임
④ 과실상계책임
⑤ 사용자 배상책임

017 기출 20

마취 후 깨어난 환자에게 안전을 위해 억제대를 적용하려고 한다. 이때 적용할 수 있는 생명윤리원칙은 무엇인가?

① 선행의 원칙
② 신의의 원칙
③ 정의의 원칙
④ 악행금지의 원칙
⑤ 선의의 간섭주의

018

다음 중 간호 전문직의 문제를 해결할 수 있는 가장 바람직한 방법은?

① 간호사 임금의 상향조정
② 희생을 감수할 간호정신 함양
③ 다양한 계층의 자원봉사자 확보
④ 저임금으로 활용할 수 있는 대체 인력 양성
⑤ 전문적인 간호교육 강화와 간호전문직관 고취

019

다음 중 간호부장에게 가장 요구되는 카츠(Katz)의 관리 기술은 무엇인가?

① 개념적 기술
② 경험적 기술
③ 실행적 기술
④ 인간적 기술
⑤ 전문적 기술

020 기출 17

변화 관리 측면에서 볼 때 간호단위 관리자에게 필요한 행동역학으로 옳은 것은?

① 조직 내 규정을 강조하는 자
② 전적으로 본인이 책임지는 자
③ 협력보다는 주도하려고 하는 자
④ 변화를 지양하고 원칙을 고수하는 자
⑤ 비공식적 조직행동을 충분히 파악하는 자

021 기출 21

다음 중 간호 관리자가 운영기획을 설정하는 것의 이점은 무엇인가?

① 조직구성원들에게 비전을 제시한다.
② 조직의 중 · 장기 계획을 세우는데 도움이 된다.
③ 구체적이고 측정 가능한 목표를 설정할 수 있다.
④ 급변하는 환경에 대해 조직이 대처할 수 있게 한다.
⑤ 조직구성원들에게 업무에 대한 창의성을 불러일으킨다.

022

조직의 목적달성을 위해 조직구성원을 움직이게 하는 가치 또는 신념을 진술한 것은 무엇인가?

① 규칙
② 목표
③ 비전
④ 정책
⑤ 철학

023 기출 14

투약오류를 줄이기 위해 관리자가 통제를 할 때 가장 먼저 해야 하는 것은?

① 성과 측정
② 개선 활동
③ 표준 설정
④ 이전 투약 오류 통계파악
⑤ 표준과 계획으로부터의 편차비교

024

간호수가를 정해야 하는 이유로 옳은 것은?

① 간호사의 임금 상승을 위하여

② 의료보조 형태의 간호를 제공하기 위하여

③ 간호부가 수익창출과는 관련이 없음을 보이기 위하여

④ 간호행위가 병원의료의 대체서비스로 총 진료비의 증가인자로 작용하기 위하여

⑤ 다양한 형태의 간호서비스 요구 충족과 그에 따른 가치 환산 수준의 기준을 마련하기 위하여

025 기출 21

다음 중 준거적 권력의 원천에 관한 설명으로 옳은 것은?

① 권력 행사자의 보상 능력이 높으면 발생한다.

⑤ 감봉이나 처벌 등 강제적 통제에 의해 발생한다.

③ 조직 내 직위에 임명되거나 승진함으로서 발생한다.

④ 전문적 기술이나 지식을 가진 지도자에 의해 발생한다.

⑤ 조직원이 자신보다 뛰어난 사람을 닮고자 할 때 발생한다.

026

비공식조직의 장점으로 적절하지 <u>않은</u> 것은?

① 의사소통을 촉진시킨다.

② 질서가 매우 체계적이다.

③ 조직구성원에게 만족감을 제공한다.

④ 조직구성원들의 과업 달성에 도움을 준다.

⑤ 좌절감과 불평에 대한 안전판 역할을 한다.

027 기출 18

다음 중 외부 모집을 통하여 간호인력을 모집하였을 때의 장점으로 옳은 것은?

① 채용 비용 절감

② 유능한 인재 선발

③ 기존 직원들의 사기 향상

④ 부적격자 채용 위험 감소

⑤ 적재적소에 적합한 직원 배치 가능

028 기출 18

관리자가 문제직원관리를 할 때 지켜야 할 원칙은?

① 훈육의 원칙과 규정에 대해서는 관리자가 정한다.

② 관리자의 사적인 감정을 배제하기 위해 공개적으로 훈육한다.

③ 문제 상황에 대한 감정을 직시하기 위하여 발생 즉시 훈육한다.

④ 문제행동을 어떻게 수정할 것인지 구체화하고, 행동 변화를 주시한다.

⑤ 규칙이나 규정을 일관성 있게 적용하고, 예외사항은 용납하지 않는다.

029 기출 16

다음 중 팀 간호방법의 장점은 무엇인가?

① 정기적인 의사소통을 통하여 환자에게 양질의 간호를 제공한다.

② 자신이 맡은 소수의 환자를 대상으로 전문적 간호를 수행할 수 있다.

③ 간호사들에게 책임과 의무가 부여되므로 책임과 의무의 소재가 분명하다.

④ 투약·활력징후·처치 담당간호사 등이 분담된 간호 업무에 대해서 책임을 진다.

⑤ 팀 리더는 환자에게 직접간호를 제공하는 일은 하지 않으며 팀 구성원의 지도와 교육을 담당한다.

030 기출 20

병원에서 화재가 발생했을 때 간호사가 제일 먼저 안전한 장소로 옮겨야 할 대상은?

① 마약류
② 입원환자
③ 간호기록지
④ 간호수가기록장
⑤ 고가의 의료장비

031 기출 19, 20

다음 중 간호 전문직의 특성으로 옳지 않은 것은?

① 이타적이며 사회봉사적이다.
② 표준화된 업무를 수행하며 자율성이 낮다.
③ 정당한 보수를 받고 안정성 있는 직업이다.
④ 사회 공익을 위해 사용되도록 행동기준을 정하고 자율적으로 준수한다.
⑤ 고유의 지식에 기초하고 지식과 기술은 장기간의 교육을 통해 얻어진다.

032 기출 18, 19

다음에서 설명하는 서비스의 특징은?

> 형태가 없어서 보이지 않고, 만질 수 없으며 고객이 서비스를 제공받기 전에는 인식하기 어렵기 때문에 객관적인 측정이 불가능하다.

① 무형성
② 이질성
③ 소멸성
④ 동시성
⑤ 비분리성

033 기출 18

다음 중 간호사의 투약행위에 관한 동시평가는 무엇인가?

① 간호사를 직접 면담한다.
② 간호사의 투약과정을 관찰한다.
③ 투약을 받은 환자와 퇴원 후 면담한다.
④ 환자 투약 후 증상의 변화를 관찰한다.
⑤ 환자 퇴원기록을 전체적으로 확인한다.

034

다음 중 입원 시 간호행위로 가장 적절한 것은?

① 입원안내서를 주고, 설명은 생략가능하다.
② 수간호사는 따로 자신을 소개할 필요가 없다.
③ 자가 간호에 필요한 지식과 기술을 교육한다.
③ 환자가 병실에 도착하면 먼저 담당 의사를 소개한다.
⑤ 대상자에게 간호사 본인, 같은 병실의 사람을 소개한다.

035 기출 18

간호 단위에 적용할 조명 관리방법으로 알맞은 것은?

① 직접조명을 비춘다.
② 값이 저렴하고 밝은 백열등을 사용한다.
③ 밤에는 환자의 수면을 돕기 위해 조명을 전부 끈다.
④ 낮 동안에는 병동의 조명으로 직사광선을 활용한다.
⑤ 누워 있는 환자에게는 침대 뒤에 조명을 설치하여 간접조명을 적용한다.

036

Maslow의 욕구단계 이론 중 생리적 욕구에 대한 설명으로 옳은 것은?

① 안전·안정의 욕구의 충족이 가장 우선시 되도록 해야 한다.

② 생명유지를 위해 가장 기초적으로 충족되는 필수욕구이다.

③ 자아존중과 자아실현을 위해 최소한으로 충족되어야 하는 것이다.

④ 생리적 욕구가 충족되지 않아도 다음 단계인 안전의 욕구로 넘어갈 수 있다.

⑤ 안전·안정 욕구에는 영양, 수분, 배설, 휴식 및 수면, 체온조절 등이 포함된다.

037 기출 13

다음 중 최적의 건강상태에 해당하는 것은?

① 10세 이 양은 고열과 전신허약으로 입원 후 폐렴 진단을 받은 상태이다.

② 30세 박 씨는 교통사고로 대퇴골이 골절되어 석고붕대를 하고 침대에 누워 있다.

③ 40세 한 씨는 추락사고로 경추(목뼈)골절을 입어 전신마비가 되었으나 현재 구필화가로 활동하고 있다.

④ 65세 전 씨는 최근 뇌출혈로 인해 우측 전신이 마비되었고, 그 부위에 생긴 욕창을 치료받고 있다.

⑤ 70세 최 씨는 15년 전부터 당뇨가 있어 경구용 혈당강하제를 투여해 왔으며, 요즘 폐결핵이 발생되어 치료 중이다.

038 기출 15

간호사정 시 자료수집에 대한 설명 중 가장 적절한 것은?

① 폐쇄질문은 관심과 신뢰의 전달에 적합하다.

② 개방형 질문은 질문과 대답이 효과적으로 통제된다.

③ 대상자 이외의 사람에게서 얻어진 자료를 주관적 자료라고 한다.

④ 1차적 자료는 타인에 의해 얻어질 수 있고 검사 및 관찰에 의해 얻어질 수 있다.

⑤ 주관적 자료는 대상자에 의해서만 기술될 수 있는 것으로 고통, 걱정, 느낌 등이 해당한다.

039 기출 11

키 150 cm, 몸무게 60 kg인 70세 최 할머니가 계단에서 넘어져 입원하였다. 환자는 대퇴골(넙다리뼈) 골절로 견인 적용 중이다. 간호사가 피부손상 상태를 확인하였을 때 내려질 수 있는 간호진단으로 가장 우선위는 무엇인가?

① 신체손상과 관련된 불안

② 부동과 관련된 감염 위험성

③ 부동과 관련된 피부 통합성 장애

④ 신체손상과 관련된 수분전해질 장애

⑤ 대퇴골 골절과 관련된 운동지속성 장애

040

환자기록에 대한 일반적인 지침으로 가장 옳은 것은?

① 서명은 성과 이름을 모두 포함한다.

② 기록은 검정색 또는 파란색 펜으로 한다.

③ 환자를 지칭하는 말로 대상자라는 말을 사용한다.

④ 기록 시 사용하지 않은 공간은 빈칸으로 남겨둔다.

⑤ 활동을 시행한 순서와 상관없이 실제적이고 정확하게 기록한다.

041 기출 14, 18, 19

다음은 활력징후 중 혈압 측정 시 생길 수 있는 오류로 가장 알맞은 것은 무엇인가?

① 측정 시 커프를 느슨히 감으면 혈압이 낮게 측정된다.

② 측정 부위의 폭에 비해 넓은 커프를 사용하면 혈압이 높게 측정된다.

③ 커프의 공기압력을 정상속도보다 천천히 빼면 이완기압이 낮게 측정된다.

④ 상완에서 혈압 측정 시 팔을 심장보다 높게 하면 이완기압이 높게 측정된다.

⑤ 반복 측정할 경우 커프의 바람을 완전히 빼지 않은 상태에서 측정하면 혈압이 높게 측정된다.

042

소뇌와 관련된 운동기능 검사에 대한 설명으로 맞는 것은?

① Romberg 검사: 양쪽 발이 한 지점에 오도록 한 발씩 뛰어보게 한다.

② 균형감각 검사: 무릎을 약간 구부리게 한 뒤 한쪽 시행 후 다른 쪽은 생략 가능하다.

③ 미세운동 검사: 대상자의 손을 굴곡 · 신전시키면서 가능한 빨리 양손으로 무릎을 번갈아 치도록 한다.

④ 미세운동 검사: 팔을 바깥쪽으로 뻗게 하고 양손의 집게손가락을 사용하여 번갈아서 코에 닿도록 하는데, 눈을 감고 빨리 하도록 지시한다.

⑤ 균형감각 검사: 먼저 대상자가 두 발을 모아 서 있게 한다. 그 다음 눈을 뜨고 똑바로 서 있을 수 있는지를 확인한 후 이번엔 눈을 감고 똑바로 서 있게 한다.

043 기출 14

다음 중 통각검사에 대한 내용으로 알맞은 것은 무엇인가?

① 근위에서부터 원위로 진행한다.

② 대상자가 눈을 감은 상태에서 검사한다.

③ 신체에서 대칭이 되는 부위는 한쪽만 검사한다.

④ 통각검사가 정상이더라도 온각검사 또한 꼭 해야 한다.

⑤ 통각이 정상인지 알려면 안전핀으로 통증을 강하게 주어야 한다.

044

다음의 설명 중 외호흡에 관한 설명으로 옳은 것은?

① 폐 안,밖으로의 공기 움직임을 말한다.

② 폐포와 폐모세혈관막 간의 가스교환을 의미한다.

③ 헤모글로빈과 세포 사이의 산소 이동을 의미한다.

④ 산소분압이 높은 곳에서 낮은 곳으로 산소가 이동하는 것을 의미한다.

⑤ 이산화탄소분압이 높은 곳에서 낮은 곳으로 이산화탄소가 이동하는 것을 의미한다.

045

입원 환자에게서 동맥혈액가스 분석검사를 시행한 검사결과, 정상범위로 판단할 수 있는 경우는 어느 것인가?

① PaO_2: 60 mmHg, pH: 7.55

② PaO_2: 90 mmHg, pH: 7.35

③ HCO_3^-: 25 mEq/L, pH: 7.30

④ $PaCO_2$: 55 mmHg, pH: 7.40

⑤ $PaCO_2$: 60 mmHg, pH: 7.15

046

다음 중 정상 호흡음은 무엇인가?

① 나음(rhonchi)
② 악설음(crackle)
③ 천명음(쌕쌕거림, wheezing)
④ 흉막마찰음(fleural friction rub)
⑤ 기관지폐포음(bronchovesicular breathing)

047 기출 14

다음 중 체액 불균형으로 체액량이 감소될 때 나타나는 신체의 항상성 조절 반응 중 옳은 것은?

① 총 혈액량 증가
② 1회 심박출량 증가
③ 항이뇨호르몬 분비 감소
④ Angiotensin II의 혈중 농도 감소
⑤ 신장(콩팥)에서의 Na^+의 재흡수 증가

048

빈뇨, 요실금이 있는 긴장성 요실금 환자에 도움이 되는 간호는?

① 불규칙한 간격으로 자주 배뇨한다.
② 무거운 물건을 들어 팔약근을 강화시킨다.
③ 배뇨촉진을 위해 차, 커피와 같은 음료의 섭취를 늘린다.
④ 방광조절 훈련 시 물 흐르는 소리와 같은 배뇨 소리를 들려준다.
⑤ 침대 옆에 변기를 두어 개방된 장소에서 배뇨를 할 수 있도록 훈련한다.

049

다음 중 정체관장 시 유의할 점이 <u>아닌</u> 것은 무엇인가?

① 용액의 양은 200~250 cc으로 한다.
② 용액은 중력을 이용하여 서서히 주입한다.
③ 투약을 위한 경우는 청결관장을 먼저 시행한다.
④ 약품투여가 목적인 경우 약물이 용해되기 쉬워야 한다.
⑤ 관장통의 높이를 25 cm로 하여 장벽자극을 최소화한다.

050 기출 17, 18

방광 기능 장애로 입원한 대상자의 잔뇨량을 측정하는 방법으로 가장 알맞은 것은 무엇인가?

① 소변주머니에서 소변을 직접 채취한다.
② 요의를 느끼면 소변을 본 후 유치도뇨를 시행한다.
③ 식사 후에 단순도뇨를 하여 배출된 양을 측정한다.
④ 요도를 통해 방광내로 방광경을 삽입하여 측정한다.
⑤ 소변을 본 직후 단순도뇨를 시행하여 잔뇨량 측정한다.

051 기출 14, 16, 18

간호사가 주사를 놓으려는 부위에 냉요법을 먼저 실시하려고 한다. 다음 중 냉요법을 시행하는 이유로 알맞은 생리적 효과는 무엇인가?

① 표피 내 순환을 촉진시키기 위해서
② 주사 시 정확한 부위에 놓기 위해서
③ 주사 부위 근육을 이완시키기 위해서
④ 환자의 관심을 주사로부터 돌리기 위해서
⑤ 주사부위 혈관과 근육수축으로 피부를 무감각하게 하기 위해서

052 기출 14, 15

침상머리 부분을 45° 취하고 있는 환자에게 일어날 수 있는 부적절한 신체선열과 안위보조기구 사용법이 바르게 짝지어진 것은?

① 목의 과신전 - 높은 베개 사용
② 팔의 내회전 - 상완에 작은 베개 지지
③ 요추 만곡의 굴곡 - 전자 두루마리 적용
④ 발의 지지 부족 - 대퇴 위에 작은 베개 올리기
⑤ 고관절의 외회전 - 요추부위에 작은 베개로 지지

053 기출 19

대상자 보행 중 목발로 계단을 오르내릴 때의 설명으로 알맞지 않은 것은?

① 내려올 때는 처음에 건강한 다리에 체중을 싣는다.
② 오를 때 건강한 다리를 먼저 위쪽 계단으로 옮긴다.
③ 내려올 때는 건강한 다리를 먼저 아래쪽 계단으로 옮긴다.
④ 오를 때 목발과 환측을 위쪽 계단의 건강한 다리 옆에 옮긴다.
⑤ 내려올 때는 환측을 먼저 아래 계단으로 옮기고 목발로 체중을 싣는다.

054

33세 여자 이 씨는 최근 잠들기가 힘들고 자고 일어나도 개운하지 않으며 잠이 안 온다고 한다. 이 씨에게 필요한 간호중재는?

① 수면제를 권장한다.
② 낮에 활동을 제한한다.
③ 침대에 누워서 책을 읽도록 한다.
④ 취침 전 가벼운 탄수화물 간식을 섭취한다.
⑤ 근육이완을 위해 자기 직전에 운동을 한다.

055

환자가 곧 사용할 침상이며, 침상에 들어가기 편리하도록 침구를 걷어놓은 상태의 침상을 무엇이라 하는가?

① 개방 침상(open bed)
② 폐쇄 침상(closed bed)
③ 든 침상(occupied bed)
④ 이피가 침상(cradle bed)
⑤ 수술 후 침상(post operative bed)

056

65세 여성 김 씨는 알츠하이머성 치매로 현재 요양병원에 입원 중이다. 김 씨가 환자 복도를 서성이며 불안해하고 있을 때 이에 대한 가장 적절한 간호중재는?

① 노인용 의자에 앉힌다.
② 침대에 똑바로 누워있도록 한다.
③ 그림이나 풍선으로 병실을 표시해 준다.
④ 보호자가 대상자에게 돌아다니면 안 된다고 주의를 주게 한다.
⑤ 안전하게 누워 있도록 시트를 이용해서 침대에 확실히 고정시킨다.

057

노인 환자에게 온열법 적용 시, 우선적으로 해야 하는 간호는 무엇인가?

① 온습포의 온도를 맞춘다.
② 적용부위 아래에 방수포를 대준다.
③ 열적용 후 반응 및 효과를 관찰한다.
④ 수건으로 적용 부위를 닦아 건조하게 한다.
⑤ 적용 전 적용 부위의 피부 상태를 세심히 확인한다.

058 기출 15

죽음에 대한 심리적 적응 단계 중 협상의 단계에 대한 내용으로 옳은 것은?

① 죽음을 인정하고 기다린다.
② 자신의 질병을 인정하지 않는다.
③ 말수가 줄어들고 이별의 슬픈 감정을 느낀다.
④ 자신의 상태를 죄에 대한 대가라고 생각하고 앞으로 달라지겠다고 다짐한다.
⑤ 가족, 의료진에게 폭언을 하며 받고 있는 치료나 간호에 대해서도 혹평을 한다.

059 기출 14

붕대를 2/3씩 겹치도록 감으며, 관절을 기준으로 위와 아래를 번갈아 감는 붕대법은 무엇인가?

① 8자대
② 나선대
③ 회귀대
④ 환행대
⑤ 나선절전대

060

다음은 병원감염 중 교차감염에 대한 설명으로 옳은 것은?

① 상처가 재감염되어 악화된 것이다.
② 피부에 흔히 생기는 농포를 말한다.
③ 수술 시 부주의로 수술한 상처가 감염된 것이다.
④ 의료인 또는 의료기기에 의해 한 환자의 병원균이 다른 환자에게 옮겨지는 것이다.
⑤ 입원 후에 감염 증상이 나타났을 때 병원 밖에서 감염된 경우도 병원감염이라고 한다.

061 기출 11, 12, 17

사람이 많이 다니는 대형마트에서 쇼핑카트의 손잡이에 소독액을 뿌리는 것은 감염경로 중 무엇을 차단하기 위한 행위인가?

① 저장소, 탈출구
② 저장소, 전파방법
③ 탈출구, 전파방법
④ 전파방법, 침입구
⑤ 침입구, 개체의 감수성

062

취침 전 REM 수면을 증가시키기 위한 간호중재로 옳은 것은?

① 흡연
② 알코올
③ 스트레스
④ L-트립토판 섭취
⑤ 취침 직전의 음식 섭취

063

다음 중 약물을 주사로 투여하는 것보다 경구로 투여하는 것이 더 적합한 경우는 어느 것인가?

① 무의식 환자일 때
② 부작용을 경감시키려고 할 때
③ 더 빠른 효과를 얻으려고 할 때
④ 많은 용량의 약물을 사용해야 할 때
⑤ 소화액에 의해 약효의 변화를 가져올 때

064 기출 13, 16, 20

37세 김 씨는 결막염으로 안약을 처방받았다. 김씨에게 안약 투여 방법 설명으로 옳은 것은?

① 안약을 넣은 후 눈을 깜박인다.
② 안약을 투여하다가 안구에 직접 닿았다.
③ 소독된 솜으로 눈의 바깥쪽에서 안쪽으로 닦는다.
④ 안약은 처음 방울부터 버리지 않고 처방된 방울만큼 점적한다.
⑤ 안약은 하안검의 결막낭(결막주머니) 중앙 혹은 외측에 점적한다.

065 기출 14, 18

헤파린 피하주사 시 혈종 형성 방지를 위해 가장 적절한 부위는?

① 복부
② 전완 내측
③ 대퇴 전면
④ 견갑골 부위
⑤ 상완 외측 후면

066 기출 11, 21

어떤 종합병원의 연평균 1일 입원환자의 수는 250명이며, 외래환자의 수는 300명이다. 이 병원에 필요한 간호사 수는?

① 90명
② 100명
③ 110명
④ 120명
⑤ 130명

067 기출 14

다음 중 업무분야별 전문 간호사 중 가정간호사의 자격인정요건으로 옳지 않은 것은?

① 전문간호사 교육과정을 마친 자
② 보건복지부장관이 인정하는 외국의 가정간호사 자격을 가진 자
③ 보건복지부장관이 실시하는 가정전문간호사 자격시험에 합격한 자
④ 보건복지부장관이 인정한 기관에서 1년 이상의 가정간호과정을 이수한 자
⑤ 교육을 받기 전 10년 이내에 가정간호분야에서 3년 이상 간호사로서의 실무경력이 있는 자

068 기출 21

의료인의 면허 취소 사유로 옳지 않은 것은?

① 면허증을 대여해준 경우
② 결격 사유에 해당하게 된 때
③ 3회 이상 자격정지 처분을 받았을 때
④ 조건부 면허를 받은 자가 면허의 조건을 이행하지 않았을 때
⑤ 의료기관의 개설자가 될 수 없는 자에게 고용되어 의료행위를 한 때

069 기출 15

폐렴으로 입원한 환자가 퇴원 후 한 달이 지나서 진단서를 발급받고자 할 때 담당 의사가 해외 연수로 부재 중이었다. 이때는 어떻게 할 수 있는가?

① 담당 의사가 돌아올 때까지 기다린 후 진단서를 발급받는다.

② 최종 진료 시로부터 48시간 내일 경우 진단서를 발급할 수 있다.

③ 같은 병원의 다른 의사에게 다시 진단을 받아 진단서를 발급받는다.

④ 같은 의료기관의 다른 의사 2명이 합의하면 진단서를 발급할 수 있다.

⑤ 같은 의료기관에 종사하는 다른 의사가 진료기록부 등에 의해 증명서를 교부할 수 있다.

070 기출 14, 18

의료법에 의해 간호기록부에 기재되어야 하는 내용으로 올바르지 않은 것은?

① 투약에 관한 사항

② 병력에 관한 사항

③ 처치 및 간호에 관한 사항

④ 섭취 및 배설물에 관한 사항

⑤ 체온, 맥박호흡, 혈압에 관한 사항

071

다음 중 개설 허가 취소 및 폐쇄에 관한 설명으로 옳지 않은 것은 무엇인가?

① 보건복지부장관은 의료기관 폐쇄를 명할 수 있다.

② 업무 정지 기간 동안에는 의료기관을 운영할 수 없다.

③ 의료기관의 폐쇄는 신고한 의료기관에만 명할 수 있다.

④ 폐쇄 명령을 받은 경우 1개월 이내에 운영을 종료해야 한다.

⑤ 1년의 범위에서 정지시키거나 개설 허가의 취소 또는 의료기관 폐쇄를 명할 수 있다.

072 기출 11, 12, 14, 15, 17, 21

다음 중 제2급 감염병으로 짝지어진 것은?

① 결핵, 성홍열, 황열

② 성홍열, 한센병, 후천성 면역결핍증

③ 결핵, 장티푸스, 성홍열

④ 파상풍, 소아마비, 백일해

⑤ 결핵, 일본뇌염, 만성 B형 간염

073

다음 중 감염병 역학조사에서 질병관리청장이 실시해야 하는 경우가 아닌 것은?

① 시 · 도지사의 역학조사가 불충분한 경우

② 둘 이상의 시 · 도에서 역학조사가 동시에 필요한 경우

③ 시 · 도지사의 역학조사가 불가능하다고 판단되는 경우

④ 관할지역 밖에서 발생한 감염병이 관할구역과 역학적 연관성이 있다고 의심되는 경우

⑤ 감염병 발생 및 유행 여부 또는 예방접종 후 이상반응에 관한 조사가 긴급히 필요한 경우

074

감염 전파의 차단을 위한 조치 중 건강진단이나 감염병 예방에 필요한 예방접종을 받도록 시 · 군 · 구청장이 명할 수 있는 자가 <u>아닌</u> 것은?

① 감염병 환자의 가족
② 감염병 환자의 먼 친척
③ 감염병 발생지역 거주자
④ 감염병 환자와 접촉하여 감염병에 감염되었으리라고 의심되는 자
⑤ 감염병 발생지역에 출입하는 자로 감염병에 감염되었으리라고 의심되는 자

075

마약류취급자에 대한 설명으로 옳지 <u>않은</u> 것은?

① 마약류 관리자는 의사 · 치과의사 · 한의사 · 수의사를 말한다.
② 마약류 도매업자는 마약 또는 향정신성 의약품을 판매하는 자를 의미한다.
③ 마약류 수출입업자는 마약의 수입 또는 향정신성 의약품의 수출입을 하는 자를 의미한다.
④ 마약류 원료 사용자는 한외마약 또는 의약품을 제조함에 있어서 마약 또는 향정신성 의약품을 원료로 사용하는 자를 의미한다.
⑤ 마약류 취급의료업자는 의료 또는 동물 진료의 목적으로 마약 또는 향정신성 의약품을 투약 또는 투약하기 위하여 교부하거나 처방전을 발부하는 자를 말한다.

076 기출 14, 17

다음 중 마약류 취급자가 소지하는 마약류를 분실하였을 시 누구에게 보고하여야 하나?

① 관할 보건소장에게 보고한다.
② 식품의약안전청장에게 보고한다.
③ 시 · 도지사에게 지체없이 보고한다.
④ 소속된 의료기관의 장에게 보고한다.
⑤ 해당 허가관청에 지체없이 신고한다.

077 기출 13

마약중독자에게 마약을 투약할 수 있는 경우로 옳은 것은?

① 치료보호기관에서 보건소장의 허가를 받은 경우이다.
② 마약류 취급의료업자가 중독 증상의 치료를 위해 마약을 투약하는 경우이다.
③ 치료보호기관에서 보건복지부 장관 또는 시 · 도지사의 허가를 받은 경우이다.
④ 마약류 취급의료업자가 중독 증상을 완화시키기 위해 마약을 투약하는 경우이다.
⑤ 의료기관의 장이 특히 필요하다고 인정하여 대통령령에 의해 투약하는 경우이다.

078 기출 14, 16, 18

다음 중 검역법상의 검역감염병으로 옳게 짝지어진 것은?

① 콜레라, 페스트, 황열
② 황열, 페스트, 장티푸스
③ 콜레라, 성홍열, 파라티푸스
④ 황열, 중급성호흡기증후군, 파라티푸스
⑤ 장티푸스, 발진티푸스, 신종인플루엔자감염

079

다음 중 국민건강보험법의 목적으로 가장 옳은 것은?

① 농어민의 의료서비스의 질 향상
② 국민의 질병, 부상, 사망의 예방
③ 국민보건 향상 및 사회보장 증진
④ 계층 간 소득 재분배 기회의 제공
⑤ 근로자의 과중한 보험료 부담 경감

080 기출 14

다음 중 요양급여 대상으로 알맞지 <u>않은</u> 것은?

① 진찰
② 이송
③ 간호
④ 재활
⑤ 가사도움

081 기출 16, 21

다음 중 후천성 면역결핍증 환자에 대해 보건소장에게 신고해야 하는 경우가 <u>아닌</u> 것은?

① 감염인을 진단한 경우
② 감염인 사체를 검안한 경우
③ 의료기관에서 감염인이 사망한 경우
④ 의사가 감염인의 사망을 처리한 경우
⑤ 혈액 및 혈액제제에 대한 검사에 의하여 감염인을 발견한 경우

082 기출 12, 13, 16, 17, 18

지역보건법에 따르면 시 · 도별 지역보건의료계획을 수립해야 하는 시기로 옳은 것은?

① 매년
② 24개월마다
③ 30개월마다
④ 36개월마다
⑤ 48개월마다

083 기출 14, 20

다음 중 지역보건법에 의한 보건소에 관한 설명 중 옳지 <u>않은</u> 것은?

① 보건소는 수수료와 진료비를 징수할 수 있다.
② 감염병의 예방 및 관리에 관한 업무는 위탁할 수 있는 업무에 포함되지 않는다.
③ 지역보건의료기관의 표시는 지역보건의료기관 표지와 함께 해당 지역명을 표시하여야 한다.
④ 의료인이 아닌 자가 다수를 대상으로 예방접종, 순회진료, 건강진단 등을 시행하고자 할 때는 보건소장에게 신고해야 한다.
⑤ 보건소는 보건의료에 관한 실험 또는 검사를 위하여 의사, 치과의사, 약사 등에게 그 시설을 이용하게 하거나 타인의 의뢰를 받아 실험 또는 검사할 수 있다.

084

다음 중 보건의료에 관한 실험 또는 검사를 위해 보건소 시설을 이용할 수 있는 사람은?

① 조산사, 약사
② 수의사, 의사
③ 한의사, 간호사
④ 한의사, 치과의사
⑤ 치과의사, 조산사

085

다음 중 중앙응급의료센터의 지정기준이 <u>아닌</u> 것은?

① 응급의료기관 등과 응급의료종사자에 대한 지도를 할 수 있는 공공기관일 것
② 응급의료기관 등에 대한 평가를 실시할 수 있는 전문 인력 또는 장비를 갖출 것
③ 외상센터와 화상센터, 심혈관센터가 따로 마련되어 있는 전문응급의료기관일 것
④ 대형 화재 등의 발생 시 응급의료지원을 할 수 있는 시설 · 장비 및 인력을 갖출 것
⑤ 전국 응급의료종사자의 교육 및 훈련을 담당할 수 있는 시설 · 장비 및 인력을 갖출 것

NOTE

3회 1교시

문항별 상세 풀이

성인간호학 | 01~70번
여성건강간호학 | 71~105번

_____ / 105문항
_____ / 95분

성인간호학

001 기출 15

한여름 뜨거운 땡볕 아래에서 행군을 하던 군인이 쓰러졌다. 빈맥, 저혈압, 가쁜 호흡이 나타나는 상황에서 가장 우선적으로 시행해야 할 간호중재는?

① 담요로 보온한다.

② 산소를 제공한다.

③ 빨리 서늘한 장소로 옮긴다.

④ 생리식염수로 위장 세척을 실시한다.

⑤ 심부체온을 가능한 빨리 낮추기 위해 얼음으로 냉찜질을 시행한다.

002 기출 19

장기부동 암환자가 부정맥, 복부팽만, 뼈의 통증, 변비를 호소한다. 간호중재로 알맞은 것은?

① 칼슘제 투여한다.

② Vit. D 투여한다.

③ 부갑상샘호르몬을 투여한다.

④ Kayexalate 관장으로 칼륨을 배설한다.

⑤ 관절 범위를 넘어서는 능동적인 운동을 시행한다.

003

전신홍반루푸스에 대해 옳은 설명은?

① 감염성 피부병이다.

② 세포면역성 반응이다.

③ 성접촉을 통해 전파된다.

④ 보체계 세포독성 반응이다.

⑤ 항원-항체 자가면역질환 반응이다.

004 기출 17

활동성 결핵을 진단 받고 입원한 환자에 대한 감염 전파방지 간호로 옳은 것은?

① 양압병실에 입원시킨다.

② 환자를 1인실에 격리하고 문을 닫는다.

③ 환자의 분비물은 일반 쓰레기통에 버린다.

④ 환자의 보호자들이 자유롭게 드나들게 한다.

⑤ 환자가 병실 바깥으로 나갈 때 소독가운과 마스크를 쓰도록 한다.

005 기출 18

아나필락시스 반응의 병태생리로 옳은 것은?

① 부종이 감소

② 모세혈관 이완

③ 기관지평활근 이완

④ 모세혈관 투과성 증가

⑤ 항원에 노출되면 IgA가 증가

006

복부상처가 열려서 내장이 돌출된 환자에게 우선적인 간호중재는?

① 상처를 열어서 확인한다.

② 돌출된 내장을 제거한다.

③ 생리식염수 거즈로 돌출된 내장을 덮어준다.

④ 내장을 손으로 밀어서 상처 안으로 다시 넣는다.

⑤ 내장돌출 부분을 건드리지 않고 복부상처를 드레싱한다.

007 기출 21

말기 암 선고를 받은 환자가 다음의 말을 한다면, 퀴블러-로스의 죽음의 수용 5단계 중 어느 단계인가?

> • 제발 딸이 결혼할 때까지만 살게 해주세요.
> • 1년만 더 살게 해 주면 전 재산을 기부하겠습니다.

① 부정

② 분노

③ 협상

④ 우울

⑤ 수용

008 기출 16, 20

교통사고로 인한 복부손상을 입고 내장출혈이 발생한 환자가 응급실로 내원했다. 수축기 혈압이 70 mmHg, 맥박이 130회/분일 때, 가장 먼저 시행해야 할 간호중재는 무엇인가?

① 기도를 확보한다.

② 수액을 주입한다.

③ 항응고제를 투여한다.

④ 기관지확장제를 투여한다.

⑤ 트렌델렌버그 체위를 취해준다.

009

장기침상 환자에게 정맥혈전이 발생하는 원인은?

① 혈액점도 저하

② 적혈구 감소증

③ 응고인자 결핍

④ 심박출량 증가

⑤ 정맥귀환량 감소

010

호스피스 간호로 적절한 설명은?

① 다학제적 접근으로 이루어진다.

② 임종 직전까지 적극적으로 치료한다.

③ 호스피스 간호는 임종 환자만을 대상으로 한다.

④ 호스피스 간호의 목적은 증상을 완치하는 것이다.

⑤ 호스피스 간호의 목적은 질병을 완치하는 것이다.

011 기출 15

노인성 요실금 환자의 간호로 옳은 것은?

① 케겔운동을 교육한다.

② 바로 수술을 권유한다.

③ 커피나 홍차를 마시도록 한다.

④ 취침 직전에 수분섭취를 권장한다.

⑤ 알코올 섭취가 도움이 되므로 권장한다.

012 기출 18

신체사정 시 다음이 확인되는 대상자에게 우선적으로 필요한 간호중재는?

- 호흡수 35회/분
- pH 7.2
- $PaCO_2$ 55 mmHg
- HCO_3^- 20 mEq/L

① 흡인
② 반좌위
③ 심호흡
④ 체위배액
⑤ 인공호흡기

013 기출 18

늑막천자 시행 후 pH 7.25, $PaCO_2$ 50, HCO_3^- 26, PaO_2 60 환자의 상태는?

① 대사성 산증
② 호흡성 산증
③ 산–염기 정상
④ 대사성 알칼리증
⑤ 호흡성 알칼리증

014 기출 15

급성천식발작을 일으키고 있는 환자에게 가장 먼저 투약해야 하는 약물은?

① Morphine
② Lidocaine
③ Dopamine
④ Nitroglycerine
⑤ Aminophylline

015 기출 20

흉관배액관을 적용 중인 환자의 배액관에서 갑작스레 파동이 관찰되지 않을 때 가장 먼저 수행해야 할 간호중재는?

① 배액관을 잠근다.
② 환자의 자세를 변경한다.
③ 배액관에 증류수 넣어본다.
④ 환자에게 산소를 투여한다.
⑤ 심장위치로 배액관을 들어본다.

016

다음 중 폐색전 환자에게 나타날 수 있는 병태생리적 특징에 해당되는 것은?

① 심박출량이 증가한다.
② 폐동맥압이 감소한다.
③ 우심실 부전이 발생한다.
④ 폐혈관의 저항이 감소한다.
⑤ 환기에 비해 관류가 증가한다.

017

심한 기흉으로 종격동 변위가 의심되는 환자의 변위여부 확인법은?

① X–ray
② 폐스캔
③ ABGA
④ 전해질 검사
⑤ 산소포화도 측정

018 기출 21

혈흉으로 인해 호흡곤란이 있다. 이 환자의 증상으로 옳은 것은?

① 혈압 상승

② 맥박 감소

③ 종격동 변위

④ 타진 시 과공명음

⑤ 청진 시 폐음 증가

019 기출 15

전후두절제술 후 기관절개관을 가진 환자에게 퇴원교육으로 옳은 것은?

① 흡인간호를 규칙적으로 한다.

② 가습기를 사용하여 습도를 조절한다.

③ 개구부 세척 시 비누는 사용하지 않는다.

④ 호흡곤란 시 구강-구강 호흡법을 적용한다.

⑤ 개구부는 덮지 않고 수시로 상태를 확인한다.

020

폐색전증으로 항응고제를 복용하는 환자에게 교육할 내용으로 옳은 것은?

① 조이는 옷을 입는다.

② 복위를 취하게 한다.

③ 아스피린을 복용한다.

④ 혈액순환을 위해 장시간 서 있는다.

⑤ 외상을 방지하기 위해 거친 운동은 삼간다.

021 기출 21

우심부전으로 중심정맥압이 20 cmH$_2$O인 환자의 증상으로 옳은 것은?

① 기좌호흡

② 문맥압 하강

③ 경정맥 울혈

④ 체인-스토크스호흡

⑤ 발작성 야간 호흡곤란

022 기출 16

다음 중 전부하를 감소시키는 방법으로 옳은 것은?

① 수액공급

② 저염식이

③ 혈관이완제 투여

④ 에피네프린 투여

⑤ 칼슘차단제 투여

023 기출 21

폐수종 환자에서 '가스교환장애' 간호진단 시 우선적 간호로 적절한 것은?

① 흡인

② 체위배액

③ 조기이상

④ 기관절개 준비

⑤ 고농도 산소공급

024

흉골 아래에 찌르는 듯한 통증이 어깨와 목으로 방사되는 환자의 진단검사로 옳은 것은?

① X-ray
② ABGA
③ 동맥혈검사
④ 산소포화도
⑤ 12유도 심전도

025

급성 심근경색 환자의 퇴원교육 내용으로 적절한 것은?

① 흡연량을 줄인다.
② 고단백 · 고열량 식이를 섭취한다.
③ 처방된 운동법을 규칙적으로 이행한다.
④ 어유(fish oil) 섭취는 반드시 금지된다.
⑤ 커피나 초콜릿 등 카페인 섭취를 증가시키도록 한다.

026 기출 15

경피관상동맥 수술 후 "수술이 성공적이었으니 이제 안심하고 살 수 있겠네요."라고 말하는 환자에게 간호사가 해야 할 말로 적절한 것은?

① "앞으로 5년간은 안전합니다."
② "수술 후 부작용은 없습니다."
③ "약만 잘 먹는다면 괜찮습니다."
④ "생활습관 개선과 증상의 관리를 지속해야 합니다."
⑤ "신장으로의 혈관이식 시행 전까지는 완치되지 않습니다."

027 기출 21

급성 심근경색 환자에게 tissue plasminogen activator (t-PA)를 투약하는 이유는?

① 항응고
② 혈전용해
③ 혈관이완
④ 혈액 점성 감소
⑤ 지질 감소

028 기출 18, 21

심전도상 다음과 같은 그래프가 나타났다. 그래프가 암시하는 것은?

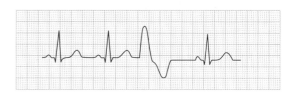

① 동성서맥
② 심실빈맥
③ 1도 방실차단
④ 조기심방수축
⑤ 조기심실수축

029

다음 중 대동맥 판막 폐쇄부전증의 특징으로 옳은 것은?

① 기좌호흡
② 맥압 감소
③ 심실 위축
④ 폐모세관압 저하
⑤ 특징적 증상 없음

030

건강상에 문제가 없던 45세의 남성이 건강검진을 받았는데, 결과가 다음과 같다. 보기 중 고혈압 약물 중재를 실시해야 하는 경우는?

- 혈압 135/85 mmHg
- 흡연량: 담배 하루 1갑
- 알코올 섭취량: 소주 1주일 3병
- 최근 직장업무로 상당한 압박감을 느끼고 있음

① 운동부하 검사 후
② 혈압측정 후 현기증을 느낄 때
③ 고혈압 합병증이 나타나는 경우
④ 두 번 측정 시 혈압이 140/90 mmHg 이상일 때
⑤ 생활양식 교정 후에도 목표혈압에 도달하지 못하였을 때

031

복부대동맥 수술 후 다음과 같은 증상을 보였다. 환자의 상태로 적합한 것은?

- 왼쪽 하지의 냉감, 부종, 통증
- 왼쪽 발의 감각 저하
- 시간당 소변량 60 ml

① 감염 위험
② 출혈 위험
③ 사회적 고립
④ 피부통합성 장애
⑤ 말초혈관관류 저하

032 기출 20

백내장 환자의 낭외 백내장 적출술 후 간호로 옳은 것은?

① 기침과 재채기를 하도록 한다.
② 배변 시 힘을 주지 않게 한다.
③ 머리를 아래로 둔 자세를 취한다.
④ 수술한 부위를 아래로 하여 눕는다.
⑤ 치유정도를 확인하기 위해 눈을 수시로 확인한다.

033

다음 중 저프로트롬빈혈증의 원인은 무엇인가?

① 위궤양
② 담관폐쇄
③ 담즙산염 과다
④ 간의 혈색소 대사
⑤ Vit. K의 과다 복용

034

다음 중 흉부물리요법 시행에 관해 옳은 내용은?

① 체위배액 중 기침을 하게 한다.
② 식후에 실시하는 것이 효과적이다.
③ 척추, 흉골 부위를 두드려주면 도움이 된다.
④ 환자가 불편감을 호소하여도 되도록 자세를 유지하도록 한다.
⑤ 외부에서 가하는 진동에 의해 분비물을 이동하게 하는 것이 주된 원리이다.

035 기출 19

간경변 환자에서 간성혼수의 악화를 방지하기 위한 간호중재로 알맞은 것은?

① 변비를 예방한다.
② 고염식이를 제공한다.
③ 고단백식이를 제공한다.
④ 와파린을 지속적으로 투여한다.
⑤ 아스피린 섭취량을 증가시키도록 한다.

036 기출 16, 17, 18, 19

부분 위절제술 후 어지러움, 발한, 오심, 구토 등의 증상이 나타난 환자에 대한 간호중재로 알맞은 것은?

① 고단백식을 제공한다.
② 고탄수화물식을 제공한다.
③ 식후에 앙와위를 취해준다.
④ 식사 중간에 수분섭취를 격려한다.
⑤ 식사 횟수는 하루 3번으로 제한한다.

037

다음 중 십이지장 궤양의 특징인 것은?

① 구토 후 완화한다.
② 식후 복통이 나타난다.
③ 제산제 투여 시 완화한다.
④ 점막 방어능력 결함이 원인이다.
⑤ 좌측 상복부에 타는 듯한 통증이 나타난다.

038 기출 21

응급실에 내원한 환자가 다음의 증상을 호소할 때 예상할 수 있는 환자의 질병은?

- 혈액 섞인 소변, 악취 나는 탁한 소변
- 늑골척추각 압통 및 옆구리 통증

① 방광염
② 신부전증
③ 신증후군
④ 급성 신우신염
⑤ 급성 사구체신염

039 기출 19

완화(remission) 항암화학요법을 받고 있는 백혈병 환자의 감염예방을 위한 간호중재로 알맞은 것은?

① 유치도뇨관을 적용한다.
② 직장으로 체온을 측정한다.
③ 방문객들을 제한하지 않는다.
④ 철저한 손 씻기에 대해 교육한다.
⑤ 신선한 과일과 야채를 섭취하게 한다.

040 기출 20

용혈성 빈혈환자에게 나타날 수 있는 증상은?

① Schilling test 양성이다.
② 빌리루빈 수치가 높다.
③ 비장의 크기가 작아진다.
④ 거대적아구(megaloblast)가 형성된다.
⑤ RBC 크기가 작고 혈색소 침착도 적다.

041 기출 21

궤양성 대장염 완화를 위해 sulfasalazine을 사용하였다. 이때 부족해질 수 있는 영양소는?

① 철분
② 칼슘
③ 엽산
④ Vit. C
⑤ Vit. B$_1$

042 기출 19

다음과 같은 증상을 보이는 질환은?

> 65세 남성 환자가 전날 과식과 과음을 한 후 복부 팽만, 좌측 하복부 통증과 열을 호소하여 내원하였다. 간호사정 시 대상자는 평소에도 과식을 즐기며, 수년간 게실염을 앓아온 것으로 확인되었다.

① 크론병
② 장 게실염
③ 소화성 궤양
④ 서혜부 탈장
⑤ 궤양성 대장염

043 기출 19, 20

A형 간염 전파경로 차단을 위한 관련 내용으로 옳은 것은?

① 예방접종은 없다.
② 체액감염을 통해서 전파된다.
③ 분변-경구 경로이므로 손을 잘 씻는다.
④ 피부감염이므로 감염자와 접촉하지 않는다.
⑤ 성접촉을 통해 전파되므로 성접촉 시 콘돔을 사용한다.

044 기출 16

췌장(이자)염 환자에게 췌장효소를 투여한 후, 그 효과를 관찰하기 위해 무엇을 확인해야 하는가?

① 황달
② 혈압
③ 피부색
④ 소변색
⑤ 지방변

045

심한 황달을 호소하는 대상자에게 황달의 상태 및 원인을 찾기 위해 확인해야 할 임상 수치로 옳은 것은?

① 혈당
② 빌리루빈
③ 아밀라아제
④ 헤마토크릿
⑤ 크레아티닌

046 기출 15

경피적 간담관조영술을 시행 시, 조영제와 관련해 확인해야 하는 증상은?

① 혈압
② 맥박
③ 체온
④ PTT
⑤ 요오드 알레르기

047 기출 21

식도정맥류에서 출혈을 완화하기 위해 식도풍선을 사용하였다. 이때의 간호로 옳은 것은?

① 기침을 격려한다.
② 24시간 동안 풍선을 부풀린다.
③ 수술 부위 출혈 여부는 관련이 없다.
④ 따뜻한 식염수로 인후를 자주 가글한다.
⑤ 흡인을 막기 위해 구강의 분비물을 제거한다.

048

다음 중 방사선요법을 받는 환자에게 시행해야 할 교육으로 옳은 것은?

① 피부를 건조하게 유지한다.
② 치료 부위를 비누와 물로 씻는다.
③ 치료 부위를 태양광에 노출시킨다.
④ 피부에 표시된 그림을 지우도록 한다.
⑤ 피부가 너무 건조하면 물기를 말리고 로션을 바른다.

049 기출 17

방광적출술 후 요로전환술을 받은 환자의 인공루 주위 피부 간호중재로 옳은 것은?

① 매일 씻고 건조시킨다.
② 매일 피부 주위를 드레싱한다.
③ 배뇨주머니는 매일 교환한다.
④ 피부 주위에 온찜질을 적용한다.
⑤ 배뇨주머니를 인공루에 꼭 맞게 부착한다.

050 기출 20

지속외래복막투석(continuos ambulatory peritoneal dialysis, CAPD)을 받고 있는 환자가 미열과 둔한 복통을 호소할 시 사정해야 하는 것은?

① 투석액의 농도
② 투석액의 색깔
③ 투석경과 시간
④ 항응고제의 부작용
⑤ 투석 시 저혈압 발생 여부

051

경피적 신장생검 환자의 간호로 옳은 것은?

① 생검 후 24시간 동안 좌위를 취한다.
② 생검 후 24시간 동안 수분을 제한한다.
③ 생검 후 신경증상을 수시로 관찰한다.
④ 생검 후 4시간 동안 기침과 심호흡을 격려한다.
⑤ 생검을 한 동안에는 척추를 고정하고 엎드려 있는다.

052 기출 18

갑작스럽게 눈앞에 커튼을 친 것 같은 느낌을 받으며 번쩍이는 섬광이 보인다고 호소하는 환자의 질환을 유추한 것으로 옳은 것은?

① 백내장
② 결막염
③ 망막박리
④ 폐쇄성 협우각 녹내장
⑤ 개방성 광우각 녹내장

053

왼쪽 신장이 손상된 환자에게 육안으로도 혈뇨가 확인 되었을 때 우선적으로 해야 할 간호중재로 옳은 것은?

① 조기이상 격려
② 침상안정 권장
③ 수분섭취 격려
④ 수액공급 적용
⑤ Valsalva 수기 시행

054

양성전립선비대증이 의심되는 환자에게 우선적으로 적용할 수 있는 검사방법은?

① PSA 검사
② X-ray 검사
③ ABGA 검사
④ 직장수지검사
⑤ 전해질 수치 검사

055 기출 15

제3뇌신경의 검사 방법으로 옳은 것은?

① 각막검사
② 안구외전검사
③ 동공수축검사
④ 저작기능검사
⑤ 침삼킴 확인검사

056

경피레이저 요추간판감압술을 받은 당일 금기사항으로 옳은 것은?

① 앙와위
② 화장실 가기
③ 병동내 산책
④ 침대에 누워서 책 읽기
⑤ 의자에 앉아서 TV보기

057 기출 20

Digoxin 투여 중인 환자에게 이뇨제 사용 시 확인해야 할 것은 무엇인가?

① 저혈압
② 저칼륨혈증
③ 고칼슘혈증
④ 고칼륨혈증
⑤ 저마그네슘혈증

058 기출 21

두부외상으로 인한 의식손실 발생했을 때 가장 먼저 취해야 할 간호중재는?

① 흡인
② 재세동
③ 기도개방
④ 산소공급
⑤ 체위변경

059

뇌종양으로 인한 두개수술 실시 후 옳지 <u>않은</u> 간호는?

① 수술부위로 눕는다.
② 활력징후를 측정한다.
③ 반사신경을 확인한다.
④ 의식상태를 사정한다.
⑤ 섭취량, 배설량을 확인한다.

060 기출 21

척추손상으로 자율신경반사가 소실되었을 때 제일 먼저 확인할 것은?

① 방광팽만
② 사지감각
③ 심장박동
④ 소화기능
⑤ 인지기능

061 기출 17

갑상샘 기능저하증의 증상 및 징후로 옳은 것은?

① 열에 민감하다.
② 연동운동이 감소된다.
③ Homan's sign 양성이다.
④ 피부가 따뜻하고 부드럽다.
⑤ 장시간 집중력이 유지된다.

062

교통사고로 인해 하반신이 마비된 환자의 재활 시 간호목표로 적절한 것은?

① 환자의 신체가 사고 이전의 기능을 되찾는다.
② 환자의 생활을 쾌적하게 만드는 물건을 개발한다.
③ 환자의 가족이 환자의 생활이 불편하지 않도록 생활 전반에서 도와준다.
④ 환자가 최소한의 도움으로 일상생활 활동을 수행해 나갈 수 있도록 교육한다.
⑤ 환자는 자신의 생활을 결정할 능력이 없으므로 간호사가 모든 결정을 대리한다.

063 기출 17

쿠싱증후군 환자의 재활교육 시 가장 중요한 것은?

① 고열량식이를 한다.
② 저단백식이를 한다.
③ 수분섭취를 권장한다.
④ 칼륨섭취를 제한한다.
⑤ 감염된 사람과 접촉하지 않는다.

064 기출 21

갑상샘 절제술 후 활력징후가 중요한 이유는 무엇인가?

① 테타니 반응이 유발되는지 확인하기 위함이다.
② 갑상선의 기능이 신진대사와 관련 있기 때문이다.
③ 합병증으로 인해 안구돌출 등의 위험성이 높기 때문이다.
④ 수술 부위가 호흡기계와 가깝고 출혈의 가능성이 높기 때문이다.
⑤ 고칼슘혈증으로 인해 치명적인 결과가 나타날 수 있기 때문이다.

065 기출 15

한쪽 부신절제술을 받은 환자가 퇴원을 앞두고 있다. 코티솔 약물 복용에 대해 묻는 경우 가장 적절한 답변은?

① "수술 후 1~2일만 복용합니다."
② "복용을 잊을 경우 즉시 2배 용량을 복용합니다."
③ "스트레스가 많을 때에는 약물 복용을 중단해야 합니다."
④ "한쪽 부신을 절제했으므로 평생 약물을 복용해야 합니다."
⑤ "수술하지 않은 쪽 부신이 충분한 역할을 할 때까지만 약물을 복용합니다."

066

고혈당성 고삼투성 증후군 환자에게 적절한 간호중재는?

① 칼슘을 주입한다.
② 증류수를 투여한다.
③ 설탕물을 제공한다.
④ 인슐린을 투여한다.
⑤ 활동적인 운동을 권장한다.

067 기출 15

난청 환자에게 Weber test를 실시하였다. 환자가 환측 귀에서 더 잘 들린다고 응답한 경우, 어떤 질환을 예상할 수 있는가?

① 노인성 난청
② 전도성 난청
③ 확장성 난청
④ 소실성 난청
⑤ 감각신경성 난청

068

대상자가 현훈과 어지럼증을 호소하여 전정기관의 기능을 사정하려 한다. 다음 중 적절한 검사는 무엇인가?

① Rinne test
② Weber test
③ Caloric test
④ Whisper test
⑤ Transillumination test

069 기출 16

당뇨 환자의 발 관리에 대한 사항으로 옳은 것은?

① 발톱은 둥글게 다듬는다.
② 환자에게 매일 발을 관리하도록 한다.
③ 신발이 헐겁지 않도록 꽉 끼는 신발을 권장한다.
④ 말초의 혈액순환이 원활하도록 슬리퍼형태의 신발을 권장한다.
⑤ 굳은 살이 생긴 경우 즉시 날카로운 도구를 이용해 제거하도록 한다.

070

다음 중 피부 편평상피세포암을 정기적으로 검사해야 할 가능성이 가장 높은 사람은?

① 프로 골퍼
② 대형마트 점원
③ 냉장고 수리기사
④ 국가대표 수영선수
⑤ 자동차 생산직 근로자

071

여성건강간호의 관점으로 올바른 것은?

① 임신부의 산전관리를 한다.
② 여성의 출산과 신생아에 초점을 둔다.
③ 여성생식기의 질병, 초경, 사춘기, 폐경에 관한 관리를 한다.
④ 여성이 자신의 건강문제에 관심을 가지고 스스로 결정하고 해결할 수 있다.
⑤ 임산부, 신생아 및 가족이 임신과 출산으로 인한 새로운 변화에 잘 적응하도록 돕는다.

072

자궁인대 중 경부에서 소음순까지 연결되어 전경을 유지하는 인대로 옳은 것은?

① 기인대
② 광인대
③ 원인대
④ 십자인대
⑤ 자궁천골인대

073

가임기 여성의 배란기의 특징으로 옳은 것은?

① 체온이 지속적으로 상승한다.
② 월경주기 4일에 배란이 이루어진다.
③ 프로게스테론의 농도가 최고에 달한다.
④ 에스트로겐이 FSH에 의해 농도가 낮아진다.
⑤ 자궁경관 점액의 견사성이 최고에 다다른다.

074

자궁경부암 백신과 관련된 것은?

① 임균
② HIV
③ 간염바이러스
④ 단순포진바이러스
⑤ 사람유두종바이러스

075

유방자가검진 시 방법으로 옳은 것은?

① 6개월에 한 번씩 시행한다.
② 샤워하면서 검사할 수 없다.
③ 월경이 끝나고 즉시 시행한다.
④ 유즙 분비물 확인은 임산부만 실시한다.
⑤ 시진으로 유방의 피부, 대칭성, 크기, 함몰 여부 등을 확인한다.

076 `기출 19`

다음은 결혼 후 2년 동안 임신이 안 되어 난임 클리닉을 방문한 대상자에게 남편이 받은 정액을 검사한 결과이다. 검사 결과에 대한 해석으로 옳은 것은?

- 정액량: 2.0 ml
- 정자 수: 51,000,000개/ml
- 정상 형태 정자의 비율: 50%
- 운동성 정자의 비율: 75%

① 정상 소견
② 정액량 부족
③ 운동성 정자의 비율이 낮음
④ 정상 형태 정자의 비율이 낮음
⑤ 정자부족증

077 기출 20

임신 30주 산모는 태아 하강감과 골반 압박감 및 조기 진통으로 분만실에 입원하였다. 태아의 폐성숙을 촉진하기 위해 투여하는 약물은?

① 리토드린
② 니페디핀
③ 인도메타신
④ 베타메타손
⑤ 마그네슘황산염

078

임신 중 변비의 원인으로 옳은 것은?

① 장의 수분 흡수 감소
② 회음부 열상으로 인한 방광팽만
③ 프로락틴에 의한 지방소화 감소
④ 에스트로겐에 의한 소화능력의 감소
⑤ 프로게스테론의 의한 연동운동 감소

079 기출 21

임신 중 내분비계 변화로 옳은 것은?

① 프로락틴의 분비가 감소한다.
② 프로게스테론 분비가 증가한다.
③ 난포자극 호르몬의 분비가 증가한다.
④ 태반락토젠은 임신 초기에 최대로 상승한다.
⑤ hCG 호르몬이 임신 말기에는 최대로 상승한다.

080 기출 15, 18, 19, 20

임신 24주차 여성이 검사를 위해 포도당 50 g을 복용한 후 혈액검사를 시행하였다. 이때 혈당이 140으로 나왔을 경우 어떤 검사를 추가적으로 시행해야 하는가?

① 질 내진
② 양수검사
③ 소변검사
④ 초음파 검사
⑤ 100 g 당부하 검사

081 기출 19

임신한 경험이 없는 Rh− 여자가 임신 8주를 확인 받았다. 배우자가 Rh+인 경우 적절한 중재는?

① 임신 중 주기적으로 수혈을 한다.
② 임신 중기에 태아 교환수혈을 한다.
③ 임신 중 주기적으로 혈액량을 확인한다.
④ 모체의 건강을 위해 치료적 유산을 권장한다.
⑤ 임신 28주에 예방적으로 면역글로불린을 투여한다.

082 기출 11, 15

당뇨병을 앓는 임산부에게서 인슐린 요구량이 증가하기 시작하는 시기는?

① 임신 1기
② 임신 2기
③ 임신 3기
④ 분만 1기
⑤ 출산 후(산욕기)

083 기출 11, 17

임신 34주인 산모는 두통이 심하고 얼굴과 손이 쉽게 부어 입원하였다. 혈압은 오전 9시에 160/110 mmHg, 오후 3시에 165/120 mmHg이고, 단백뇨는 3$^+$이다. MgSO$_4$ 투약을 시작한 산모에게 적절한 간호중재는?

① 저단백, 저나트륨식이를 제공한다.
② 부종을 완화하기 위해 운동을 격려한다.
③ 혈압을 낮추기 위해 Methergine을 투여한다.
④ MgSO$_4$ 독성반응 시 사용할 수 있도록 Kayexalate를 준비해 둔다.
⑤ 저혈압, 슬개건반사 감소, 호흡수 감소, 핍뇨가 나타나는지 사정한다.

084 기출 19

임신 중 프로스타글란딘의 역할은 무엇인가?

① 자궁 비대
② 자궁 수축
③ 모유 생산
④ 임신 유지
⑤ 자궁경관 숙성 억제

085 기출 11, 13, 15

출산 7일 후 산모의 상태로 비정상적인 것은?

① 적색 오로
② 야간의 당뇨가 보임
③ 밤에 땀을 많이 흘림
④ 자궁 무게가 약 500 g
⑤ 촉지 시 자궁이 느껴짐

086 기출 16, 18, 20

분만 12시간 후 임부가 배꼽에서 딱딱한 것이 느껴진다고 호소할 때의 반응으로 알맞은 것은?

① "즉시 수술이 필요한 상황입니다."
② "정상이지만 자궁수축 봐드릴게요."
③ "질 검진을 위해 의사선생님을 불러드릴게요."
④ "자궁수축이 지연되었으니 자궁수축제를 투여할게요."
⑤ "경산모의 경우 자궁수축이 지연될 수 있으니 괜찮아요."

087 기출 15

심장질환 산모가 출산 시 가장 주의해야 할 점은?

① 회음절개를 하지 않는다.
② 진통제를 사용하지 않는다.
③ 수액 주입 속도를 증가시킨다.
④ 힘을 최대한 주지 않도록 한다.
⑤ 분만 시 트렌델렌부르크 체위를 취한다.

088 기출 15, 20

산모가 분만 중 자연스럽게 힘이 주어진다고 한다. 이때의 간호중재는?

① Demerol을 투여한다.
② 느린 흉식 호흡을 진행한다.
③ 자궁수축 시 ergot를 투여한다.
④ 힘이 주어지지 않을 때에도 힘을 주도록 한다.
⑤ 숨을 내쉬면서 천천히 아래쪽으로 힘을 주도록 한다.

089 기출 15, 18

심음측정 결과 태아곤란증(fetal distress)으로 판단될 때, 우선적인 중재는?

① 침상 발치를 내린다.
② 옥시토신을 투여한다.
③ 유도분만을 진행한다.
④ 제왕절개 준비를 한다.
⑤ 산모에게 좌측위를 취하도록 한다.

090 기출 16, 17, 18, 20

레오폴드 촉진법을 사용한 결과 산모의 왼쪽 앞 골반에서 태아의 후두가 만져졌다. 태아의 태향은?

① OP (후방후두위)
② LOA (좌전방두정위)
③ ROA (우전방두정위)
④ LOP (좌후방두정위)
⑤ ROP (우후방두정위)

091 기출 15, 16, 17, 19

임신 30주인 산모가 진통을 호소하였다. 리토드린(Ritodrine)을 투여하였는데. 이때 주의해서 관찰해야 할 산모의 증상은?

① 질 출혈
② 맥박 증가
③ 호흡 증가
④ 혈압 증가
⑤ 슬개반사 저하

092 기출 12, 19, 20

임신 33주의 태아발달로 알맞은 것은?

① 고환이 음낭에 완전 하강한다.
② 아직 성 감별은 완전하지 않다.
③ 계면활성제가 형성되기 시작한다.
④ L/S 비율이 2:1이다.
⑤ 솜털과 태지가 형성되기 시작한다.

093 기출 13, 17, 20, 21

40주 산모가 20시간째 진통 중이다. 내진 결과 경부개대 3 cm, 소실 50%이며 자궁수축이 10~20분 간격으로 20~30초간 진행되는 상태라면, 적절한 간호는?

① 흡인분만을 진행한다.
② 겸자분만을 진행한다.
③ 제왕절개를 시행한다.
④ 옥시토신을 투여한다.
⑤ 옥시토신 부하검사를 진행한다.

094

노인성 질염 시 알맞은 중재는?

① 금욕
② 히스타민 투여
③ 초산수로 질 세척
④ 스테로이드제 투여
⑤ 에스트로겐 질정 투여

095 기출 15

다음 중 임신한 여성에게 가능한 예방접종은?

① 풍진
② 홍역
③ 수두
④ 파상풍
⑤ 유행성이하선염

096 기출 18

임산부가 제대탈출로 제대가 외부로 노출되어 내원하였을 때 가장 올바른 중재는?

① 분만준비를 한다.
② 산소를 공급한다.
③ 제대를 밀어 넣는다.
④ 활력징후를 측정한다.
⑤ 생리식염수를 적신 거즈로 덮는다.

097 기출 15, 20

여성이 하강감과 함께 힘이 밑으로 향한다고 호소할 때 가장 필요한 중재는?

① 걷도록 한다.
② 산모의 기도를 유지한다.
③ 개대와 소실 정도를 파악한다.
④ Pelvic rocking을 실시하도록 한다.
⑤ 수축 시 힘을 주면서 길게 호흡한다.

098 기출 15

질 출혈과 함께 심한 복통을 호소하고 자궁저부가 딱딱하게 만져지는 산모에게 필요한 간호중재는?

① 통목욕을 시행한다.
② 회음 패드를 대준다.
③ 태아 심음을 확인한다.
④ 강하게 압박하듯이 누른다.
⑤ 오로를 세척하고 음부를 깨끗이 한다.

099

모유수유 중인 여성이 피임에 관하여 물어보았을 때 그 대답으로 적절한 것은?

① "모유수유의 경우 1년은 배란이 억제되므로 안심하셔도 됩니다."
② "모유수유를 하지 않는 여성보다 피임에 신경을 덜 쓰셔도 됩니다."
③ "수유여부와 상관없이 분만 후 1달부터 월경을 시작하니 피임법을 사용하세요."
④ "월경을 하지 않더라도 배란의 가능성이 있으므로 피임을 하는 것이 좋습니다."
⑤ "모유수유의 경우 배란과 월경이 억제되므로 그 기간에는 피임을 하지 않으셔도 됩니다."

100 기출 21

임신 40주 초산부에게 진통을 완화하기 위해 경막외마취로 약물을 주입하고 있다. 경관이 완전개대되었으나 적절한 힘주기를 하지 못하여 흡입분만을 하기로 하였다. 흡입분만의 적응증으로 옳은 것은?

① 둔위
② 안면위
③ 급속분만
④ 분만 2기 지연
⑤ 아두골반불균형

101 기출 14, 15, 18

자궁의 상행성 감염을 막고, 오로배출을 신속하게 하기 위한 자세는?

① 복위
② 앙와위
③ 좌측위
④ 반좌위
⑤ 슬흉위

102 기출 15, 19, 20

성폭력을 당하고 상담소에 온 여성에게 필요한 간호는?

① 즉시 자궁내막 소파술을 실시한다.
② 비판적이지 않은 태도로 지지해준다.
③ 깔끔한 상태에서 채취하기 위해 질 세척을 한다.
④ 증거자료를 모을 때에는 피해자의 동의가 필요하지 않다.
⑤ 임신 검사에서 양성이 나올 경우에 응급피임약을 투약한다.

103 기출 12, 16

Pap smear 후 질경 검사로 질 확대 시 준비해야 할 용액은?

① 초산
② 붕산수
④ 75% 알코올
④ 과산화수소수
⑤ 0.5% chlorhexidine

104 기출 15, 17, 18, 21

월경 전 며칠 동안 일상생활에 지장을 주는 신체·정서적 증상이 나타나는 것을 무엇이라고 하는가?

① 월경곤란증
② 세균성 질염
③ 월경전증후군
④ 골반염증성 질환
⑤ 자궁경관 무력증

105 기출 13, 14

다음 중 임신 중 심맥관계의 변화로 알맞은 것은?

① 심박출량이 감소하며 임신 중기 말에 가장 낮다.
② 임신이 진행될수록 다리(하지)의 정맥압은 낮아진다.
③ 혈액량이 증가하며 주로 혈장의 증가로 빈혈이 나타난다.
④ 임신 20주 이후 혈압이 상승하는 것이 정상적인 반응이다.
⑤ 혈압은 체위에 따라 다르며 바로누움(앙와위)는 고혈압을 초래한다.

3회 2교시

문항별 상세 풀이

아동간호학

001 기출 21

2개월 유아에게 경구 투약을 할 때 간호중재는?

① "약을 먹지 않으면 주사를 맞을 거야."
② "사탕 좋아하니? 맛있는 사탕 먹어보자."
③ "약을 꼭 먹어야 해. 안 그러면 집에 못 갈 거야."
④ "옆 침대 아기도 이 약 먹었어. 언니가 참고 먹어야지."
⑤ "약 먹을 시간이야. 의자에 앉아서 먹을래? 침대에 앉아서 먹을래?"

002

아동의 낙상사고 예방방법으로 옳은 것은?

① 억제대를 적용한다.
② 장난감을 침상 옆 선반에 둔다.
③ 석고붕대를 할 것이라고 경고한다.
④ 침대 위에서 뛰지 말라고 교육한다.
⑤ 침대 난간 높이를 보호자 허리에 닿을 정도로 한다.

003 기출 15

구토 증세를 보여 내원한 영아에게 외관상 문제는 없었으나 영상검사 시 지주막하출혈, 경막하출혈이 확인되었다. 예상되는 질환은 무엇인가?

① 수두증
② 뇌수막염
③ 미숙아 망막증
④ 저산소성 뇌손상
⑤ 흔들린아이증후군

004 기출 16, 18, 20

다음 중 찰흙이 줄 모양에서 공 모양으로 바뀌어도 기본 성질은 변하지 않는다는 개념이 생기는 시기로 옳은 것은?

① 전개념기
② 전조작기
③ 감각적운동기
④ 구체적 조작기
⑤ 형식적 조작기

005 기출 20

다음 중 남근기 아동이 입원 시 질병과 죽음에 대해 느끼는 바로 가장 적절한 것은?

① 통증에 대해 크게 걱정하지 않는다.
② 죽음이 다가올까봐 극도로 공포심을 느낀다.
③ 질병이 마술로 고쳐지지 않는다는 것을 깨닫는다.
④ 죽음이 비가역적이고 영구적인 분리임을 이해한다.
⑤ 질병은 죄를 지었기 때문에 받는 벌이라고 생각한다.

006 기출 20

신생아 목욕 방법에 대한 설명으로 옳은 것은?

① 생식기를 먼저 씻긴다.
② 하루에 2~3회 씻긴다.
③ 30분 이상 충분히 씻긴다.
④ 물의 온도는 42 °C가 적당하다.
⑤ 피부와 산성막을 보호하기 위해 물로 씻긴다.

007 기출 15, 20

덴버II 발달검사 결과, 언어발달 영역에서 '주의' 항목이 1개 있고, 나머지 영역은 모두 정상일 때 부모에게 교육할 내용은?

① 1~2주 내에 재검사를 하도록 권유한다.

② 정상적인 성장발달 범위에 있다고 알려 준다.

③ 향후 학습 능력지연이 있을 수 있음을 알려 준다.

④ '주의' 항목은 아동이 검사를 거부한 것임을 알려 준다.

⑤ 언어장애가 있으니 언어발달클리닉에 방문할 것을 권유한다.

008 기출 17, 18, 19, 20

아동의 발달원리로 옳은 것은?

① 말초에서 중심으로 발달한다.

② 팔다리에 몸통으로 발달한다.

③ 기관별로 가장 최적의 시기가 있다.

④ 발달속도는 다르나 발달비율이 똑같다.

⑤ 복잡한 동작에서 단순한 행동으로 발달한다.

009 기출 15, 18

신생아의 감각기능에 대한 설명으로 옳은 것은?

① 단맛과 쓴맛을 구별할 수 없다.

② 엄마와 다른 여자의 얼굴을 구별할 수 있다.

③ 엄마와 낯선 사람의 목소리를 구별할 수 없다.

④ 1.5 m 높이의 모빌에 눈의 초점을 맞출 수 있다.

⑤ 엄마와 다른 산모의 모유 냄새를 구별할 수 있다.

010 기출 20

건강문제 없이 만삭으로 출생한 신생아에게 나타나는 비정상적인 피부 증상은?

① 얼굴에 생긴 땀띠

② 손과 발의 말단 청색증

③ 가슴에 나타나는 중독성 홍반

④ 눈 주위에 생긴 포도주색 반점

⑤ 이마에서 치골까지의 할리퀸 색조변화

011 기출 15, 20

황달로 광선요법을 받는 신생아에 대한 간호로 적절한 것은?

① 망막을 보호하기 위해 불투명 안대를 착용한다.

② 체온 조절을 위해 광선은 국소적으로 사용한다.

③ 열 상실을 최소화하기 위해 체위는 변경하지 않는다.

④ 피부를 보호하기 위해 로션이나 지용성 윤활제를 바른다.

⑤ 수유하는 동안에는 광선을 켜고 안대를 벗겨 시각자극을 제공한다.

012 기출 21

미숙아의 신체적 특성은?

① 솜털이 많다.

② 피하지방이 많다.

③ 귀연골이 탄력적이다.

④ 굴곡된 자세를 유지한다.

⑤ 음낭에 깊은 주름이 있다.

013 기출 15, 16, 17

신생아의 선천성 대사이상 질환 중 아미노산 대사장애로 상염색체 열성 유전에 의한 질환은?

① 단풍당뇨증
② 페닐케톤뇨증
③ 호모시스틴뇨증
④ 갈락토오즈혈증
⑤ 갑상선기능저하증

014 기출 15, 18, 20

아동에게 digitalis를 투여하기 전후에 해야 하는 중재로 적절한 것은?

① 호흡을 사정한다.
② 반좌위를 취해준다.
③ 심첨맥박을 사정한다.
④ 직장체온을 사정한다.
⑤ 혈중 산소농도를 사정한다.

015 기출 19, 20, 21

건강한 남아가 갑자기 배가 아프다고 자지러지게 울고, 담즙이 섞인 구토를 하며, 혈액과 점액이 섞인 젤리모양의 변을 볼 때 의심되는 질환은?

① 유분증
② 영아산통
③ 장중첩증
④ 유문협착증
⑤ 선천성거대결장

016 기출 20

활동성 결핵인 아동에 대한 중재로 적절한 것은?

① 병실 내 양압을 유지한다.
② 절대적으로 침상안정을 취한다.
③ 저열량, 저단백식이를 제공한다.
④ 증상이 사라지면 약물을 중단한다.
⑤ 손 씻기를 철저히 하며 타인과 접촉 시 마스크를 착용한다.

017 기출 17

신생아가 성인에 비해 단위면적당 열손실이 큰 이유로 적절한 것은?

① 열손실이 적다.
② 체표면적이 넓다.
③ 불감성 소실이 적다.
④ 신장 기능이 증가되어 있다.
⑤ 항이뇨호르몬의 분비가 많다.

018 기출 16, 17, 19, 20, 21

생후 6개월된 영아의 성장발달로 옳은 것은?

① 혼자 일어선다.
② 2개의 적목을 쌓는다.
③ 양방향으로 몸을 뒤집는다.
④ 배를 땅에서 떼고 기어간다.
⑤ 엄지와 검지로 건포도를 집는다.

019 기출 19

기저질환이 없고 정기적으로 예방접종을 받은 영아가 생후 12개월 때 받아야 할 접종은?

① MMR
② DTaP
③ B형 간염
④ 뇌수막염
⑤ 뇌성마비

020 기출 20

영아의 대상영속성을 높이기 위한 놀이 방법은?

① 공을 굴려서 잡는 놀이를 한다.
② 모양블록 끼워넣기 놀이를 한다.
③ 수건을 사용하여 까꿍놀이를 한다.
④ 소리 나는 장난감을 가지고 놀게 한다.
⑤ 고무찰흙으로 다양한 모양을 만들게 한다.

021 기출 15

아토피 피부염 환아의 목욕법으로 올바른 것은?

① 거품목욕을 한다.
② 알칼리성 비누로 씻는다.
③ 목욕 직후 보습제를 바른다.
④ 목욕을 일주일에 1회로 제한한다.
⑤ 목욕물의 온도를 37~39 ℃로 한다.

022 기출 15, 20

정상적으로 성장하는 3개월 영아가 3시간 이상 큰 소리로 3~4차례씩 우는 증상이 2주째 지속될 때 부모에게 교육할 내용은?

① "당분간 모유수유를 중단하세요."
② "아이를 차에 태워 외출해 보세요."
③ "노리개젖꼭지는 절대 피해주세요."
④ "울음을 그칠 때까지 내버려 두세요."
⑤ "복부에 차가운 냉찜질팩을 해주세요."

023 기출 17, 19, 21

생후 10개월된 영아가 하루에 5~6회 설사를 하고, 5%의 체중감소가 있다. 대변 배양검사결과 대장균이 검출되었다. 우선적으로 제공해야 할 간호중재는?

① 적절한 영양 제공
② 기저귀관리법 교육
③ 신경관손상여부 검사
④ 수분전해질 균형 유지
⑤ 유당이 제거된 조제유 수유

024 기출 19

식도폐쇄와 기관식도루로 진단을 받은 신생아에게 적용할 우선적인 간호중재는?

① 구강을 항균제로 닦는다.
② 구강분비물을 자주 흡인한다.
③ 위관삽입 후 모유를 제공한다.
④ 머리를 30° 정도 낮추어 눕힌다.
⑤ 특수 분유를 경구로 소량씩 먹인다.

025 기출 15

4세 아동이 백화점에서 장난감을 사달라고 누워서 떼를 쓰고 있다. 부모가 취해야 할 반응으로 적절한 것은?

① 아이를 달랜다.
② 엄하게 꾸짖는다.
③ 일단 장난감을 사준다.
④ 아이의 반응을 무시한다.
⑤ 사줄 수 없는 이유를 논리적으로 설명한다.

026 기출 16, 17, 19, 21

다음 중 음식 섭취를 거부하는 6세 아동에게 취할 가장 적절한 대처방법은?

① 배고프면 먹을 수 있게 한다.
② 아이가 좋아하는 음식을 준다.
③ 스스로 먹을 때까지 내버려둔다.
④ 음식 중 하나를 선택하여 먹도록 한다.
⑤ 당장 먹지 않으면 혼내겠다고 이야기한다.

027 기출 15

바이러스성 폐렴에 걸린 아동의 퇴원교육으로 적절한 것은?

① 방안의 온도를 높인다.
② 수분섭취를 충분히 한다.
③ 흉통 시 온찜질을 적용한다.
④ 바깥 활동을 하도록 격려한다.
⑤ 습도를 낮춰 건조하게 실내를 유지한다.

028 기출 17, 18, 19, 21

아이의 어머니가 새벽에 간호사에게 전화하여 "아이가 개가 짖는 듯한 소리의 기침을 계속하고 약간의 호흡곤란이 있어요."라고 말하며 도움을 청하고 있다. 간호사의 반응으로 가장 적절한 것은?

① "토근시럽을 먹이세요."
② "타진으로 가래를 뱉어내게 하세요."
③ "곧 호전될 것이니 걱정하지 마세요."
④ "내일 오후에 소아청소년과 외래진료를 받으세요."
⑤ "욕조에 따뜻한 물을 받아 수증기를 마시도록 하세요."

029 기출 16, 21

3세 뇌성마비 환아의 생리적 발달과정의 유지를 위한 식이섭취방법으로 적절한 것은?

① 젖병수유를 유지한다.
② 위관영양으로 음식을 주입한다.
③ 주사기를 이용하여 음식을 준다.
④ 정맥을 통하여 영양액을 주입한다.
⑤ 저작을 도우며 음식을 잘 섭취하게 한다.

030 기출 15, 18, 21

전신부종, 단백뇨가 있는 유아의 식이로 적절한 것은?

① 고칼슘식이
② 고단백식이
③ 저열량식이
④ 저칼륨식이
⑤ 염분제한식이

031 기출 21

수두 아동의 소양증 완화를 위한 간호중재는?

① 아스피린을 투여한다.

② 항생제요법을 실시한다.

③ 칼라민 로션을 도포한다.

④ 실내온도를 높게 유지한다.

⑤ 모직이나 합성섬유 옷을 입힌다.

032 기출 20

11개월 영아가 세기관지염으로 입원하였다. 주증상과 활력징후가 다음과 같을 때 우선적인 중재는?

- 주증상: 기침, 비강분비물 많음
- 호흡수: 41회/분
- 산소포화도: 95%
- 액와체온: 37.5 ℃

① 위관영양

② 체위배액

③ 비강 흡인

④ 산소 투여

⑤ 해열제 투여

033 기출 20

간질로 입원한 학령전기의 4세 아동이 있다. 퇴원을 앞두고 해야 할 교육내용으로 알맞은 것은?

① "간질 때는 격리시키세요."

② "샤워보다는 통목욕을 권장합니다."

③ "증상이 1주 이상 중단된다면 약을 끊으세요."

④ "발작이 5분 이상 지속된다면 즉시 병원으로 오세요."

⑤ "지능이 연령보다 낮으니 특수교육 계획을 준비하세요."

034 기출 15

초등학교에 갓 입학한 아동이 학교에 자주 결석을 하고 있다. 다음과 같은 증상을 보일 때, 부모의 대응으로 적절한 것은?

- 어머니와 분리되어 있는 상황에 불안을 느낀다.
- 학교에 가려면 복통, 두통 등의 증상이 나타난다.
- 학교에 가지 않고 집에 있으면 증상이 없어진다.

① 휴학을 준비한다.

② 다른 학교로 전학한다.

③ 아동에게 엄하게 꾸짖는다.

④ 교사에게 사정을 알리고 협조를 요청한다.

⑤ 어머니가 학교에 가서 교실에서 아동과 계속 함께 있어준다.

035 기출 15, 20, 21

청소년기에 나타나는 성장통에 대한 설명으로 옳은 것은?

① 활동 시 완화된다.

② 밤에 통증이 더 심하다.

③ 아침에 통증이 완화된다.

④ 진통제를 먹어도 통증이 해결되지 않는다.

⑤ 활동성과 무관하게 온종일 지속되는 통증이다.

지역사회간호학

036 기출 15

주민들의 일반적인 공통문제 및 요구에 기초를 두고 있는 공동체는?

① 시·군·구

② 가족, 이웃

③ 낚시 동호회

④ 보건소, 병원

⑤ 치매환자 가족모임

037 기출 18, 21

취약가족 간호 시 오렘(Orem)의 자가간호 이론을 기반으로 하여 내릴 수 있는 간호진단으로 옳은 것은?

① 간호체계
② 자가간호
③ 자가간호역량
④ 자가간호 결핍
⑤ 치료적 자가간호 요구

038

가족면담 준비 시 간호사가 가족을 만나기 전에 할 수 있는 일로 옳은 것은?

① 미리 문제를 예측하고 준비한다.
② 본인이 감염원이 되지 않게 한다.
③ 대상 가족과의 신뢰관계를 구축한다.
④ 면담비용은 면담 후 간호진단에 맞게 청구한다.
⑤ 가족의 구조와 질병력에 대한 가계도를 작성한다.

039 기출 19, 21

뇌성마비 자녀를 시설에 의뢰하려고 하는 가족을 대상으로 간호를 시행할 때 우선적인 중재로 가장 적절한 것은?

① 같은 장애를 가진 장애인과 같이 의뢰한다.
② 기관의 위치, 가는 방법을 상세히 안내한다.
③ 간호사가 의뢰서를 들고 미리 의료기관을 방문한다.
④ 의뢰하기 전 대상자에게 의뢰할 병원을 찾아볼 것을 요구한다.
⑤ 의뢰하기 전 의료내용을 가족들에게 미리 설명하고 동의를 구한다.

040 기출 21

지역주민을 대상으로 한 지역사회 문제 중 가장 우선 순위가 높은 것은?

① 자가간호 지식 저하
② 당뇨병 이환율 증가
③ 치료에 대한 순응도 저하
④ 건강에 대한 관심도 저하
⑤ 신종 인플루엔자 집단 감염

041 기출 15, 19

지역사회 사업평가 중 인력, 예산, 장비 등에 해당하는 평가로 옳은 것은?

① 구조평가
② 영향평가
③ 결과평가
④ 과정평가
⑤ 산출평가

042 기출 15

보건진료 전담공무원이 합법적으로 할 수 있는 업무인 것은?

① 만성질병의 진단
② 응급환자의 응급수술
③ 상병 완화를 위한 처치
④ 넘어져 생긴 상처 봉합술
⑤ 만성병 환자의 요양지도 및 관리

043 기출 20

우리나라의 사회보장체계 중 의료보장에 해당하는 것은?

① 건강보험, 의료급여, 고용보험
② 건강보험, 의료급여, 산재보험
③ 건강보험, 의료급여, 기초생활보장
④ 건강보험, 노인장기요양보험, 고용보험
⑤ 건강보험, 노인장기요양보험, 기초생활보장

044 기출 19

진료비 지불보상제도 중 행위별 수가제의 장점으로 옳은 것은?

① 행정적으로 단순하다.
② 예방에 대한 관심이 크다.
③ 양질의 의료서비스를 제공한다.
④ 의료인들 간의 경쟁을 억제한다.
⑤ 대상자의 의료이용 형평성을 보장한다.

045 기출 18

지역보건법에 명시된 보건소의 업무 중 보건의료기관이나 단체에 위탁할 수 있는 사항은 무엇인가?

① 약사에 관한 사항
② 마약 · 향정신성의약품 관리에 관한 사항
③ 보건진료소에 대한 지도 등에 관한 사항
④ 의료인 및 의료기관에 대한 지도 등에 관한 사항
⑤ 특수한 전문지식 및 기술을 요하는 진료, 실험 및 검사에 관한 사항

046 기출 15

우리나라의 국민건강보험제도에 대한 설명으로 옳은 것은?

① 자율 가입, 자율 납부이다.
② 적용대상자는 근로자와 공무원이다.
③ 보험료는 소득수준에 관계없이 균등하다.
④ 보험료는 가입자, 사업주와 국가가 부담한다.
⑤ 보험료 부담수준에 따라 보험급여를 차등지급한다.

047 기출 15

보건소의 영유아 예방접종에 관한 사항으로 옳은 것은?

① 예방접종 후 목욕을 한다.
② 가능하면 오후에 접종한다.
③ 피부습진이 있어도 접종이 가능하다.
④ 귀가 후 고열이 발생하면 해열제를 복용한다.
⑤ 접종 후 보건소에 20~30분 머무르면서 상태를 관찰한다.

048 기출 15, 17

지역사회 재활대상자를 위한 재활간호사업의 목적으로 옳은 것은?

① 장애인의 사회통합이다.
② 재활 전 상태로 회복한다.
③ 재활대상자가 최상의 삶의 질을 성취한다.
④ 장애가 발생하기 전의 생활양식으로 되돌릴 수 있게 한다.
⑤ 장애인의 건강관리 능력향상을 위해 최소한의 간호를 제공한다.

049 기출 15, 17, 20

보건소의 금연클리닉에 등록한 중년의 남성에게 제공할 수 있는 금연 준비단계의 전략으로 옳은 것은?

① 무설탕 껌과 물을 자주 섭취하도록 한다.
② 호흡 시 일산화탄소의 농도를 측정하여 금연 상태를 확인한다.
③ 대상자의 흡연력, 금연 시도 과거력, 현재 흡연행위를 사정한다.
④ 흡연의 유해성에 대한 정보를 제공하여 금연 의지를 갖도록 한다.
⑤ 사전의 흡연행위를 관찰하여 인식하고 구체적인 금연 예정일을 정한다.

050 기출 15

코로나바이러스감염증 −19로 인하여 학교에 개인위생관리가 중요하게 대두되어 손 씻기 기술을 교육시켰다면, 이는 WHO 건강증진학교 구성요소에 해당하는 것은?

① 개인건강기술
② 학교보건정책
③ 학교의 물리적 환경
④ 학교의 사회적 환경
⑤ 지역사회 유대관계

051 기출 18

건강증진사업의 평가 중 결과평가에 해당하는 것은 무엇인가?

① 사업진행정도
② 질병의 유병률
③ 사업자원의 적절성
④ 사업정보의 적합성
⑤ 대상자의 건강요구도

052

건강증진 사업을 추진할 때 가장 우선적으로 행해야 하는 것은?

① 평가기준 개발
② 학습자 요구 조사
③ 건강증진전략 개발
④ 사업 우선순위 설정
⑤ 이전에 행해진 사업 분석

053 기출 15

가족간호목표를 세울 때 고려해야 할 내용으로 옳은 것은?

① 이상적인 목표를 세워야 한다.
② 관찰이 가능하고 측정이 가능해야 한다.
③ 목적 및 문제해결은 독립적이어야 한다.
④ 일반적 목표는 추상적으로 기술되어야 한다.
⑤ 가족 구성원 개별적으로 목표를 세워야 한다.

054 기출 15

방문간호사가 가족 내의 상호관계 정도를 확인할 때 평가방법으로 옳은 것은?

① 가족구조도
② 가족밀착도
③ 가족연대기
④ 외부체계도
⑤ 가족생활사건

055 기출 20

인공호흡을 교육할 때 가장 적절한 방법은?

① 시범
② 역할극
③ 슬라이드
④ 그림과 사진
⑤ 프로젝트 방법

056 기출 15

많은 주민을 대상으로 비교적 짧은 기간을 설정하여 마약 오남용에 대해 효과적으로 교육할 때 적절한 방법은?

① 강의
② 토의
③ 캠페인
④ 심포지엄
⑤ 브레인스토밍

057 기출 15

학습에 영향을 미치는 요인 중 학습자 변인으로 적절한 것은?

① 교육자 경험
② 학습자의 동기
③ 교육자의 선호도
④ 학습자의 학습이론
⑤ 학습이 이루어지는 환경

058 기출 15

가족 구조-기능이론의 설명으로 옳은 것은?

① 시간에 따른 변화 과정에 초점을 맞춘다.
② 가족의 갈등을 해결하기 위해서 시작된 이론이다.
③ 가족구성원 간 상호작용에 대한 개인의 중요성을 강조한다.
④ 가족구성원은 각각 역할이 있고 그 역할에 대한 기대를 받는다.
⑤ 가족구성원 간 관계뿐만 아니라 가족과 더 큰 사회와의 관계를 강조한다.

059

현대사회의 가족변화 추이로 가장 적절한 것은?

① 노인인구 감소
② 단독가족의 감소
③ 확대가족의 증가
④ 비혈연 가족 증가
⑤ 여성의 사회진출로 출산율 증가

060 기출 17

다음 중 학교보건법에 따른 보건교사의 직무로 옳은 것은?

① 응급상황에서의 응급처치
② 교직원 및 학생 건강상담
③ 교직원 및 학생의 건강진단
④ 신체허약 학생에 대한 치료
⑤ 건강관리를 위한 학생 가정방문

061

학교에서 의료기관에 진료를 의뢰하여 결과를 확인한 후 감염병(의심)환자 발생 여부를 확인하는 단계는?

① 예방
② 복구
③ 학교 내 유행 확산 차단
④ 학교 내 감염병 유증상자의 발견 및 확인 단계
⑤ 학교 내 감염병 유행의심 여부를 확인하는 단계

062 기출 15

다음 WHO 건강증진 학교에 대한 설명으로 가장 관련이 높은 것은?

> - 지역사회 주민을 학교 환경관리에 참여시킨다.
> - 학부모가 보건교육에 참여한다.

① 학교보건
② 학교보건정책
③ 개인건강기술
④ 지역사회 유대관계
⑤ 학교의 물리적 환경

063 기출 20

산업 간호사가 산업장의 소음으로 인하여 작업자와 유해인자 사이에 장벽을 놓아 소음을 감소하려고 하는 작업환경관리는?

① 대치
② 격리
③ 환기
④ 차열
⑤ 보호구 착용

064 기출 21

납 중금속 중독 예방활동으로 옳은 것은?

① 비타민 C를 공급함
② 비중격 점막에 바셀린 바름
③ 고무장갑, 고무앞치마 착용
④ 바닥이 축축하도록 물을 뿌림
⑤ 급성 중독 시 우유와 계란 흰자를 먹임

065

전문사업관리기관이 중소기업의 산업보건을 종합하여 관리하는 제도를 무엇이라 하는가?

① 보건관리대행제도
② 집단보건관리제도
③ 전임보건관리제도
④ 공동채용보건관리제도
⑤ 소규모사업장보건관리제도

066

아래의 내용과 가장 관련이 깊은 기관은 무엇인가?

> - 산업재해보험의 적정성 판단 및 이의 신청 관리기관
> - 재해근로자의 복지 및 산업재해예방 사업계획

① 고용노동부
② 근로복지공단
③ 대한보건협회
④ 대한산업보건협회
⑤ 한국산업안전공단

067 기출 15

다음 중 산업장의 소음 관리를 위하여 산업 간호사의 업무로 적절한 것은?

① 방진벽을 설치한다.
② 작업자에게 보호구 착용을 지도한다.
③ 36개월 간격으로 정기 건강검진을 실시한다.
④ 직업장 내 소음은 100 dB이 넘지 않도록 한다.
⑤ 강력 콘크리트로 방호벽을 세우고 원격 조정한다.

068

고온다습한 환경에서 육체적 노동을 하다가 중추성 체온조절장애가 발생한 열성 장해 종류는?

① 열경련
② 열사병
③ 열쇠약
④ 열실신
⑤ 열허탈증

069 기출 15

특정 집단 전체 120명 중 수두가 1주째는 13명, 2주째는 7명, 3주째는 3명의 환자가 차례대로 생겨났다. 3주째 발생률은 몇 %인가?

① 2%
② 2.5%
③ 3%
④ 3.5%
⑤ 4%

070 기출 19, 20

노인장기요양보험에 대한 설명으로 알맞은 것은?

① 국민건강보험공단에서 관리한다.
② 가정전문간호사가 간호를 제공한다.
③ 등급에 따라 균등한 분배가 가능하다.
④ 65세 이상 건강한 노인에게도 급여가 가능하다.
⑤ 노인장기요양보험 가입자와 국민건강보험 가입자는 같지 않다.

정신건강간호학

071 기출 11, 13, 14, 16, 17, 19, 20, 21

중년 남성 A씨는 최근 들어 물건을 어디 두었는지 금방 잊어버리고, 하려고 했던 일도 잘 까먹는다. A씨는 자신이 나중에 집에 가는 길도 잊어버릴 것을 걱정하고 있다. 이때 간호사가 A씨에게 제공해야 할 간호는 무엇인가?

① 그럴 일이 없다며 환자를 안심시킨다.
② 환자에게 최대한 많은 정보를 제공한다.
③ 실생활에서 단기기억을 강화할 수 있는 훈련을 한다.
④ 기억하지 못하는 부분에 대해서 길고 정확한 문장으로 설명한다.
⑤ 최근 기억에 대한 집착을 버리고 과거 기억에 집중하도록 장려한다.

072 기출 12, 18, 19

정신질환 약물 중 부작용으로 추체외로 증상을 일으키거나 파킨슨증후군과 관련된 것은?

① 도파민
② GABA
③ 세로토닌
④ 에피네프린
⑤ 아세틸콜린

073 기출 15

말러의 분리개별화에 따라 완전하게 성숙한 아동에 해당되는 것은?

① 어머니와 자신을 정신이 결합된 존재로 인식한다.
② 어머니와의 분리를 시도하며 분리불안을 경험한다.
③ 엄마와 자신을 완전히 분리시켜 다른 사람으로 인식한다.
④ 엄마와 분리되어 다른 사람과의 관계를 형성하려고 한다.
⑤ 어머니를 자신의 매일의 필요를 충족시키는 존재로 인식한다.

074 기출 15, 18

다음과 같은 상황에서 신규간호사가 사용한 방어기전으로 옳은 것은?

> 신규간호사 A씨는 수간호사와의 면담으로 훈계를 받은 후 다음과 같은 반응을 보였다.
> "다른 병원은 길게 오리엔테이션을 받는다는데, 신규간호사가 3주 교육을 받고 이 정도 하면 잘한 거지!"

① 함입
② 투사
③ 부정
④ 합리화
⑤ 반동형성

075 기출 15

다음 중 화병(hwabyung)에 대한 설명에 해당되는 것은 무엇인가?

① 급성 발병의 양상을 보인다.
② 심리적인 원인과는 관련이 없다.
③ 뇌의 기질적인 결함으로 인해 발생한다.
④ 일반적으로 중년남성에게 더 많이 발병한다.
⑤ 문화적 차이 및 성역할 억압으로 인해 발생한다.

076 기출 15

다음 중 위기의 특징에 해당되는 것은?

① 위기에 불안이 극대화된다.
② 성숙위기는 청소년기에만 경험한다.
③ 성숙위기와 상황위기가 동시에 발생하면 위기의 해결이 쉽다.
④ 심각한 심리 및 정신 증상으로, 신체증상을 동반하지는 않는다.
⑤ 현실적 인지와 과거에 사용했던 대처기전은 위기해결에 방해요인으로 작용한다.

077

폭력과 학대의 특징으로 옳은 것은?

① 가해자는 자존감이 높다.
② 가족 권력과는 관련이 없다.
③ 피해자들은 자신이 처한 상황을 개선하려고 노력한다.
④ 가해자는 문제 상황에서의 폭력행위에 정당성을 느낀다.
⑤ 폭력과 학대는 일회성의 성격이 강하므로 재발이 흔하지 않다.

078 기출 11, 14, 17, 19, 20, 21

A양은 3세 여아로, 자폐 스펙트럼을 진단받았다. A양의 행동특성에 해당되는 것은?

① 타인의 시선이나 목소리에 예민하다.
② 부모와 떨어질 때 분리불안이 심하다.
③ 같은 행동을 반복하며 변화에 저항한다.
④ 대부분 지능은 정상 아동의 수준과 비슷하다.
⑤ 영아기 부모의 무관심과 학대가 주요원인이다.

079 기출 20

조현병 스펙트럼 장애 및 행동장애 환자들의 공격성, 분노 등의 정신 에너지를 건설적으로 표현하여 해소시키는 치료법에 해당되는 것은 무엇인가?

① 인지요법
② 정신분석
③ 활동요법
④ 지지 정신요법
⑤ 단기역동 정신요법

080 기출 13, 15, 17, 20

다음 중 정신 사회재활 간호에서 강조하고 있는 부분으로 가장 적절한 것은?

① 최상의 삶의 질을 영위하도록 돕는다.
② 모든 증상을 없애는 것을 목표로 한다.
③ 인간의 강점, 자조(self-help), 상호의존을 강조한다.
④ 병원치료에 초점을 두고 처치 및 약물복용을 강조한다.
⑤ 효과적인 교육을 통해 환자가 보호자에게 전적으로 의지하도록 한다.

081 기출 12, 13, 15, 17, 18, 21

최근 실직으로 인한 심한 우울증으로 내원한 50대 남성 A씨가 간호사에게 퇴원을 요구하여 면담을 하였다. 그는 입원한지 4일이 지났는데 기분이 별로 달라지지 않는다고 말하였다. 간호사 반응으로 가장 적절한 것은?

① "조금만 더 계시면 달라지실 겁니다."
② "부인분이 면회 오지 않아서 그런가 봐요."
③ "아니에요. 저희가 보기엔 기분이 좋아보이세요."
④ "입원하시고도 기분이 달라지지 않아서 염려하시는군요."
⑤ "다른 약물을 복용할 수 있도록 의사선생님께 말씀드릴게요."

082 기출 12, 13, 15, 17, 18, 21

불안증세로 입원한 20대 남성 A씨는 갑자기 학교 강의에 가야한다며 가방을 들고 소란을 피우고 있다. 이때 간호사의 반응으로 옳은 것은 무엇인가?

① "공부는 그렇게 쉽지 않습니다."
② "어차피 가서도 이해할 수 없을 것입니다."
③ "또 다시 강의를 가려면 억제대를 적용하겠습니다."
④ "이미 수업이 끝날 시간이므로 오늘은 갈 수 없습니다."
⑤ "강의를 들으러 가야 한다는 마음에 마음이 조급하시군요."

083 기출 12, 16, 17, 18, 19, 20, 21

자신의 아내가 외도를 하고 있다고 의심하며 계속해서 아내에게 전화하여 위치를 물어보고 집착하는 중년 남성 A씨는 회사생활과 사회생활에서는 또 특별한 문제가 없다. A씨에게 내릴 수 있는 진단으로 가장 적절한 것은 무엇인가?

① 환상 　　　　　　② 망상
③ 강박장애 　　　　④ 이인성 장애
⑤ 경계성 성격장애

084 기출 11, 12, 15, 17, 18, 19

클로르프로마진(Chlorpromazine) 200 mg을 qid로 복용하고 있는 환자가 외출을 하려고 할 때 당부해야 하는 것은?

① 햇볕이 많은 곳을 걷도록 한다.
② 햇빛을 많이 쬐도록 민소매를 입게 한다.
③ 자외선 차단제를 바르고 모자를 쓰게 한다.
④ 걷다가 어지러우면 증상이 완화될 때까지 서 있도록 한다.
⑤ 클로르프로마진을 소지하여 외출 중 통증에 투약하도록 한다.

085 기출 14, 15

다음 중 간호사와 환자의 치료적 관계를 방해하는 것은?

① 자기소개
② 전이-역전이
③ 치료적 계약
④ 간호사의 가치관 정립
⑤ 환자 · 간호사 신뢰관계

086 기출 12, 16, 17, 18, 19, 20, 21

다음 중 사고과정 장애에 속하는 것은?

① 망상 　　　　　　② 환청
③ 공포 　　　　　　④ 우회증
⑤ 신어조작증

087 기출 12, 15, 16

조현병으로 입원한 중년 여성 환자 A씨는 잘 씻지 않는 등 자가간호를 하지 않고 있다. 이때 간호사의 반응으로 옳은 것은?

① 때가 되면 스스로 할 것이므로 내버려 둔다.
② 환자에게 씻기를 지적하도록 다른 환자들에게 부탁한다.
③ 환자의 자존감 증진을 위해 모른 척하며 지적하지 않는다.
④ 환자의 자기관리를 위해 환자 스스로 할 수 있어도 도와준다.
⑤ 환자가 관리할 수 있을 때까지는 간호사가 환자의 생활을 도와준다.

088 기출 13, 15, 18, 19, 20, 21

급성 조현병 입원환자 A씨는 "지금 나보고 죽으라고 하잖아요!"라고 소리치며 환청을 호소하고 있다. A씨를 위한 적절한 간호는?

① 환청의 정당성에 직면하도록 한다.
② 환청으로 인한 자살위험성을 사정한다.
③ 환청임을 논리적으로 환자에게 설명한다.
④ 어차피 환청은 존재하지 않기 때문에 무시한다.
⑤ 아무 소리도 들리지 않는다고 말하며 환자를 비난한다.

089 기출 12, 13, 17, 19

최근 입원한 환자 A씨는 활동요법에도 잘 참여하지 않고 혼자 있기를 원하며, 다른 사람과 관계를 꺼려한다. A씨에게 간호사가 제공할 수 있는 간호중재로 가장 적절한 것은?

① 혼자 있을 수 있는 시간을 준다.

② 환자가 요청할 때까지 기다린다.

③ 환자가 거부하더라도 활동요법 참여를 강요한다.

④ 다른 환자들이 방문할 수 있도록 병실 문을 열어둔다.

⑤ 환자의 간호사의 1 : 1 신뢰관계를 쌓은 후 서서히 대인관계를 넓혀간다.

090 기출 19, 21

남편의 외도로 인한 우울장애로 입원한 중년 여성 A씨는 "나는 인생을 헛살았어요, 내 잘못입니다.", "내가 잘못해서 남편이 떠나간 거예요."라고 이야기한다. A씨에게 내릴 수 있는 간호진단은 무엇인가?

① 불안

② 두려움

③ 공포감

④ 자존감 저하

⑤ 신체상 장애

091 기출 12, 21

주요 우울장애 환자인 20대 여성 A씨는 자신의 외모가 못생겼다며 스스로를 비하하고 자기 관리를 하지 않는다. 활동에도 참여하지 않으며 말을 해도 눈을 잘 마주치지 않는 상태이다. A씨를 위해 해줄 수 있는 간호로 가장 적절한 것은?

① 집단모임에 참여를 강요한다.

② 환자의 감정표현을 격려하며 경청한다.

③ 환자보다 못생긴 사람이 많다며 환자를 위로한다.

④ 다른 환자에 의한 불안을 완화하도록 1인실을 제공한다.

⑤ 화장이나 의복을 통해 외모가 개선될 것이라며 안심시킨다.

092 기출 14, 15, 19

과도하게 의기양양하며 자가간호가 결핍된 환자의 영양 간호로 가장 적절한 것은?

① 정해진 시간에 식사할 수 있도록 한다.

② 고영양의 식사를 자주 할 수 있도록 한다.

③ 환자가 배가 고프다고 할 때까지 기다린다.

④ 배가 고프지 않은 것이므로 병실에 두고 나온다.

⑤ 환자를 따라다니면서 음식을 먹을 수 있도록 돕는다.

093 기출 14, 17, 19

급성 조증환자의 간호로 알맞은 것은?

① 다양한 자극을 준다.

② 타인과 어울리도록 한다.

③ 환자의 증상을 무시한다.

④ 먹는 것은 가지고 다닐 수 없게 한다.

⑤ 간단한 언어를 사용하며 정직하게 환자를 대한다.

094 기출 11, 12, 13, 15, 16, 17, 18, 19, 20, 21

이기적이고 자기중심적이며 충동적인 행동으로 타인을 괴롭히는 것을 즐기는 대상자에 대하여 어떠한 정신의학적 진단을 내릴 수 있는가?

① PTSD
② 조현병
③ 성격장애
④ 강박장애
⑤ 불안장애

095 기출 12, 15, 20

A씨는 회사에서 사회생활이 어려워 지난 달 회사를 그만둔 후 줄곧 집 안에서 생활했다. 그러던 중 외출을 하여 사람이 많은 운동장에서 갑자기 심한 불안과 호흡곤란 등의 신체증상을 경험하여 병원에 내원하였다. A씨에게 내릴 수 있는 정신의학적 진단은 무엇인가?

① 공황장애
② 불안장애
③ 강박장애
④ 성격장애
⑤ 해리장애

096 기출 15

학교에서 많은 사람들 앞에서 발표할 때 심한 불안을 보이는 등 사회생활에 어려움을 호소하여 내원한 20대 환자에게 투여할 수 있는 약물로 알맞은 것은?

① Prozac
② Lithium
③ Alprazolam
④ Phenobarbital
⑤ Carbamazepine

097 기출 11, 12, 13, 14

A씨는 자기를 비난하는 소리를 들은 후에 반복적으로 손을 씻는 행동을 보이고 있다. A씨의 증상에 대한 설명으로 적절한 것은?

① 강박행동을 중단하면 불안이 증가한다.
② 논리적으로 설명하면 손 씻기를 중단한다.
③ 피부보호를 위해 손 씻기를 절대 제한한다.
④ 자신의 비합리적인 생각이나 행동을 인지하지 못한다.
⑤ 자신의 비합리적 행동을 제거하기 위한 노력을 하지 않는다.

098 기출 14, 20

성적으로 문란하고 대인관계가 불안하며 타인의 관심을 끌기 위해 과장된 표현을 하는 대상자의 성격장애는 무엇인가?

① 조현형 성격장애
② 경계성 성격장애
③ 강박성 성격장애
④ 반사회성 성격장애
⑤ 히스테리성 성격장애

099 기출 13, 15, 18, 19, 20, 21

조현병 환자 A씨가 한밤중에 누군가 자신에게 죽으라고 한다며 심한 불안을 호소하며 소리를 지르고 있다. 이에 대한 간호사의 태도로 가장 적절한 것은?

① 간호사에게는 환청이 들리지 않는다고 말한다.
② 함께 병동을 순찰하며 병동이 안전함을 확인시킨다.
③ 다른 환자들의 수면을 방해하므로 1인실에 격리한다.
④ 이곳에는 경비원이 많으니 걱정하지 않아도 된다며 환자를 안심시킨다.
⑤ 밤중에 소리를 지르는 것은 다른 환자들에게 피해를 주는 것임을 단호히 지적한다.

100 기출 11, 15, 16, 18, 21

성문제로 고민하는 환자를 상담할 때 간호사의 태도로 알맞은 것은?

① 사무적인 태도로 대한다.
② 성 삼담 시간은 최대한 짧게 한다.
③ 지시적이고 판단적인 태도를 유지한다.
④ 대상자의 정보에 과다한 반응을 보여 관심을 표현한다.
⑤ 성문제는 예민한 부분이므로 전문적인 용어를 활용하여 설명한다.

101 기출 11, 14, 15, 18, 19

신체적 원인과는 별개로 감각기관 및 수의근계의 기능장애를 호소하는 질환은?

① 전환장애
② 해리장애
③ 신체화장애
④ 건강염려증
⑤ 신체변형장애

102 기출 12

75세 여성 A씨는 자신의 아들, 딸을 알아보지 못하고 TV에 나온 사람을 아는 사람이라 착각하며, 본인이 현재 어디에 있는지 기억하지 못한다. 또한 자가간호가 불가능하여 신체손상의 우려가 있는 상태이다. A씨의 증상은 무엇에 해당하는가?

① 망상
② 환각
③ 이인증
④ 만성혼돈
⑤ 신체손상

103 기출 11, 13, 15, 16, 17, 18, 19, 20

청소년이 많이 사용하고 입주위에 가피가 생기고 콧물이 흐르는 증상을 나타내는 약물은?

① LSD
② PCP
③ 코카인
④ 가솔린
⑤ 마리화나

104 기출 14, 15

금일 전신마취로 개복수술 받은 60세 여성환자 A씨가 혼자 중얼거리고 잠도 못자고 정맥라인을 빼려고 시도하며 문제행동을 일으킬 때 일차적으로 제공해야 하는 간호는?

① 신체손상을 예방한다.
② 1인실에 격리하여 안정시킨다.
③ 속마음을 표현하도록 격려한다.
④ 치료방법 결과에 대해 교육한다.
⑤ 문제행동에 대해 엄격히 지적하며 못하게 한다.

105 기출 12, 13, 17, 20

붕괴로 인해 건물잔해에 수 시간동안 깔려 있다 구조된 환자 A씨는 자꾸 당시 상황이 떠올라 잠을 이루지 못하고 사고에 관한 꿈을 꾼다고 호소한다. 또한 높은 건물이 많은 장소를 피하고, 친구와 약속이 있어도 건물에 들어가지 못하고 주저한다고 하였다. 이 환자에게 내릴 수 있는 진단명은?

① 신체상 장애
② 성장발달 장애
③ 비효율적 대응
④ 자가간호 결핍
⑤ 활동지속성 장애

3회 3교시

문항별 상세 풀이

간호관리학

001 기출 15

다음 중 초기 기독교 간호로 옳은 설명은?

① 계층사회 기반으로 기독교적 사랑을 실천했다.
② 수준 높은 교육을 받은 준비된 간호사가 많았다.
③ 수녀 간호사의 활동으로 직업적 간호가 시작되었다.
④ 수도원을 중심으로 지역사회를 이뤄 간호가 제공되었다.
⑤ 기독교의 영향으로 가족 외부 대상에 대한 간호로 확대되었다.

002 기출 15

다음 중 초대 기독교 다이아코니아에 대한 설명으로 옳은 것은?

① 현대의 종합병원과 비슷한 개념이다.
② 나환자 격리수용, 기숙사 등의 규격을 갖추었다.
③ 입원환자를 받을 수 있는 시설을 갖추어 자선병원으로 이용했다.
④ 여집사들에 의해 설립되었으며 오늘날의 외래진료소 역할을 했다.
⑤ 좋은 간호를 목적으로 작은 병원을 세우고 젊은 여신자들을 뽑아 간호학 훈련을 수행했다.

003 기출 15

자신의 지위와 소유를 포기하고 전도와 구걸을 하고 간호에 전념한 평신도 단체는?

① 길드
② 탁발승단
③ 기사간호단
④ 군사간호단
⑤ 자선간호단

004 기출 15, 16

다음 중 의료보다는 구제사업의 성격이 강했으며, 세계 최초 간호학교를 세운 나라는?

① 미국
② 영국
③ 독일
④ 중국
⑤ 인도

005 기출 15

다음 중 1873년 나이팅게일의 간호교육 원칙을 중시하며 설립된 대표적인 세 쌍의 간호학교는?

① 시카고, 벨뷰, 보스턴
② 벨뷰, 시카고, 콜럼비아
③ 벨뷰, 보스턴, 코네티컷
④ 콜럼비아, 뉴욕, 시카고
⑤ 시카고, 콜럼비아, 코네티컷

006 기출 15, 18

다음 중 우리나라에서 처음으로 이루어진 간호 정식교육기관은?

① 제중원
② 대한의원
③ 보구여관
④ 동인의원
⑤ 자혜병원

007

미군정 하에서 간호 조직의 변화는?

① 간호사업국 설치
② ICN 총회 최초로 파견
③ 업무 분야별 간호사 인정
④ 태화여자관에서 보건간호 실습
⑤ 간호사 자격 검정고시제도 완전 폐지

008

다음 중 일제강점기 간호교육에 대해 옳은 것은?

① 관립학교의 교육연한은 1년 6개월이었다.
② 실무보다 이론중심의 교육을 중시하였다.
③ 관립학교에는 일본인만 입학할 수 있었다.
④ 종교적 사립학교에서는 종교학문을 강조했다.
⑤ 일제강점기에는 남녀유별사상으로 인해 여자에게만 간호교육을 시켰다.

009 기출 21

간호윤리강령에 대한 설명으로 옳은 것은?

① 시대에 따라 변해야 한다.
② 구체적이며 완전성을 가진다.
③ 도덕적 딜레마의 명쾌한 해답을 제시한다.
④ 간호사의 행위에 대해 법적 제제를 가할 수 있다.
⑤ 간호 수행할 때 간호윤리강령의 최소한의 필요조건만 충족하면 된다.

010 기출 15

병원윤리위원회에 대한 설명으로 옳은 것은?

① 가족은 참여할 수 없다.
② 미국에서는 자율적으로 설치한다.
③ 치료방법을 정하는 데에 이용된다.
④ 1942년 뉘른베르크 강령 이후 윤리강령이 만들어졌다.
⑤ 의사는 가족들과 치료방향에 대한 의견이 다를 때 병원윤리위원회의 도움을 받는다.

011 기출 19

다음 중 관리자로서 간호사에 대한 설명으로 옳은 것은?

① 개인정보는 투명하게 공개한다.
② 환자의 의견을 치료계획에 적극 반영한다.
③ 공감은 환자의 의존성을 심화시키므로 하지 않는다.
④ 가능한 대상자의 요구에 합당한 최선의 간호조직을 결정한다.
⑤ 간호사의 기술 및 지식을 활용하여 대상자와 가족을 교육한다.

012 기출 18, 19

간호사 윤리강령에 나타나는 간호사의 기본적 임무로 알맞은 것은?

① 간호사는 자기계발을 한다.
② 의사가 지시하는 행위만 한다.
③ 환자의 건강과 안위 증진을 위한 간호를 제공한다.
④ 간호수행의 표준화를 위해 질병군별 일률적인 간호를 제공한다.
⑤ 노인, 여성, 아동, 장애인 등 취약계층은 간호과정에서 분리시켜 보호한다.

013 기출 16

빈혈로 응급실에 입원한 21세 여대생이 검사 중 임신한 것으로 밝혀졌다. 여대생은 임신 사실을 부모에게 알리지 말아달라고 했다. 간호사가 생각해야 할 윤리적 원칙은?

① 설명의 원칙
② 신의의 규칙
③ 정의의 원칙
④ 공평의 원칙
⑤ 분배의 규칙

014 기출 17, 20

A간호사는 수술 후 통증이 심해서 아무 것도 하지 않으려는 환자에게 빠른 회복을 위해 조기이상을 권했다. A간호사에게 적용되는 윤리적 원리는?

① 정의의 원리
② 자율성의 원리
③ 대리결정의 원리
④ 악행금지의 원리
⑤ 선의의 간섭주의

015

다음 중 주사로 투약 시, 법률적으로 간호사의 독자적 판단이 허용되는 범위는?

① 주사약 용량에 관한 사항
② 투약의 필요성에 관한 사항
③ 적정한 약의 선택에 관한 사항
④ 투여 방법과 주사기간에 관한 사항
⑤ 주사기 관리 및 주사기술에 관한 사항

016 기출 17

간호사가 환자에게 더운 물 주머니를 주도록 간호조무사에게 지시하였다. 이때 간호사에게 해당하는 법적 의무는?

① 확인의 의무
② 비밀의 의무
③ 성실의 의무
④ 신의의 의무
⑤ 동의의 의무

017 기출 15, 19

병원에 취업한 간호사가 간호학과를 선택한 동기에 대해 아픈 환자를 도와주고 지역사회에 봉사하기 위해서라고 말했다. 이 간호사의 동기가 해당되는 전문직 요소는?

① 자율성
② 책임감
③ 윤리성
④ 학문성
⑤ 이타성

018 기출 19

다음 중 간호사가 전문직으로서 가치관을 올바르게 정립한 것은?

① 실무발전의 핵심은 자기희생이다.
② 최선의 주의의무의 근거는 자기확신이다.
③ 희생과 봉사는 간호사의 자아실현보다 중요하다.
④ 전문적 실무지식과 기술은 단기과정으로 습득된다.
⑤ 간호사는 자신의 실무행위에 합리적 근거를 가지고 책임을 진다.

021 기출 18, 19, 21

개인적 의사결정보다 집단적 의사결정의 이점으로 옳은 것은?

① 창의성이 높다.
② 비용이 적게 든다.
③ 의사소통이 신속하다.
④ 책임의 소재가 분명하다.
⑤ 구성원 내 수용도가 증가한다.

019 기출 15

다음 중 간호관리체계에서 투입요소에 해당하는 것은?

① 환자만족도
② 조직 유효성
③ 간호사 이직률
④ 간호서비스의 질
⑤ 환자 대 간호사 인력

022 기출 21

일선관리자가 병동의 팀원들에게 병동 내 수칙을 마련하여 시행하도록 한 기획은?

① 전략적 기획
② 전술적 기획
③ 운영적 기획
④ 장기적 기획
⑤ 단기적 기획

020 기출 17, 19

다음 중 간호관리의 목표 중 물품관리에 관한 목표로 적절한 것은?

① 개발형 환자 확인으로 간호사고가 5% 감소한다.
② 침상난간 확인 캠페인으로 낙상이 10% 감소한다.
③ 손 씻기 교육으로 손 씻기 수행률이 10% 증가한다.
④ 유치도뇨관의 주기적 교환으로 요로감염이 10% 감소한다.
⑤ 물품 재고관리를 통하여 병동 내 주사기 소비가 5% 감소한다.

023 기출 18

다음 중 관리의 상황이론에 관한 설명으로 옳은 것은?

① 투입, 변환, 산출의 과정만을 강조한다.
② 조직의 효용성은 상황과 수용도에 따라 다르다.
③ 조직 내 의사소통이 상의하달식으로 이루어진다.
④ 조직의 상황변수는 조직의 공식적, 비공식적 인간관계로 나뉜다.
⑤ 리더가 타고난 성향이 훌륭한 리더가 될 수 있는 환경을 제공한다.

024 기출 15

다음 중 포괄수가제에 대한 설명으로 옳은 것은?

① 행정절차가 복잡하다.
② 양질의 진료를 받을 수 있다.
③ 환자의 선택의 폭이 넓어진다.
④ 의료비 절감 및 의료비 증가가 억제된다.
⑤ 진료받은 환자에 따라 수가가 다르게 측정된다.

025 기출 19

조직원들이 공유하는 사고방식과 행동방식으로 조직 성과와 관련이 있는 것은?

① 조직목표
② 조직문화
③ 조직규칙
④ 공식조직
⑤ 조직구성원

026 기출 17, 18

직무의 반복에 따른 권태로움과 단조로움을 막기 위해 호환성 있는 업무끼리 순환하여 다양한 업무를 수행할 수 있도록 하는 직무설계방법은?

① 직무순환
② 직무확대
③ 직무분석
④ 직무충실화
⑤ 직무단순화

027 기출 15

다음 중 업무의 성격과 구성원의 능력에 따라 업무를 세분화하여 분담함으로써 조직의 능률을 향상시키는 원리는 무엇인가?

① 조정의 원리
② 통솔범위의 원리
③ 명령통일의 원리
④ 계층구조의 원리
⑤ 분업 · 전문화의 원리

028 기출 19

간호사 1인이 환자의 입원부터 퇴원까지 24시간 간호를 책임지고, 만일 비번인 경우 이 간호사의 계획에 따라 다른 간호사가 간호를 시행하는 간호전달방법은?

① 팀간호
② 사례방법
③ 모듈방법
④ 일차간호
⑤ 기능분담 간호

029

상관이 부하 직원에게 특정한 방식으로 무엇을 하도록 하는 것으로 구두 또는 서면으로 요구할 수 있는 지휘 활동은?

① 동기부여
② 조정
③ 감독
④ 지시
⑤ 명령

030 기출 18, 19, 20

동일 직무에 동일 급여라는 사고방식에 입각하여 각 직무의 중요성과 난이도에 따라 상대적 가치를 분석 평가하여 임금을 결정하는 보상체계는?

① 연공급
② 성과급
③ 직능급
④ 상여금
⑤ 직무급

031 기출 21

허츠버그의 2요인 이론 중 동기요인에 해당하는 것은?

① 급여
② 직무자체
③ 근무환경
④ 근로환경
⑤ 복지시설

32 기출 19, 21

조직에서 직위에 따른 책임, 의무, 근로조건 및 직무를 수행하는 개인이 갖춰야 할 기술, 지식태도 등을 확인하는 것은?

① 직무분석
② 직무평가
③ 직무설계
④ 직무순환
⑤ 직무확대

033 기출 21

통계적인 방법으로 도출된 상한선과 하한선을 표시하여 변이와 원인을 조사함으로써 업무수행 과정에서 발생되는 문제를 지속적으로 관찰하고 조절하여 향상시킬 목적으로 사용하는 질 관리 도구는?

① 흐름도
② 런챠트
③ 관리도
④ 원인결과도
⑤ 유사성 다이아그램

034 기출 21

의료기관 인증평가의 필수기준 항목인 기본가치체계의 환자안전보장활동의 기준은?

① 낙상예방활동
② 입원수속 절차
③ 중증응급환자 진료
④ 외래환자 초기평가
⑤ 환자 진료의 일관성

035 기출 16

구성원 전체가 서로의 의견이나 정보를 자유롭게 교환하고 새로운 대안을 찾기 위해 브레인스토밍 과정에서 많이 사용하는 의사소통 네트워크는?

① Y형
② 원형
③ 사슬형
④ 수레바퀴형
⑤ 완전연결형

036 기출 15

다음 중 독자적으로 수행할 수 있는 간호중재로 옳은 것은?

① 발마사지, 수혈, 치료식이
② 체위변경, 위생간호, 환자 교육
③ 침상목욕, 억제대 사용, 물리치료
④ 기침과 심호흡 교육, 투약, 드레싱 교환
⑤ 유치도뇨관 삽입, 등 마사지, ABGA검사

037 기출 15

50세 남성 박 씨는 과일향기가 나며 호흡이 규칙적이고 깊으며 호흡수가 증가하는 양상은?

① 서호흡
② 빈호흡
③ 과다호흡
④ 쿠스말호흡
⑤ 체인스톡호흡

038

다음은 질병행위의 단계 중 어느 단계인가?

> 자신이 병에 걸린 상태라는 것을 받아들이고 의사의 권유에 따라 입원을 하며 주위사람들에게 자신이 겪는 증상을 이야기하고 조언을 구한다.

① 증상경험
② 회복 및 재활
③ 건강관리 접촉
④ 환자역할 취하기
⑤ 의존적인 환자역할

039 기출 15

30세 남성으로 건강한 이 씨는 신체 검진을 받았다. 정상 소견으로 옳은 것은?

① 각막 반사: +
② 동공 반사: −
③ 심부건 반사: −
④ 바빈스키 반사: +
⑤ 삼두근건 반사: −

040 기출 11, 15

다음 중 요골맥박이 측정되지 않을 때 측정해야 할 부위는?

① 경동맥
② 척골동맥
③ 심첨맥박
④ 족배동맥
⑤ 측두동맥

041

다음 중 주관적 증상으로 옳은 것은?

> 40세 여성 김 씨가 복통을 호소하며 응급실에 내원 하였다. 얼굴이 상기된 채 울고 있었으며 혈압은 130/80 mmHg, 호흡은 30회/분, 맥박은 100회/분으로 측정되었다.

① 울고 있다.
② 복통을 호소한다.
③ 얼굴이 상기되었다.
④ 혈압은 130/80 mmHg로 측정되었다.
⑤ 호흡이 30회/분, 맥박이 100회/분으로 측정되었다.

042 기출 15

간호과정 중 임상적 판단과 지식으로 기반으로 간호사의 행동을 구체적으로 작성하는 단계는?

① 사정
② 진단
③ 계획
④ 수행
⑤ 평가

043 기출 15

다음 중 간호과정의 특성으로 대상자의 건강 증진,질병예방,건강 회복과 관련된 구체적인 목표 설정은 무엇인가?

① 폐쇄적
② 일률적
③ 일방향적
④ 목표 지향적
⑤ 간호사 중심

044 기출 15, 16, 20, 21

다음 중 유치도뇨를 적용하는 경우로 옳은 것은?

① 계속적 방광 세척
② 균 배양을 위한 소변검사
③ 산후 자가배뇨 후 잔뇨 측정
④ 요정체로 인한 방광팽만 완화
⑤ 척수손상 환자의 장기적 관리

045 기출 15, 18, 20

다음 중 환자의 증상과 이에 따른 중재로 적절히 연결된 것은?

① 설사 환자에게 하제를 투여한다.
② 설사 환자에게 수분을 제한한다.
③ 변비 환자에게 규칙적인 운동을 권장한다.
④ 변비 환자에게 정기적인 관장을 적용한다.
⑤ 위식도 역류 환자는 식후 앙와위를 취하도록 한다.

046

60세 남성 김 씨는 대장암 수술 후 회복의 단계 중이다. 초기에 저섬유식이의 적용 목적으로 적절한 것은?

① 설사 유발
② 분변 부피 감소
③ 장 연동운동 촉진
④ 장 점막 자극 증가
⑤ 대장암 발생률 감소

047 기출 12, 15, 17

70세 김 씨는 만성폐쇄성 폐질환 환자로 입원하였다. 저농도의 산소를 비교적 정확한 용량으로 지속적으로 적용하기 위한 산소요법은?

① 비강캐뉼라
② 벤츄리 마스크
③ 비재호흡 마스크
④ 단순산소 마스크
⑤ 부분 재호흡 마스크

048 기출 12, 13, 15, 19

60세 남성 이씨는 폐렴으로 입원하였다. 대상자의 객담의 배출을 용이하게 하기 위한 흉부물리요법에 대한 설명으로 적합한 것은?

① 흡기에 진동법을 적용한다.
② 피부에 직접적인 압박을 가한다.
③ 손바닥을 펴고 타진법을 적용한다.
④ 식사 직후에 흉부물리요법을 적용한다.
⑤ 타진 및 진동 후 기침을 하도록 격려한다.

049 기출 12, 15, 21

비위관영양 대상자에게 영양액을 주입하기 전 위관의 위치를 확인하고자 한다. 다음 중 비위관이 제대로 삽입된 징후는?

① 위액을 흡인하여 확인해보니 pH8이었다.
② 외부로 노출된 위관의 길이가 100 cm 이상이다.
③ 외부로 노출된 위관의 끝을 물에 담그니 기포가 올라온다.
④ 주사기를 이용해 위관에 공기를 주입하니 환자가 트림을 했다.
⑤ 위관에 주사기로 공기를 주입하고 상복부를 청진하니 "꾸룩꾸룩" 소리가 들린다.

050 기출 15

60세 여자 이 씨는 중환자실에서 무의식 상태로 입원하였다. 이 환자에게 특별 구강간호를 수행하면서 환자의 고개를 돌리는 이유는 무엇인가?

① 구강청결
② 흡인 방지
③ 편안함 증진
④ 상기도감염 예방
⑤ 구강 내 수분 유지

051

6세 소아환자가 38.8 ℃로 응급실에 내원하여 간호 중재로 미온수 스펀지 목욕을 시행하는 이유는 무엇인가?

① 증발
② 혈관 이완
③ 발열 방지
④ 장기간 열 보유
⑤ 모세혈관 투과성 증가

052 기출 15

3세 남아 환자로 침상에 누워서 얼굴을 찡그리고 있는 유아에게 통증 사정척도로 알맞은 것은?

① PAR score
② 서술적 척도
③ Faces Rating Scale
④ Visual Analog Scale
⑤ Numeric Rating Scale

053

50세 남성 이 씨는 절대안정으로 장기간 침상안정을 취했던 환자이다. 이 때 조심해야 할 증상은?

① 통증
② 심박출량 증가
③ 체위성 저혈압
④ 순환혈액량 증가
⑤ 호흡의 깊이와 수 증가

054 기출 14, 15

60세 여성 김 씨는 폐렴으로 폐 첨부에 있는 분비물 배출을 위해 파울러씨 체위를 취하려 한다. 올바른 것은?

① 침상발치를 45° 올린다.
② 팔꿈치를 신전한 상태로 내린다.
③ 요추 만곡 부분에 베개를 넣어준다.
④ 머리에 작은 베개를 여러 개 넣어준다.
⑤ 발바닥의 굴곡을 위해 발판을 대어준다.

055

50세 남자 이씨는 폐암 수술 후 자가통증조절장치를 유지 중이다. 대상자에게 교육해야 할 내용으로 올바른 것은?

① 가족이 버튼을 대신 누른다.
② 1시간 간격으로 버튼을 누른다.
③ 지속적으로 통증 조절이 가능하다.
④ 자가 통증 조절기는 부작용이 없다.
⑤ 더 이상 참을 수 없을 정도로 통증이 있을 때 버튼을 누른다.

056 기출 16, 17, 19, 20, 21

낙상은 병원에서 빈번히 발생하고 있는 사고로 가장 유념해야 하는 부분이다. 낙상위험요인에 노출이 가장 적은 환자는?

① 만성 혼돈 환자
② 장기 입원 중인 환자
③ 진정제를 투여 중인 환자
④ 낙상의 과거력이 있는 노인환자
⑤ 척수 손상으로 사지가 마비된 환자

057

당뇨병을 앓은지 3년 정도 지났다. 발기 부전으로 불안감을 호소한다. 간호중재시 고려해야 할 사항은?

① 직접적인 단어를 사용한다.
② 환자의 프라이버시를 존중해야 한다.
③ 간호사의 성에 대한 가치를 교육한다.
④ 성욕을 감소할 수 있는 방법에 대해 교육한다.
⑤ 성 생활보다 질병의 완치가 더욱 중요하다고 강조한다.

058 기출 15

다음 중 욕창이 발생할 가능성이 가장 높은 사람은?

① 심근경색으로 운동이 불편한 환자
② 혈청단백질이 현저히 증가한 환자
③ 요실금이 있으며 무의식인 뇌졸중 환자
④ 수술 후 통증으로 움직이지 않으려는 환자
⑤ 거동 시 도움이 필요하며 혼돈상태인 치매환자

059 기출 15

퀴블러 로스의 죽음단계에 따를 때, 어떤 단계에 해당하는가?

> 시한부 선고를 받은 사람이 "자녀가 결혼할 때까지만 살고 싶어요.", "저번에 말한 임상시험에 참여하겠어요."와 같은 말을 한다.

① 부정
② 분노
③ 협상
④ 우울
⑤ 수용

060 기출 15

다음 감염관리 중 무균술의 종류가 <u>다른</u> 것은?

① 위관영양
② 중심정맥관
③ 도뇨관 삽입
④ 욕창 드레싱
⑤ 주사약 준비

061 기출 15

다음 중 멸균세트에 생리식염수를 따를 때 올바른 방법은?

① 멸균세트에 튀지 않게 입구를 대고 따른다.
② 먼저 소량을 따라 버린 뒤에 멸균세트에 따른다.
③ 생리식염수 뚜껑의 안쪽 면이 위로 가도록 든다.
④ 라벨이 아래로 가게 한 후 허리 높이에서 따른다.
⑤ 생리식염수 뚜껑의 안쪽 면이 아래로 가도록 내려놓는다.

062 기출 15, 18, 20, 21

다음 중 경구투약 간호 중재시 유의해야 할 점으로 옳은 것은?

① 부유물이 생긴 약물은 흔들어서 쓴다.
② 투약하지 못한 액체약물은 다시 약병에다 넣는다.
③ 약물이 신속하게 흡수되기 위해 섞어서 투여한다.
④ 설하 투여 약은 약이 다 녹고 나서 물을 마시도록 한다.
⑤ 투약시간에 환자가 병동 내에 없으면 환자의 침대 옆에 두고 온다.

063 기출 15

다음 중 근육주사 시 Z-track 기법을 사용하는 이유는?

① 공기 투여
② 약물흡수촉진
③ 많은 양 주사
④ 피하자극 최소화
⑤ 혈관 손상 위험이 적음

064 기출 11, 15

다음 중 항생제 알레르기 검사(스킨 테스트) 시 가장 옳은 간호중재는?

① 약물 투여 후 마사지한다.
② 48~72시간 후에 확인한다.
③ 전완의 내측면에 실시한다.
④ 피부에 45° 정도로 주사바늘을 삽입한다.
⑤ 주사기를 피하에 꽂은 후 내관을 제거한다.

065 기출 14, 15

30세 여성 김씨는 만성빈혈로 농축적혈구 1 pint 수혈을 시행했다. 수혈 시작 10분 후에 갑작스럽게 대상자가 땀을 흘리며 얼굴이 상기되었다. 가장 먼저 수행해야 할 간호중재는?

① 즉시 중지한다.
② 의사에게 보고한다.
③ 수혈 속도를 조절한다.
④ 생리식염수를 투여하며 경과를 살핀다.
⑤ 수간호사와 해결방안에 대해 의논한다.

066 기출 15

다음 중 의사가 진료하던 환자에 대해 최종 진료 시부터 몇 시간 이내에 사망한 경우에는 다시 재진찰하지 않아도 진단서를 교부할 수 있는가?

① 6시간
② 12시간
③ 24시간
④ 36시간
⑤ 48시간

067

다음 중 의료인의 의무로 옳은 것은?

① 세탁물 처리
② 기구 등 우선공급
③ 의료기재 압류금지
④ 의료기술 등에 대한 보호
⑤ 의료기술의 시행에 간섭 금지

068 기출 11, 13

가정간호를 실시하는 의료기관의 장은 가정전문간호사를 몇 인 이상 두어야 하는가?

① 1인
② 2인
③ 3인
④ 4인
⑤ 5인

069 기출 21

다음 중 면허 취소 대상이 <u>아닌</u> 자는?

① 파산한 자
② 마약중독자
③ 면허를 빌려준 자
④ 자격 정지 기간 중 의료행위를 한 자
⑤ 3회 이상의 자격정지 처분을 받은 자

070 기출 15, 19, 21

다음 중 5년 동안 보존해야 하는 의료기록으로 옳은 것은?

① 처방전
② 진단서
③ 수술기록
④ 진료기록
⑤ 간호기록

071 기출 11, 15, 20

다음 중 요양병원에 입원대상자가 <u>아닌</u> 자는?

① 감염병 환자
② 뇌졸중 환자
③ 노인성 질환자
④ 수술 후 회복 중에 있는 자
⑤ 오랫동안 당뇨를 앓고 있는 환자

072 기출 11, 12, 14, 15, 17

다음 중 전파가능성을 고려하여 발생 또는 유행 시 24시간 이내에 신고하여야 하고, 격리가 필요한 다음 각 목의 감염병으로 묶은 것은?

① 디프테리아, 파상풍, 폴리오
② 콜레라, B형 간염, 장티푸스
③ 콜레라, 파라티푸스, A형 간염
④ 세균성이질, 폴리오, 일본뇌염
⑤ 공수병, 성홍열, 수막구균성수막염

073 기출 11, 12, 14, 15, 17

감염병 외에 유행 여부를 조사하기 위하여 표본감시 활동이 필요한 다음 각 목의 감염병은?

① 제1급감염병
② 제2급감염병
③ 제3급감염병
④ 제4급감염병
⑤ 기생충감염병

074 기출 21

다음 중 의료인이 아닌 자가 순회진료를 할 때 신고해야 하는 대상은?

① 보건소장
② 동장, 이장
③ 보건복지부장관
④ 시장 · 군수 · 구청장
⑤ 가장 가까운 병원 원장

075 기출 15, 21

다음 중 주요질병관리체계에 해당하지 않는 것은?

① 구강 보건 의료장
② 정신 보건 의료장
③ 감염병의 예방 및 관리
④ 만성질환의 예방 및 관리
⑤ 여성과 어린이 보건 의료

076 기출 14

다음 중 요양급여에 해당하지 않는 것은?

① 장제비
② 질병에 관한 진찰
③ 부상에 관한 약제
④ 재활, 입원, 간호, 이송
⑤ 처치 · 수술 및 기타의 치료

077 기출 15

다음 중 질병관리청장이 할 수 있는 감염관리조치에 해당하지 않는 것은?

① 검역감염병 의심자에 대해 격리하는 것
② 검역감염병 병원체에 오염되었거나 오염된 것으로 의심되는 화물을 옮기는 것
③ 검역감염병에 감염되었거나 감염된 것으로 의심되는 시체를 검사하기 위하여 해부하는 것
④ 검역감염병의 감염 여부를 확인할 필요가 있다고 인정되는 사람을 진찰하거나 검사하는 것
⑤ 검역감염병 병원체에 오염되었거나 오염된 것으로 의심되는 곳을 소독하거나 사용을 금지 또는 제한하는 것

078 기출 15

혈액 관련 연구자가 부적격혈액을 발견하여 혈액 폐기 시 누구에게 신고를 해야 하나?

① 보건소장
② 혈액원장
③ 시장, 군수
④ 보건복지부장관
⑤ 대한적십자총재

079 기출 12, 13, 16, 17, 18

다음 중 시·도지사의 지역보건의료계획에 권고를 할 수 있는 사람은?

① 보건소장
② 시장, 군수
③ 전문 간호사
④ 시·도내의 의사
⑤ 보건복지부장관

080 기출 15, 20

국민건강보험공단의 업무에 해당하는 것은?

① 요양 급여의 심사
② 심사 및 평가 기준의 개발
③ 가입자 및 피부양자 자격 관리
④ 요양 급여의 적절성에 대한 평가
⑤ 급여비용의 심사 또는 의료의 적절성 평가

081 기출 12, 15, 20

다음 중 마약중독자 최대 치료기간은?

① 3개월
② 6개월
③ 9개월
④ 12개월
⑤ 24개월

082 기출 11, 15, 19

다음 중 마약 관리로 올바른 것은?

> ㄱ. 이중잠금으로 한다.
> ㄴ. 관리자 사무실에 둔다.
> ㄷ. 이동하지 못하도록 한다.
> ㄹ. 일반인들이 찾기 쉬운 장소에 둔다.

① ㄹ
② ㄴ, ㄹ
③ ㄱ, ㄷ
④ ㄱ, ㄴ, ㄹ
⑤ ㄱ, ㄴ, ㄷ

083 기출 15

응급의료를 요하는 아동이 경찰관과 함께 응급실로 왔다. 이때 가장 알맞은 것은?

① 병원장에게 동의를 얻고 수술을 한다.
② 경찰관에게 설명을 하고 수술을 한다.
③ 응급 상황이므로 동의 없이 수술을 한다.
④ 의사 4명 이상의 동의를 얻고 수술을 한다.
⑤ 법적대리인이 올 때까지 기다리고 동의를 받은 후 수술을 한다.

084 기출 17

다음 중 시설 전체를 금연구역으로 지정해야 하는 장소로 옳지 <u>않은</u> 것은?

① 도서관

② 어린이집

③ 관광숙박업소

④ 객석 수 100석 이상 공연장

⑤ 교통 관련 시설의 대합실 · 승강장

085 기출 13, 17

다음 중 후천성 면역결핍증검사를 시행하는 대상이 <u>아닌</u> 것은?

① 감염인의 배우자

② 단기 체류 외국인

③ 감염인의 성접촉자

④ 공중과 접촉이 많은 업소에 종사하는 자

⑤ 후천성면역결핍증의 예방을 위하여 검진이 필요하다고 보건복지부장관이 인정하는 자

NOTE

Name _____

Non-Calculator Section

1. Peter has <u>168</u> days et

○ A. one hundred, eigh

○ B. one hundred, sixt

○ C. one hundred, six

○ D. one hundred, eight

Which of the following numbers has

○ A. 134

○ B. 344

○ C. 432

PART 03

실전편

실전 모의고사

총 2회분의 모의고사를 최근 유형 및 난이도에
맞춰 출제하였습니다. 실제 시험을 보듯이
시간을 체크하고 OMR 카드 작성까지 해보며
실전 감각을 키우도록 합니다.

1회 실전 모의고사

1교시	_____ / 105문항
	_____ / 95분
2교시	_____ / 105문항
	_____ / 95분
3교시	_____ / 85문항
	_____ / 80분

1교시

001

항생제의 알레르기성 반응을 검사하기 위해 피내 주사를 실시한 후, 24~72시간 후에 일어나는 면역반응을 살펴보고자 하였다. 이는 어떠한 반응을 확인하기 위한 검사인가?

① 체액성 반응
② 즉시형 반응
③ 세포독성 반응
④ 세포중개성 반응
⑤ 아나필락틱 반응

002

유방암으로 근치유방절제술을 받은 환자에게 교육해야 할 내용으로 알맞은 것은?

① 절대안정을 취한다.
② 환측 팔로 혈압을 측정한다.
③ 어깨부터 손 방향으로 마사지한다.
④ 수술 당일부터 팔 운동을 실시한다.
⑤ 무거운 물건을 드는 운동을 실시한다.

003

김 간호사는 자궁적출술 시행 후 병실로 돌아온 환자가 통증을 호소하자 모르핀(Morphine)을 투여하였다. 환자는 투여 즉시 분당 호흡수가 7~8회로 떨어지며 호흡곤란을 호소하였다. 이때 가장 우선적으로 사용할 수 있는 약물은 무엇인가?

① 날록손(Naloxone)
② 타가멧(Tagament)
③ 아트로벤(Atrovent)
④ 베나드릴(Benadryl)
⑤ 싱귤레어(Singulair)

004

만성 췌장염 환자에게 가장 적절한 식이는 무엇인가?

① 고지방식이
② 저단백식이
③ 췌장효소제
④ 고칼로리식이
⑤ 고탄수화물식이

005

알레르기 환자에게 탈감작요법을 실시할 때 가장 주의해야 할 사항으로 옳은 것은?

① 주사 후 1분간 관찰한다.
② 같은 부위에 요법을 실시한다.
③ 아나필락시스 반응에 주의한다.
④ 같은 용량을 반복적으로 주입한다.
⑤ 시행 간격은 일정하지 않아도 무방하다.

006

B형 간염 환자에 대해 간호할 때 주의해야 하는 사항은?

① 1인실에 격리한다.
② 환자를 간호할 때 마스크를 착용한다.
③ 노출된 후 24시간 이내에 면역글로불린을 투여한다.
④ 환자에게 약물을 주사한 후 바늘 뚜껑을 다시 끼운다.
⑤ 개인 면도기, 칫솔을 항상 멸균 소독한 것을 사용해야 한다.

007

머리, 가슴, 복부에 2도 화상을 25% 입은 환자가 응급실을 통해 들어왔다. 가장 우선적으로 수행되어야 할 간호중재는?

① 피부 이식
② 감염 예방
③ 심리적 지지 제공
④ 호흡 및 기도유지
⑤ 열량 및 단백질 공급

008

당뇨 환자에게 신증이 발생한 경우 어떠한 검사를 우선적으로 시행해야 하는가?

① CT
② 안저검사
③ 혈액검사
④ 방광경검사
⑤ KUB (신장요관방광단순촬영)

009

지난달 당뇨로 진단받은 박 씨는 오늘 아침 입맛이 없어 아침식사를 하지 않았다. 그러나 식전 인슐린은 평소처럼 투여한 후, 출근길에 어지러움을 느끼고 쓰러져 응급실을 통해 내원하였다. 가장 우선적인 중재는 무엇인가?

① 수분을 공급한다.
② 눕힌 후에 다리를 올려준다.
③ 생리 식염수를 정맥투여한다.
④ 50% 포도당을 정맥투여한다.
⑤ 주스와 포도당을 경구복용하게 한다.

010

신장 이식을 받은 환자가 퇴원 2주 후 소변량이 감소하고, 크레아틴 수치가 상승하였다. 이때 어떠한 간호사정이 필요한가?

① 자가면역질환
② 항원-항체 반응
③ 이식편대 숙주질환
④ 급성 이식거부반응
⑤ 초급성 이식거부반응

011

다음 중 치질에 걸릴 위험이 가장 낮은 사람을 고르시오.

① 장시간 비행이 잦은 승무원
② 고섬유질식이를 섭취하는 10대 여성
③ 매일 장시간 앉아서 운전하는 버스기사
④ 오랫동안 육류를 즐겨 먹어온 50대 남성
⑤ 5명을 아이를 출산한 경험이 있는 40대 여성

012

경골이 골절되어 내원한 환자에게 붕대를 감아주었다. 환자에게 취해주어야 할 간호중재로 올바른 것은 무엇인가?

① 체위를 변경하지 않도록 한다.
② 간지러울 때 핀을 넣어 긁어야 한다.
③ 경골부위를 심장보다 아래로 내린다.
④ 붕대 위에 천으로 두른 얼음주머니를 적용한다.
⑤ 청색증이 확인되면 석고붕대를 새 것으로 교체한다.

013

식도암 환자의 식도폐쇄에 관해 가장 우선적인 간호진단을 고르면?

① 부동과 관련된 무력감
② 신체적 손상과 관련된 신체상 장애
③ 연하곤란과 관련된 기도흡인 위험성
④ 섭취 부족과 관련된 수분 전해질 불균형
⑤ 부적절한 영양섭취와 관련된 영양부족 위험성

014

박 씨는 몇년 전 결장루 시술 후, 장루에서 나오는 가스와 냄새로 사람들과 만나기를 꺼려하고 있다. 이 환자에게 추천할 수 있는 식이는 무엇인가?

① 계란
② 마늘
③ 양배추
④ 브로콜리
⑤ 요구르트

015

고관절전치환술 후 퇴원을 앞둔 환자의 반응으로 가장 적절한 것은 무엇인가?

① "집에서 절대 안정해야지요."
② "운전은 해도 된답니다."
③ "낮은 소파에 앉는 것이 좋답니다."
④ "다리 사이에 베개를 놓아 외전을 유지할 거예요."
⑤ "허리를 숙이고 신발을 신어야 해요."

016

Billroth II 수술을 한 환자에게서 빈맥, 발한, 창백함 등의 증상이 나타났을 때의 중재로 알맞은 것은?

① 저지방식이를 한다.
② 고탄수화물식이를 한다.
③ 한꺼번에 많은 양의 식사를 한다.
④ 식후 30분 정도 앙와위를 취해준다.
⑤ 식사 중에 수분을 적절히 섭취한다.

017

담석증 환자의 경우, 명치에서 시작된 통증이 어디로 방사되는가?

① 우측 견갑골
② 좌측 견갑골
③ 상복부 복통
④ 좌측 하복부 복통
⑤ 우측 하복부 복통

018

뇌하수체 이상으로 입원한 환자의 사정결과가 다음과 같다. 의심되는 질환은 무엇인가?

- 다뇨, 다갈, 다음
- 요비중 1.002
- 삼투압 50 mOsm/L

① 요붕증
② 점액수종
③ 갈색세포종
④ 쿠싱증후군
⑤ 항이뇨호르몬부적절증후군

019

B형 간염 환자가 황달로 인한 소양증을 호소할 때 알맞은 간호중재는?

① 억제대를 적용한다.
② 식초로 목욕하게 한다.
③ 손톱을 짧게 깎아준다.
④ 꽉 조이는 옷을 입게 한다.
⑤ 알칼리성 비누를 사용하여 청결하게 씻는다.

020

다음 중 위암을 확진할 수 있는 검사로 알맞은 것은?

① 위내시경
② 초음파검사
③ 위조직 생검
④ 흉부X선 검사
⑤ 종양표지자 검사

021

급성용혈성 연쇄상구균성 인두염에 감염되었다 치료가 끝난 사람이 있다. 이 사람에게 추후 합병증으로 생길 수 있는 급성 사구체신염을 진단할 수 있는 검사에는 무엇이 있나?

① CT (컴퓨터단층촬영술)
② Cystoscopy (방광경검사)
③ KUB (신장요관방광단순촬영)
④ Cystourethrography (방광요도조영술)
⑤ ASO titer (항연쇄상구균용해소 농도검사)

022

설사와 구토가 지속되거나 장기 스테로이드 요법 적용 시 나타나는 전해질 불균형은?

① 고칼슘혈증
② 고인산혈증
③ 저칼륨혈증
④ 저나트륨혈증
⑤ 고마그네슘혈증

023

다음 중 혈액투석 환자의 식이로 알맞은 것은?

① 고단백식이
② 고지방식이
③ 저인산식이
④ 고열량식이
⑤ 고칼륨식이

024

다발성 골수종 환자가 신장손상을 입었을 때, 혈액검사상 나타나는 소견으로 알맞은 것은?

① 칼슘 저하
② 요산 증가
③ 과립구 증가
④ 혈소판 증가
⑤ 적혈구 증가

025

환자가 다음의 수분전해질 불균형 증상을 보이고 있을 때, 필요한 간호중재는 무엇인가?

> 피부긴장도 저하, Na⁺ 150 mEq/L, 요비중 1.040,
> 체위성 저혈압, 체온 38.5 ℃

① 이뇨제 투여
② 고장액 주입
③ 나트륨섭취 권장
④ 0.9% N/S 제공
⑤ 5% 포도당 정맥투여

026

관절통을 호소하는 50세 남자에게 관절경을 시행하였다. 시행에 관한 주의점으로 올바른 것은?

① 검사 후 절대안정하게 한다.
② 검사 후 수분섭취를 권장한다.
③ 검사 후 2~3일간 보행을 제한한다.
④ 환자의 슬관절이 40° 이상 굴곡되지 않을 때에 적용한다.
⑤ 압박을 피하기 위해서 시술부위에 압박붕대를 감지 않는다.

027

요추수술을 받은 직후 환자에게 시행해야 할 간호로 적절한 것은?

① 복위로 누워 있게 한다.
② 환자의 다리를 올려준다.
③ 수동적 관절운동을 실시한다.
④ 침상에 기대어 앉아 있도록 한다.
⑤ 체위변경 시 통나무 굴리기를 통해 수행한다.

028

다음 중 골관절염의 증상으로 알맞은 것은?

① 비대칭적으로 나타난다.
② 휴식을 해도 완화되지 않는다.
③ 조조강직이 1시간 이상 진행된다.
④ 백조목(swan neck)현상이 일어난다.
⑤ 발열과 같은 전신증상으로 주로 나타난다.

029

골다공증 관련 교육을 받은 대상자의 반응이다. 적절한 반응은 무엇인가?

① "낙상하지 않도록 주의해야 해요."
② "체중부하 운동은 하면 안돼요."
③ "피임약 복용은 하면 안돼요."
④ "폐경하면 발생하지 않는다네요."
⑤ "다이어트와는 관련없대요."

030

급성심근경색 환자에게 나타날 수 있는 위험한 징후 중 가장 신속하게 대처해야 할 상황은 무엇인가?

① 심근염
② 협심증
③ 심실세동
④ 심장비대
⑤ 심부전

031

심근경색 환자에게서 가장 주의해서 보아야 할 사항은?

① 요비중 1.035
② 심박출량 50%
③ Troponin 1.25
④ 혈압 130/90 mmHg
⑤ 조기심실수축(PVC) 8회 이상 관찰됨

032

고혈압 환자에게 클로로티아지드(chlorothiazide)를 투여한다. 부작용과 관련하여 환자에게 교육해야 할 내용은?

① 사우나와 통목욕을 권장한다.
② 야간에 수분 섭취를 권장한다.
③ 저섬유소 식단을 유지하도록 교육한다.
④ 유산소 운동을 1시간 이상 하도록 교육한다.
⑤ 일어날 때 어지러울 수 있으니 주의하도록 한다.

033

심부정맥 혈전증으로 와파린을 투여받고 있는 환자에게 교육해야 할 것은?

① 비타민 K를 투여한다.
② 절대 안정하도록 한다.
③ 부드러운 칫솔을 사용한다.
④ 아스피린을 함께 복용한다.
⑤ 고혈압에 주의하도록 한다.

034

다음은 호지킨림프종을 앓고 있는 환자의 혈액검사 수치이다. 이 환자에게서 가장 유의해야 할 증상은?

적혈구 35만 μL, Hb 8.5 g/dL, 백혈구 3,500/mm^3, PLT 100,000/mm^3, 알부민 2.5 g/dL

① 통증
② 쇼크
③ 체액 손실
④ 출혈 위험성
⑤ 감염 위험성

035

개두술을 시행한 환자에게 해줘야 할 가장 우선적인 간호중재로 알맞은 것은?

① 앙와위를 취한다.
② 수분섭취를 제한한다.
③ 수술한 쪽으로 눕게 한다.
④ 침상머리를 30° 올려준다.
⑤ 다리를 올리고 휴식을 취하게 한다.

036

2주 전 인후염을 앓고 치료한 환자에게 안와부종, 혈뇨, 핍뇨 등의 증상이 나타났다. 예상되는 질병은?

① 신석증
② 신장암
③ 신증후군
④ 만성 신부전
⑤ 급성 사구체신염

037

Varicella–zoster virus에 감염된 환자에게 쓸 수 있는 약물은?

① 항생제
② 아스피린
③ 칼라민 로숀
④ 여드름 연고
⑤ 아시클로버(Acyclovir)

038

만성간질환을 앓고 있는 대상자가 잦은 피로감을 호소하며 간호사에게 그 원인을 질문하였다. 이때 적절한 응답은?

① "백혈구가 감소했기 때문입니다."
② "체액량이 부족해져서 그렇습니다."
③ "알부민이 부족하기 때문입니다."
④ "BUN 수치가 올라가서 그래요."
⑤ "간 손상으로 대사에 필요한 에너지가 많이 소모되어 그렇습니다."

039

호흡곤란을 호소하는 환자의 사정결과가 다음과 같았다. 가장 우선적인 중재는?

> pH 7.25, PaO₂ 50 mmHg, PaCO₂ 65 mmHg, HCO₃⁻ 26 mEq/L

① 흡인한다.
② 산소를 공급한다.
③ 수분을 제한한다.
④ 종이봉투로 호흡하게 한다.
⑤ 바이칼보네이트(bicarbonate)를 혈관으로 투여한다.

040

전부하 감소를 위한 방안으로 옳은 것은 무엇인가?

① 수분 제한
② 이뇨제 투여
③ 혈관확장제 투여
④ 니트로글리세린 투여
⑤ 교감신경억제제 투여

041

만성 부비동염 수술 후 환자에게 시행할 수 있는 간호중재로 옳은 것은?

① 수분을 제한한다.
② 온습포를 적용한다.
③ 상체를 45° 올려준다.
④ 심호흡, 기침을 유도한다.
⑤ 아침에 분비물을 배액 시켜준다.

042

흉관 배액관을 제거할 때 주의해야 할 점으로 옳은 것은?

① 전신마취 후 제거한다.
② 배액량이 많을 때 제거한다.
③ 제거 후 초음파로 확인한다.
④ 제거 전에 고농도 산소를 투여한다.
⑤ 제거와 동시에 폐쇄성 드레싱을 적용한다.

043

폐렴 환자에게 항생제를 투여하기 전에 실시해야 하는 검사로 가장 알맞은 것은?

① 폐생검
② 초음파검사
③ 흉부X선검사
④ 혈액배양검사
⑤ Tuberculin 검사

044

길랑-바레 증후군 환자가 1회 호기량이 적고, PaO₂ 55 mmHg 등 호흡곤란 증세를 호소하고 있다. 가장 우선적으로 취해주어야 하는 중재는?

① 흡인한다.
② 천천히 심호흡한다.
③ 반좌위를 취해준다.
④ Pursed-lip breathing을 한다.
⑤ 산소를 공급하면서 기관내삽관을 준비한다.

045

중증 근무력증 환자에게 edrophonium hydrochloride (Tensilon)을 주사하였을 때, 질환과 관련하여 나타나는 증상은?

① 복시가 나타난다.
② 근력이 상승한다.
③ 사지가 경직된다.
④ 무도병이 나타난다.
⑤ 연하곤란이 나타난다.

046

Levodopa를 투여하는 환자가 오심으로 인해 불편감을 호소하고 있을 때, 취해 줄 수 있는 간호중재는?

① 음식과 함께 투여한다.
② 식간에 투여하게 한다.
③ 제산제와 함께 복용한다.
④ 비타민 B 복합제를 복용한다.
⑤ 고단백질 음식과 함께 투여한다.

047

다음 그림에서 나타내는 검사로 알맞은 것은?

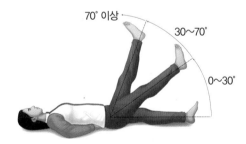

① Homan's sign
② Kernig's sign
③ Romberg test
④ Brudzinski's sign
⑤ Straight leg raising test

048

울혈성 심부전 환자에게 권장하는 식이는?

① 고열량식이
② 비타민 풍부한 과일
③ 고섬유식이
④ 고지방식이
⑤ 고탄수화물식이

049

환자가 귀 뒷부분의 통증을 호소하고, 한쪽 입에서 계속 음식물이 흘러내린다고 이야기하였다. 이때 확인해보아야 할 것은?

① 안면 감각을 확인한다.
② 연하 반응을 사정한다.
③ 눈이 감기는지 확인해본다.
④ 혀 전반 2/3의 미각을 사정한다.
⑤ 냄새를 맡을 수 있는지 확인한다.

050

환자의 안압이 급격히 상승하여 50 mmHg이고, 빛을 바라봤을 때 무지개 무리가 보인다고 한다. 이때, 이 환자에게 추가로 나타날 수 있는 증상은?

① 시야가 급격히 좁아진다.
② 오심 및 구토가 동반된다.
③ 안개가 낀 듯 시야가 흐리다.
④ 눈물 분비가 과도하게 증가한다.
⑤ 눈 주위에 심한 통증이 느껴진다.

051

심근괴사가 있을 때 1시간 후 정확히 진단할 수 있는 검사항목은?

① ESR
② CRP
③ CK−MB
④ Troponin
⑤ Myoglobin

052

철결핍성 빈혈이 나타난 중년 대상자에게 필요한 검사는?

① 요검사
② 골수검사
③ 안저검사
④ 위액검사
⑤ 위내시경

053

편마비 증상으로 신경과에 입원 중인 대상자가 식사시 음식을 흘리는 모습을 보았다. 이때 간호사가 해야 할 간호중재는?

① 환측으로 눕힌다.
② 수분이 많은 유동식을 준다.
③ 마비된 쪽으로 음식을 넣어준다.
④ 삼키기 쉽게 고개를 숙이게 한다.
⑤ 설압자로 구역반사(gag reflex)를 자극한다.

054

다음 투베르쿨린 반응검사의 결과와 문진결과를 고려하였을 때, 즉각적인 결핵치료가 필요한 대상자는 누구인가?

① 팽진이 10 mm이면서 다른 위험 노출이 없음
② 팽진이 12 mm이면서 다른 위험 노출이 없음
③ 팽진이 4 mm이면서 결핵을 앓았던 적이 있음
④ 팽진이 6 mm이면서 결핵 환자와 접촉한 경험이 있음
⑤ 팽진이 8 mm이면서 과거에 결핵 위험 지역을 방문했음

055

급성 천식발작의 증상을 나타낸 환자에게 가장 우선적으로 투여해야 할 약물은?

① 싱귤레어(Singulair)
② 항콜린성제제(Atrovent)
③ 에피네프린(Epinephrine)
④ 프로프라놀롤(Propranolol)
⑤ β₂ 아드레날린 효능제(Ventoline)

056

젊은 남성 대상자가 발이 늘 차고 궤양이 생겼으며 흡연 시 통증이 더 심해진다고 호소한다. 예상 질병으로 알맞은 것은?

① 버거씨병
② 레이노병
③ 하지정맥류
④ 죽상경화증
⑤ 심부정맥혈전증

057

장폐색 증상이 나타난 환자에게 가장 먼저 시행해야 할 중재는?

① 금식한다.
② 관장을 실시한다.
③ 하제를 투여한다.
④ 수분섭취를 권장한다.
⑤ 고섬유식이를 제공한다.

058

다음의 심전도를 나타내는 환자에게 필요한 우선적 간호중재는?

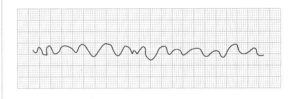

① 절대안정한다.
② 산소를 공급한다.
③ 즉시 제세동을 실시한다.
④ 리도카인(lidocaine)을 투여한다.
⑤ 칼슘글루코네이트(calcium gluconate)를 투여한다.

059

탈장 수술을 한 환자의 호흡기계 합병증 예방을 위해 교육해야 할 중재 방안은?

① 복위를 취해준다.
② 조기이상을 권장한다.
③ Valsalva 수기를 적용한다.
④ 저섬유성식이를 권장한다.
⑤ 수술 부위를 지지하고 기침하게 한다.

060

만성폐쇄성폐질환 환자의 사정결과가 다음과 같았다. 우선적인 간호중재는?

> pH 7.20, $PaCO_2$ 60 mmHg, HCO_3^- 24 mEq/L

① 정상
② 대사성 산증
③ 호흡성 산증
④ 대사성 알칼리증
⑤ 호흡성 알칼리증

061

갑작스러운 흉통과 호흡곤란을 호소하는 환자가 내원하였을 때 가장 먼저 해봐야 할 검사는?

① 소변검사
② 폐기능검사(PFT)
③ 심전도검사(ECG)
④ 동맥혈가스분석(ABGA)
⑤ 혈관조영술(angiography)

062

수혈을 하던 환자가 발열, 호흡곤란, 창백 등의 반응을 나타냈을 시, 간호사가 가장 먼저 해야 할 중재는?

① 수액을 연결한다.
② 활력징후를 측정한다.
③ 즉시 수혈을 중지한다.
④ 의사에게 바로 보고한다.
⑤ 일단 수혈 속도를 조금 더 늦춰본다.

063

부신부전에 의한 코티졸, 알도스테론, 안드로겐의 분비 장애로 에디슨병(Addison's disease)을 앓는 환자에게는 어떠한 중재가 필요한가?

① 이뇨제 투여
② 호르몬대체요법
③ 일상생활습관 교정
④ 부갑상선절제술 실시
⑤ 베타아드레날린 길항제 투여

064

부갑상선 기능항진증 환자의 증상을 완화하기 위한 식이요법에 해당하는 음식은?

① 우유
② 초콜릿
③ 산성음료
④ 비타민 D
⑤ 오렌지주스

065

급성 호흡곤란 증후군(ARDS)이 있을 때 나타날 수 있는 임상증상은?

① 객담
② 과호흡
③ 말초부종
④ 비익확장
⑤ PaO_2 50 mmHg

066

폐색성 혈전혈관염 환자가 자신의 병에 대해서 간호사에게 질문하였다. 간호사의 대답으로 가장 적절한 것은?

① 니코틴이 혈관을 막아서 생긴다.
② 20대~40대 여성에게 많이 발생한다.
③ 추운 지방에서 일하는 사람에게 발생한다.
④ 통증이 있고 조직 궤양과 괴사가 유발된다.
⑤ 혈관 내벽에 콜레스테롤, 지방이 축적되어 발생한다.

067

자발적 호흡이 가능한 환자에게 보조적 기계환기가 500 ml/분으로 적용 중이며, 환자는 24회/분으로 호흡 중이다. 이 환자에게 즉각적인 조치가 필요한 상황은?

① 고혈압
② 부정맥
③ 과환기
④ 저산소증
⑤ 쌕쌕거리는 천명음

068

응급실에 내원한 환자의 임상증상이 다음과 같다. 이 환자에게 발생한 쇼크의 종류는?

- 혈압 90/50 mmHg
- 맥박 110회/분
- 중심정맥압 8 mmHg
- 폐모세혈관쐐기압 24 mmHg

① 신경성 쇼크
② 심인성 쇼크
③ 패혈성 쇼크
④ 저혈량성 쇼크
⑤ 아나필락틱 쇼크

069

중심정맥관을 갖고 있는 환자에게 청색증, 빈호흡, 창백 등이 나타났다. 이 환자에게 발생한 문제는?

① 부정맥
② 저혈소판증
③ 정맥혈관염
④ 폐정맥울혈
⑤ 중심정맥관 폐색전증

070

호흡곤란을 호소하는 환자의 사정결과가 다음과 같았다. 의심되는 질환은?

- 호흡 시 그르렁 거리는 소리(crackle)
- 호흡수 24회/분, PaO_2 60 mmHg
- 폐모세혈관쐐기압 26 mmHg

① 폐렴
② 부정맥
③ 폐수종
④ 울혈성 심부전
⑤ 급성 호흡곤란 증후군

071

여성건강간호학에서 가족중심간호(family-centered care)의 원리에 대한 설명으로 옳은 것은?

① 여성은 남성에게 의존적이다.
② 여성은 남성에 비해 주체성이 없다.
③ 여성은 힘과 결단력을 갖고 스스로 조절하는 존재이다.
④ 출산은 가족 전체의 과업으로 가족 모두의 참여가 중요하다.
⑤ 출산은 여성만이 담당해야 하는 사건으로 이해하고 접근한다.

072

성경험이 <u>없는</u> 16세 여학생이 월경과다로 내원하였다. 기질적 문제가 없을 시 다음 중 가장 우선적으로 중재해야 할 것은?

① 소파술
② 미레나
③ 질 내진
④ 질 확대경
⑤ 호르몬치료

073

19세 여학생이 월경 시작 며칠 전부터 유방팽만, 체중증가, 부종, 집중력 저하 등이 있다가 월경이 시작되면 증상이 사라지는 양상이 주기적으로 반복된다고 한다. 증상완화를 위한 권장 식이는?

① 고탄수화물식이
② 저칼슘식이
③ 저단백식이
④ 고지방식이
⑤ 저염식이

074

자궁경부의 원추세포가 편평상피세포로 변하는 이형성세포를 진단하기 위해 시행해야 할 검사는?

① 복강경
② 세포진검사
③ 초음파검사
④ 난관결찰법
⑤ 자궁난관조영술

075

한쪽 난소절개술을 받았을 시 다음 달 생리현상으로 옳은 것은?

① 매달 배란은 가능하나 월경이 없다.
② 한 달씩 건너뛰고 두 달에 한번 월경이 일어난다.
③ 무월경으로 인공수정을 통해야만 임신이 가능하다.
④ 이전과 똑같이 정상적으로 한 달에 한 번 월경한다.
⑤ 난소기능을 상실했으므로 난소의 크기가 점차 감소한다.

076

산과력이 0-0-0-0인 부부가 불임클리닉에 불임으로 상담을 받으러 왔다. 경관점액의 양상에서 불임 가능성이 높은 것으로 옳은 것은?

① 견사성이 높다.
② 양이 적고 끈끈하다.
③ 양치엽 형태가 보인다.
④ 물같이 맑고 투명하다.
⑤ 세포나 세균이 거의 없다.

077

53세 여성이 갱년기 증상으로 심한 열감과 홍조를 호소할 때 그 원인으로 옳은 것은?

① 골반 혈류량 증가
② 혈관운동 불안정
③ 단백지질 대사 변화
④ 에스트로겐의 급격한 증가
⑤ 프로스타글란딘의 과도한 합성

078

7명의 자녀를 출산한 70세 여자가 경미한 압박감과 질 부위의 자궁하수감을 호소하였다. 병원에서 3도 자궁탈출증으로 진단을 받았을 때 예상되는 수술 방법은?

① 원추절제술
② 근치자궁절제술
③ 맥도날드교정술
④ 루프환상투열절제술
⑤ 질식자궁절제술

079

다음 중 트리코모나스 질염에 대한 설명으로 옳은 것은 무엇인가?

① 무통성 궤양
② 상복부 동통
③ 치즈 같은 질 분비물
④ 녹황색 거품이 나는 질 분비물
⑤ 회백색의 악취가 나는 질 분비물

080

초경을 경험 중인 14세 여학생이 월경통을 호소한다. 월경통의 원인으로 알맞은 설명은?

① hCG의 분비로 자궁이완
② 옥시토신의 분비로 자궁수축
③ 에스트로겐의 분비로 자궁수축
④ 프로게스테론의 분비로 자궁이완
⑤ 프로스타글란딘의 분비로 자궁수축

081

임신 중 입덧이 최고로 심한 기간으로 옳은 것은?

① 30일 내
② 40~60일
③ 70~90일
④ 120~140일
⑤ 150~170일

082

다음 그림의 태아의 태향으로 옳은 것은?

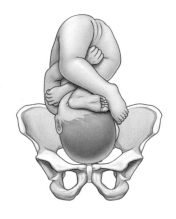

① 횡위
② 좌후방두정위(LOP)
③ 우전방두정위(ROA)
④ 우후방두정위(ROP)
⑤ 좌전방두정위(LOA)

083

산과력이 1-0-1-1인 경산부 산모가 현재 개대 6 cm, 소실 70%, 선진부 +1이고, 27시간 동안 진통 중이다. 이때 가장 우선적으로 수행해야 할 처치로 옳은 것은?

① 복위를 취해준다.
② 리토드린을 투여한다.
③ 옥시토신을 투여한다.
④ 회음절개술을 실시한다.
⑤ 인공파막술을 시행한다.

084

자간전증이 있는 임부에게 하이드랄라진(Hydrala-zine)을 투여하였다. 그 효과로 옳은 것은?

① 혈압을 낮춘다.
② 경련을 예방한다.
③ 단백뇨를 치료한다.
④ 탈수증상을 완화한다.
⑤ 이뇨작용을 촉진한다.

085

혈압 140/100, 단백뇨 +1, 얼굴, 손가락 부종, 심한 체중 증가가 있는 산모에게 필요한 간호중재로 옳은 것은?

① 무염식이 제공
② 고단백질식이 제공
③ 고칼로리식이 제공
④ 매주 양수천자 실시
⑤ 한 달에 한 번 산전검사 실시

086

다음 중 임부의 생리적인 신체 변화로 옳은 것은?

① 월경이 지속된다.
② 배꼽부위가 파래진다.
③ 자궁협부가 단단해진다.
④ 질 점막이 자주색을 띤다.
⑤ 자궁저부가 협부 쪽으로 휘어진다.

087

임신 24주된 초임부가 2시간 전부터 10분마다 규칙적으로 자궁이 수축되고, 한 번에 20~30초 동안 지속된다며 분만실로 전화를 했다. 간호사의 반응으로 옳은 것은?

① "질 출혈이 있으면 병원에 다시 전화하세요."
② "양수가 터지면 그때 병원으로 오세요."
③ "가진통이므로 집에서 안정을 취하세요."
④ "병원으로 지금 오세요."
⑤ "태동이 느껴지면 정상이므로 걱정하지 마세요."

088

임부의 일반적인 산전관리로 옳은 것은?

① 성생활을 절대 금지한다.
② 가벼운 걷기 운동을 한다.
③ 되도록 수분섭취량을 줄인다.
④ 굽이 없는 신발(flat shoes)을 신는다.
⑤ 매일 1시간 이상의 땀나는 운동을 한다.

089

옥시토신 유도분만 중인 산부의 상태가 다음과 같을 때 우선적인 간호중재는?

- 산부의 혈압 120/80 mmHg, 맥박 85회/분, 호흡 22회/분
- 자궁수축: 간격 2분, 기간 85초, 강도 90 mmHg
- 태아 심박동수: 105회/분

① 태동 확인

② 진정제 투여

③ 히드랄라진 투여

④ 옥시토신 주입 중단

⑤ 반좌위로 체위 변경

090

태아심음 감시 그래프가 다음과 같이 나타났을 때, 이에 대한 설명으로 옳은 것은 무엇인가?

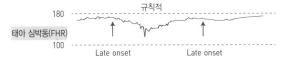

① 태변착색이 있으므로 산소를 공급한다.

② 아두압박의 증상이므로 안정을 취해준다.

③ 제대가 압박으로 태반 관류에 문제가 있으므로 좌측 위를 취해준다.

④ 자궁수축 시 심박동 수가 다소 느려지는 것으로 끝나면 정상으로 회복된다.

⑤ 감퇴의 모양과 지속시간이 수축과 관계없이 발생하므로 태아에게 심각한 손상을 입힌다.

091

임신 39주 5일에 분만 중인 초산부를 사정한 결과가 다음과 같을 때 올바른 해석은?

- 태향: LOA
- 자궁경부 상태: 개대 6 cm, 소실 90%
- 자궁수축 양상: 간격 3~4분, 지속시간 30~40초
- 선진부 하강정도: +1

① 태아의 선진부는 턱이다.

② 선진부가 좌골극보다 아래에 있다.

③ 배림과 발로상태가 보인다.

④ 수의적으로 힘주기가 필요하다.

⑤ 병리적 견축륜이 보인다.

092

분만중에 자궁경부가 6 cm 개대된 초산부가 통증과 불안을 호소하면서 과호흡을 할 때 나타날 수 있는 건강문제는?

① 호흡성 알칼리증

② 호흡성 산성증

③ 혈성 점액분비

④ 고체온

⑤ 혈중 이산화탄소 분압 증가

093

모유수유를 시작한 산모가 산후 2일경 유방이 딱딱하게 뭉치고 통증이 있다고 호소한다. 필요한 간호중재는?

① 자주 모유수유하도록 한다.

② 브래지어를 착용하지 않도록 한다.

③ 비누로 자주 씻어 청결한 상태를 유지한다.

④ 언제나 견고한 유방보호기를 착용하도록 한다.

⑤ 수유를 하지 않는 동안에는 유즙을 짜지 않는다.

094

분만 후 2시간에 자궁이 복부 오른쪽으로 치우쳐 있음을 학인하였다. 그 이유로 옳은 것은?

① 포상기태
② 방광팽만
③ 자궁근종
④ 방광누공
⑤ 골반내 염증

095

임신 20주 박 씨의 혈압 120/90, 체온 36.7, 태아심음 132/분일 때, 패드에 출혈이 아닌 물 같은 것이 묻어서 나왔다고 한다. 이때 우선적으로 시행해야 할 간호로 옳은 것은?

① 앙와위로 눕힌다.
② 자궁이완제를 투여한다.
③ 자궁수축제를 투여한다.
④ 침상안정을 취하게 한다.
⑤ 니트라진 용지로 질 분비물을 확인한다.

096

데메롤(Demerol) 투약 후 90분이 지나 분만한 태아에게 우선적으로 확인해야 할 것은?

① 체온
② 호흡
③ 맥박
④ 심음
⑤ 혈압

097

산모의 양수량이 300 ml이고 AFI 3.5 cm일 때, 다음 중 태아에게 보일 수 있는 문제로 옳은 것은?

① 당뇨병
② 다태아
③ 무뇌아
④ 식도폐쇄
⑤ 신장 형성부전

098

임신 20주 임부에게 리토드린을 투여해도 되는 경우는?

① 하강정도 −3
② 하강정도 −1
③ 자궁경관 2 cm 개대, 양막파수
④ 자궁경관 6 cm 개대, 양막파수
⑤ 자궁경관 8 cm 개대, 양막파수

099

부인과를 방문한 29세 여성이 2년 동안 임신이 안 되고 심한 월경통과 월경직전 골반통, 성교통을 호소한다. 의심할 수 있는 질환은?

① 자궁경부암
② 자궁경관염
③ 자궁내막증
④ 자궁비대증
⑤ 다낭성 난소난종

100

분만 후 2주가 지난 김 씨는 오른쪽 장딴지 통증이 심해 병원을 방문하였다. 오른쪽 장딴지를 사정하였더니 부어 있고 하얗게 윤이 났다. 김 씨는 오한과 발열을 호소할 때 김 씨에게 적절한 간호는?

① 모유수유를 권장한다.

② 규칙적인 운동을 권장한다.

③ 침범된 오른쪽 다리를 상승시킨다.

④ 통증완화를 위해 다리 마사지를 시행한다.

⑤ 합병증을 예방하기 위해 반좌위를 취한다.

101

고긴장성 자궁수축에 대한 설명으로 옳은 것은 무엇인가?

① 초기부터 저산소증이 온다.

② 이완기 자궁내압이 감소한다.

③ 분만 1기의 활동기에 발생한다.

④ 옥시토신을 투여해 분만을 유도한다.

⑤ 수축압이 자궁체부보다 저부에서 강하기 때문에 발생한다.

102

초산부에게 분만 1시간 후 회음부 통증과 함께 패드가 1장 젖을 정도로의 출혈이 있었고, 제와부 1 cm 아래에서 자궁이 딱딱하게 만져진다. 이때 의심할 수 있는 질환은?

① 감염

② 태반경색

③ 회음열상

④ 자궁수축부전

⑤ 태반조직잔류

103

출산 후 11일이 경과한 산부가 자궁퇴축부전을 겪고 있다. 나타날 수 있는 증상으로 옳은 것은?

① 복부에서 자궁이 만져진다.

② 제와부 수준의 자궁저부 높이를 보인다.

③ 크림의 냄새가 없는 질 분비물이 보인다.

④ 치골결합 바로 위에서 단단한 것이 만져진다.

⑤ 조직 내 축적되었던 수분의 배설 증가로 다뇨증을 보인다.

104

자궁근종을 진단받은 환자의 가족이 질환에 대한 설명을 요구했을 때, 간호사의 답변으로 가장 적절한 것은?

① "20~30대 젊은 여성에서 호발합니다."

② "골반압박으로 인해 방광 및 장에도 영향을 줍니다."

③ "비만은 에스트로겐 분비를 증가시켜 발생확률을 감소시킵니다."

④ "약물로는 호전이 어렵기 때문에 바로 수술을 준비하셔야 합니다."

⑤ "심각한 증상으로 진행되는 경우가 대부분이므로 당장 약물요법부터 시작합니다."

105

임신 41주 경산부에게 2분 간격의 규칙적인 진통이 있다. 태아는 후방후두위로 있고, 아두골반불균형의 문제가 있으며, 양수파막이 일어났으나 자궁경부는 2 cm 개대된 상태이다. 이때 취해야 할 처치로 가장 적절한 것은?

① 리토드린을 투여한다.

② 옥시토신을 투여한다.

③ 회음절개술을 시행한다.

④ 즉시 제왕절개술을 시행을 준비한다.

⑤ 수기법으로 복부 바깥에서 태아를 회전시킨다.

001

아동 발달단계에 따른 의사소통 양상 중 옳은 것은?

① 학령전기: 단순한 단어로 반복하여 설명한다.
② 영아기: 큰 목소리로 다가가 환아를 안아준다.
③ 유아기: 구체적으로 모든 내용을 정확하게 설명한다.
④ 학령기: 또래와의 상호작용으로 얻은 지식을 비판한다.
⑤ 청소년기: 논쟁하며 잘못되었다고 여겨지는 생각을 반박한다.

002

사물을 분류할 수 있고, 순서에 따라 배열할 수 있는 단계는 어느 단계인가?

① 전개념기
② 전조작기
③ 감각운동기
④ 구체적 조작기
⑤ 추상적 조작기

003

같은 공간에 비슷한 연령의 아동들이 모여 있지만, 서로 어울려 놀지 않고 독립적으로 놀고 있는 활동을 무엇이라고 하는가?

① 단독놀이
② 평행놀이
③ 연합놀이
④ 협동놀이
⑤ 방관적 놀이

004

신생아를 옆으로 뉘이면 몸의 중앙선을 경계로 하여 바닥에 닿은 부분은 붉고 윗부분은 창백한 채로 있는 증상을 무엇이라고 하는가?

① 패립종
② 몽고반점
③ 대리석양 피부
④ 입 주위 청색증
⑤ 할리퀸 색조 변화

005

다음 중 영아의 대표적인 성장 지표로 옳은 것은?

① 체중
② 신장
③ 머리둘레
④ 가슴둘레
⑤ 복부둘레

006

5개월된 아이에게 이유식으로 곡분을 먼저 주는 이유로 옳은 것은?

① 열량을 공급하기 위해서
② 엽산을 공급하기 위해서
③ 철분을 공급하기 위해서
④ 단백질을 공급하기 위해서
⑤ 비타민을 공급하기 위해서

007

영아 돌연사 증후군(SIDS)을 예방하기 위해 해주어야 할 부모교육으로 옳은 것은?

① "영아랑 함께 잠을 자도록 하세요."
② "푹신한 침구를 덮어주도록 하세요."
③ "아이를 이불로 너무 덥게 싸매지 마세요."
④ "영아의 질식을 방지하기 위해 복위로 재우도록 하세요."
⑤ "주스나 우유를 담은 우유병을 물려서 재우도록 하세요."

008

아동 의견결정 시 간호사가 옹호자로서 해주어야 할 행동으로 옳은 것은?

① 간호사가 대신해서 결정해준다.
② 부모에게 대신 결정하도록 한다.
③ 의사의 결정을 전달해주며, 아동의 의견은 묻지 않는다.
④ 아동으로 하여금 최대한 허용 가능한 범위 안에서 자신의 선택을 허용해준다.
⑤ 아동의 상황이나 치료방법에 대해 아동에게는 전혀 설명하지 않고 부모에게만 설명한다.

009

미숙아의 특징으로 옳은 것은?

① 태지가 많다.
② 피하지방이 적다.
③ 머리가 몸보다 작다.
④ 체중이 많이 나간다.
⑤ 사지가 굴곡되어 있다.

010 기출 21

신생아 1분 APGAR score로 옳은 것은?

- 체온 37℃, 맥박 101회/분
- 느리고 불규칙하게 호흡함
- 사지를 약간 구부린 상태로 누워 있음
- 몸체는 붉고 사지는 푸르스름한 색을 띰
- 카테터를 콧속에 넣었을 때 재채기와 기침을 함

① 3점
② 5점
③ 6점
④ 7점
⑤ 9점

011

8개월된 아이가 병원에 와서 간호사를 보더니 자지러지게 운다. 이때 간호사가 어머니에게 해줄 말로 옳은 것은?

① "모아애착장애가 의심됩니다."
② "아이가 낯을 가려서 그러는 거예요."
③ "아이가 엄마랑 떨어지기 싫어서 그래요."
④ "아이와 엄마의 신뢰가 두터워서 그래요."
⑤ "아이가 치료받는 것이 무서워서 그래요."

012

3세 아동이 "아니", "싫어"라고 대답한다며 곤란해 하는 엄마에게 간호사가 해줄 말로 옳은 것은?

① "예/아니오를 구분하는 과정입니다."
② "부정적인 성향이 강한 아이입니다."
③ "아이가 자율성을 터득해 나가는 과정입니다."
④ "아이에게 언어발달이 일어나고 있다는 증거입니다."
⑤ "아이의 특성을 교정하기 위해 추가적으로 치료가 필요합니다."

013

5세 아동이 계속 말을 더듬는다. 부모님은 특별한 질환을 앓지 않는다고 얘기했을 때, 필요한 간호중재로 적절한 것은?

① 말을 잘하면 상을 준다고 한다.
② 말을 더듬으면 체벌을 한다고 한다.
③ 말을 더듬지 않는 다른 아이와 비교한다.
④ 말을 잘하지 못하면 부모님이 대신 말해준다.
⑤ 아동이 말을 끝낼 수 있도록 충분히 기다려준다.

014

폐혈류량 감소가 특징적인 심장질환으로 옳은 것은?

① 대혈관전위
② Fallot 4징후
③ 대동맥축착
④ 동맥관개존증
⑤ 심방중격결손

015

학령기 아동이 적절한 발달을 할 수 있도록 간호사가 해줄 수 있는 중재로 옳은 것은?

① 과제를 수행하지 못할 경우 체벌한다.
② 아동이 성취한 내용을 다른 아동과 비교한다.
③ 높은 목표의 과제를 주어 못할 경우 재촉한다.
④ 과제를 내주고 성취여부에 관해서는 상관하지 않는다.
⑤ 아동이 할 수 있는 적정량의 과제를 주고, 달성할 시에 칭찬해준다.

016

입원생활로 인해 3세 아동이 자신의 생활에 대해서 통제감을 상실할 수 있는 위험에 처해 있다. 이 경우 적합한 중재는?

① 부모가 병실에 들어가지 못하게 한다.
② 허용되는 범위 안에서 아동의 자율성을 보장해 준다.
③ 낙상의 위험이 있기 때문에 돌아다니지 않고 방에만 있도록 권장한다.
④ 집에서 사용하던 물건을 가져와서 익숙한 환경을 만드는 것은 제한한다.
⑤ 다른 환아들과 다툼이 생길 수 있기 때문에 교류를 막아 사전에 갈등을 예방한다.

017

질병을 죄에 대한 처벌이라고 생각하는 아동의 발달단계는?

① 영아기
② 유아기
③ 학령기
④ 학령전기
⑤ 청소년기

018

혈우병 아동의 증상이 호발하는 부위로 옳은 것은?

① 구강
② 비강
③ 신장
④ 위장
⑤ 무릎 관절

019

청소년기 여자 환아가 척추측만증으로 인해서 보조기구를 착용하고 있다. 이때 해주어야 할 간호중재로 옳은 것은?

① 보조기 안으로 로션을 발라준다.

② 보조기 착용 시에 운동을 절대 하지 않는다.

③ 잘 때 식사할 때는 보조기구를 착용하지 않는다.

④ 압력을 분산시키기 위해 부드러운 침요를 사용한다.

⑤ 금기가 아니라면 샤워를 끝내고 다 마른 뒤에 면 티셔츠를 입고 그 위에 보조기구를 착용한다.

020

재태기간 34주, 체중 2.8 kg로 NICU에 내원한 환아의 신체사정 결과이다. 다음 중 환아에게 가장 우선적으로 해주어야 할 간호는?

- 호흡수 88회/분
- 흉부 늑골에 두드러진 경축
- PaO_2 50, $PaCO_2$ 55, HCO_3^- 28

① O_2를 공급한다.

② 수액을 공급한다.

③ 심전도를 찍는다.

④ 중탄산염을 투여한다.

⑤ 기관 삽입을 실시한다.

021

생후 4일차 신생아의 엄마가 아기 눈과 피부가 노란색 빛을 띤다고 걱정하고 있다. 이때 간호사가 해줄 말로 적절한 것은?

① "RBC가 과다하게 많아서 그런 것입니다."

② "신생아의 간기능이 미숙해서 그런 것입니다."

③ "신생아의 신장기능이 미숙해서 그런 것입니다."

④ "아이에게 영양이 적절하게 공급되지 않아서 생긴 것입니다."

⑤ "병리적인 양상으로 정확한 진단을 내리기 위해 추가 검사가 필요합니다."

022

선천성 갑상선 기능저하증을 가진 환아의 어머니가 간호사에게 "호르몬요법을 1년 뒤에 시작하면 안 될까요?"라고 물어보았다. 이때 조기치료를 해야 하는 이유에 대해서 간호사가 적절하게 설명한 내용은?

① "조기치료를 하지 않으면 지능저하가 나타나기 때문입니다."

② "조기에 치료하면 할수록 약 복용 기간이 짧아지기 때문입니다."

③ "조기치료를 하면 갑상선 기능저하증이 완치될 수 있기 때문입니다."

④ "조기 치료를 하지 않으면 다른 대사이상이 나타날 수 있기 때문입니다."

⑤ "조기에 치료를 하지 않으면 갑상선기능이 완전히 손상되기 때문입니다."

023

아동에게 철분제 투여 시 해주어야 할 간호중재로 옳은 것은?

① 우유와 함께 투여한다.
② 제산제와 함께 투여한다.
③ 단백질과 함께 투여한다.
④ 컵을 사용하여 경구투여한다.
⑤ 위장에 문제가 없다면 식간에 투여한다.

024

며칠 전에 호흡기계 감염을 앓았던 아동의 신체를 사정하였을 때, 안와부종, 혈압 150/110 mmHg, 혈뇨가 확인되었다. 이때 아동에게 나타난 질병으로 옳은 것은?

① 천식
② 요로감염
③ 급성 신우신염
④ 급성 사구체신염
⑤ 아나필락틱 쇼크

025

출생 후 신생아 혈액순환으로 옳은 내용은?

① 폐혈류가 감소되어 폐가 팽창된다.
② 정맥관에서 폐로 가는 혈류가 증가한다.
③ 좌심실 압력 상승으로 우좌단락이 생긴다.
④ 좌심방 압력이 감소되어 난원공이 폐쇄된다.
⑤ 동맥혈의 산소분압이 높아져 동맥관이 폐쇄된다.

026

식도기관루가 있는 환아에게 나타나는 특징적 증상은?

① 오심
② 구토
③ 설사
④ 변비
⑤ 기침과 질식

027

체액이 부족한 환아에게 나타날 수 있는 증상으로 옳은 것은?

① 안구 돌출
② 체중 증가
③ 대천문 팽창
④ 머리 둘레 증가
⑤ 피부 긴장도 저하

028

당뇨 환아의 어머니에게 해야 할 식이 교육으로 옳은 것은?

① 고열량 음식을 제공한다.
② 자가 인슐린 투여 방법을 교육한다.
③ 인슐린 최소 작용시간에 맞춰 간식을 준다.
④ 영양이 골고루 들어 있는 식이를 줘야 한다.
⑤ 당뇨는 식이조절만 해도 혈당을 조절할 수 있다.

029

급성 연쇄상구균성 인두염으로 치료받고 퇴원하는 환아의 부모님에게 일주일 후에 병원에 다시 방문하라고 이야기 했다. 환아의 어머니가 재방문의 필요성에 대해 물었을 때 간호사가 해줄 말로 적절한 것은?

① "재발의 가능성이 있기 때문입니다."
② "합병증으로 폐렴이 생길 수 있기 때문입니다."
③ "합병증으로 류마티스열이 올 수 있기 때문입니다."
④ "합병증으로 체내 수분이 축적될 수 있기 때문입니다."
⑤ "감염이 남아있을 경우, 일주일 후에 그 증상이 나타나기 때문입니다."

030

긴장성 간대성 발작(tonic-clonic seizure)이 있는 환아의 어머니에게 교육해야 할 주의사항으로 옳은 것은?

① "발작이 있을 때 따뜻한 물을 주세요."
② "발작이 있을 때 억제대를 사용하세요."
③ "발작이 있을 때 끌어안거나 꼭 붙잡지 마세요."
④ "발작이 있을 때 아이가 좋아하는 곰 인형을 안겨주세요."
⑤ "발작이 있을 때 혀를 깨물지 않도록 설압자를 끼워주세요."

031

다음 아동의 발달양상 중 뇌성마비를 의심할 수 있는 상황으로 옳은 것은?

① 3개월: 엄마에게 미소 짓는다.
② 4개월: 긴장성 경방사가 없다.
③ 6개월: 아직 목을 가누지 못한다.
④ 7개월: 모로반사가 나타나지 않는다.
⑤ 10개월: 혼자서 가구를 잡고 일어선다.

032

성홍열의 간호중재 방법으로 옳은 것은?

① 항생제를 투여한다.
② 에피네프린을 투여한다.
③ 발톱을 줄자로 갈아서 자른다.
④ 해열을 목적으로 아스피린을 투여한다.
⑤ 소양증 감소를 위해 칼라민 로션을 발라준다.

033

홍역이 있는 환아에게 나타나는 증상으로 옳은 것은?

① 딸기형 혀가 나타난다.
② 구강 내에 Koplik 반점이 나타난다.
③ 발진이 몸통부터 발생하기 시작한다.
④ 발진은 발생한 순서와 반대로 소실된다.
⑤ 얼굴에 붉은색 나비형 발진이 발생한다.

034

신장모세포종(nephroblastoma: Wilms'tumor) 아동의 수술 전 중요한 간호는?

① 염분 섭취를 제한하도록 교육한다.
② 아동이 좋아하는 음식을 먹도록 격려한다.
③ 종양이 파열되지 않도록 복부를 만지지 않는다.
④ 장폐색 여부를 관찰하기 위해 복부를 촉진한다.
⑤ 아동이 수술을 견딜 수 있을 때까지 수술을 연기한다.

035

급성 림프구성 백혈병 환아에게 출혈예방을 위해 교육해야 할 내용으로 옳은 것은?

① 아스피린을 투여한다.
② 방안에 화분을 놓아둔다.
③ 다른 사람들의 방문을 권장한다.
④ 코를 세게 풀거나 후비지 않는다.
⑤ 구강보다 근육주사의 방법을 사용한다.

036

수도권에 전국 의료기관의 80%가 몰려 있다. 이는 다음 중 어떠한 지역사회의 특성을 보여주는 것인가?

① 분포성
② 효율성
③ 수익성
④ 적응성
⑤ 통일성

037

우리나라 노인장기요양보험 제도에 대해 설명으로 옳은 것은?

① 국민건강보험공단에서 관리한다.
② 본인부담금 없이 무료로 제공한다.
③ 가정전문간호사가 간호를 제공한다.
④ 등급에 따라 균등한 분배가 가능하다.
⑤ 소득에 관계없이 모든 65세 이상 노인에게 제공한다.

038

코호트연구의 장점으로 옳은 것은?

① 비용이 경제적임
② 필요한 연구대상자의 숫자가 적음
③ 희귀한 질병 및 잠복기간이 매우 긴 질병도 연구 가능
④ 원인-결과 해석시 선후관계가 비교적 분명함
⑤ 연구 때문에 피연구자가 새로운 위험에 노출되는 일이 없음

039

우리나라에서 취하고 있는 사회보장의 형태로 옳은 것은?

① 사회보험 방식
② 자유기업형 의료전달체계
③ 사회주의형 의료전달체계
④ 사회보장형 의료전달체계
⑤ 지역가입자도 수입비율에 맞춰서 부가

040

지역사회 주민 집단건강검진 도구의 특성으로 옳은 것은?

① 조기발견이 가능해야 한다.
② 민감성 높은 도구를 사용하면 안 된다.
③ 건강문제의 관련 요인을 규명할 수 없다.
④ 발견한 건강문제의 치료방법을 개발할 수 있다.
⑤ 특이도가 높아 유병률이 낮은 특정 건강문제를 발견해야 한다.

041

한 여성이 연령별 출산율에 맞춰서 꾸준히 출산을 했을 때, 일생동안 몇 명의 아이를 낳는가를 예측할 수 있는 출산율에 해당하는 것은?

① 조출생률

② 재생산율

③ 순재생산율

④ 합계출산율

⑤ 일반출산율

042

혈압을 측정할 때, 신뢰도를 높이는 방법으로 옳은 것은?

① 매번 측정 시마다 혈압계를 바꾼다.

② 간호사가 정확한 측정을 위해 연습한다.

③ 최고측정값과 최저측정값의 평균을 구한다.

④ 혈압측정기 사용 후 매번 알코올 솜으로 소독한다.

⑤ 한 환자의 혈압을 정할 때 매번 다른 간호사가 측정한다.

043

지역사회 간호사가 단기간에 지역사회 생활 습관, 교통 편의 등을 파악하고자 할 때 가장 적합한 방법은?

① 주민면담

② 참여관찰

③ 지역행사 참여

④ 지역사회 기관방문

⑤ 지역사찰(windshield survey)

044

지역 간의 불균형을 줄이고, 소득에 따른 차이가 없도록 하는 지역사회보건의 궁극적인 목적은?

① 합리성

② 통일성

③ 개별성

④ 자율성

⑤ 건강형평성 제고

045

3대 이상에 걸친 가족구성원에 대한 정보와 그들 간의 관계를 도표로 기록한 방법의 가족건강 사정 도구에 해당하는 것은?

① 가계도

② 가족밀착도

③ 외부체계도

④ 사회지지도

⑤ 가족연대기

046

다음의 인구구성비를 보고 노령화 지수로 옳은 것은?

- 0~14세: 15%
- 15~64세: 75%
- 65세 이상: 10%

① 100%

② 66.7%

③ 11.1%

④ 20.0%

⑤ 33.3%

047

인구정책은 크게 인구대응정책과 인구조정정책으로 나뉜다. 이 중 인구대응정책에 해당하는 것으로 적절한 것은?

① 도로증설
② 이민정책
③ 피임법 교육
④ 출산장려정책
⑤ 불임부부 상담

048

지역사회에 존재하는 가족의 형태 중에서 다문화가족을 위한 간호를 중재하기 위해 지역사회 간호사에게 가장 우선적으로 요구되는 사항은 무엇인가?

① 언어를 우선적으로 공부한다.
② 다양한 문화권의 사람들을 만나본다.
③ 그 나라의 역사와 문화를 알아야 한다.
④ 다양한 문화를 존중하는 마음가짐을 갖는다.
⑤ 건강관련 행위와 관련된 다른 문화를 이해한다.

049

지역사회 간호수행 중 감시(monitoring)에 대한 설명으로 옳은 것은?

① 업무 수행자들을 지원하고 격려하기 위해
② 사업 수행자들의 업무 상태를 감독하기 위해
③ 사업 수행동안 발생한 문제점을 발견하고 해결하기 위해
④ 목적달성이 계획대로 잘 이루어지고 있는지 알아보기 위해
⑤ 업무의 수행수준을 관찰하여 발견사항 중 개선점을 토의하고 조언하기 위해

050

보건소에서 관절염 예방사업을 기획하려고 한다. 체계이론에 따른 투입평가에 해당하는 요인으로 옳은 것은?

① 자원의 효율성
② 방문간호 횟수
③ 목표 성취여부
④ 순서와 진행 정도
⑤ 지역사회 요구도 적합성

051

고혈압을 앓고 있는 노인과 관련하여 로이의 적응이론을 적용하였을 때, 옳은 것은?

① 연관자극은 고혈압 관리에 관련된 신념이다.
② 초점자극은 고혈압관리를 위해 식이조절을 하는 것이다.
③ 잔여자극은 항고혈압제 증상에 따라 복용을 중단하는 것이다.
④ 역할기능 양상은 고혈압에 대한 의사소통양상을 관찰하는 것이다.
⑤ 상호의존 양상은 고혈압치료와 관련하여 전적으로 의료진에게 의존하는 것이다.

052

A간호사가 간호수행을 끝마치고 나서 대상자를 평가할 때, 평가기준으로 "혈당을 정상 수치로 유지한다."를 설정했다. 이에 관련된 평가로 적절한 것은?

① 투입평가
② 과정평가
③ 결과평가
④ 구조평가
⑤ 적합성 평가

053

사례관리 중 대상자의 특별한 상태 및 요구에 대해 타 부서 요원과 정보를 교환하고 중복되는 서비스를 관리하여 가능한 대상자의 요구에 합당한 간호를 조직하는 것은 간호사의 어떠한 역할에 해당하는가?

① 옹호자
② 협력자
③ 조정자
④ 기획자
⑤ 사례관리자

054

지역사회 보건사업을 기획할 때, 다음 중 가장 우선적으로 해야 할 내용으로 옳은 것은?

① 지역사회의 건강수준을 사정한다.
② 주어진 자원을 분석하고 파악한다.
③ 지역사회구성원의 건강요구를 파악한다.
④ 지역사회의 현재 문제를 파악하고 분석한다.
⑤ 현재 지역사회에서 시행되고 있는 정책과 방향을 살핀다.

055

코로나바이러스감염증−19의 확산을 막고 예방하기 위하여 가장 빠르게 전 국민에게 사실을 전달하는 가장 효과적인 지역사회 간호매체는 무엇인가?

① 방송
② 편지
③ 벽보
④ 유인물
⑤ 컴퓨터

056

다음 중 보건교육의 학습과정을 조직할 때, 전개활동에 해당하는 내용으로 옳은 것은?

① 대상자들의 흥미를 유발시킨다.
② 학습자에게 질문하고 토의하는 시간을 준다.
③ 동기부여를 위해 설명이나 해석을 제시한다.
④ 이전 시간에 배운 것과 앞으로 배울 내용을 제시한다.
⑤ 학습내용에 해당하는 지식·기능·이해 등을 습득하도록 한다.

057

지역사회에서 시행하고 있는 금연사업 중 구조평가에 해당하는 것은?

① 목표기준에 가까워지고 있는지를 평가한다.
② 금연사업에 투입되는 예산의 적절성을 평가한다.
③ 금연사업이 일정대로 진행되고 있는지 평가한다.
④ 필요로 하는 모든 이들에게 제공되었는지를 평가한다.
⑤ 금연사업에 대한 홍보가 적절하게 이루어졌는지 평가한다.

058

금연, 절주, 영양, 신체활동과 만성질환 예방 및 관리사업에 중점을 주며 지역사회밀착형 건강관리 전담기관으로 읍·면·동마다 1개소씩 설치 가능한 기관은?

① 건강생활지원센터
② 보건소
③ 보건지소
④ 보건의료원
⑤ 보건진료소

059

모자보건 정책으로 영유아의 장애를 일차적으로 예방하기 위해 가장 중요한 것은 무엇인가?

① 발달검사
② 예방접종
③ 선천성 대사이상 검사
④ 영유아 모자보건 수첩
⑤ 신생아 청각선별 검사

060

학대가족에 대한 중재방법으로 옳지 <u>않은</u> 것은?

① 가족을 심층적으로 사정한다.
② 학대자와 피해자를 격리한다.
③ 학대가족의 치료대상자는 피해자이다.
④ 학대 사실 확인 시 관련기관에 신고한다.
⑤ 가정폭력은 반복해서 발생하기 때문에 재발하지 않도록 교육한다.

061

지역사회간호 이론 중 체계이론을 가족간호에 적절하게 적용한 내용으로 옳은 것은?

① 가족구성원의 행동은 원인과 직선관계에서 잘 이해된다.
② 가족을 사회에서 필요한 기능을 가진 사회구조의 하나로 본다.
③ 가족의 성장, 발달기에 따라 과업을 어느 정도 성취하는 가에 중심을 둔다.
④ 가족의 내부체계를 강조하고 가족 이외의 부환경은 가족에 영향을 주지 않는다.
⑤ 가족 내 하부체계 간의 관계뿐 아니라 외부환경 체계와의 교류를 통해 균형을 이룬다.

062

건강증진은 보건의료서비스를 초월하여 모든 부문에서 정책입안자들이 정책결정의 결과가 건강에 미치는 영향을 인식하게 함으로써 국민건강에 대한 책임을 환기시키는 것으로 WHO 제1차 국제건강증진회의 건강증진 5대활동전략은?

① 건강한 공공정책의 수립
② 지지적 환경의 조성
③ 지역사회활동의 강화
④ 개인의 기술 개발
⑤ 보건의료서비스의 재정립

063

질병이나 사고에 대한 위험요인과 예방 방법이 알려져 있고 우선순위가 정해져 있을 때에 실제 수행을 위한 지역사회보건사업을 개발할 때에 적합한 방법은?

① BPRS
② PATCH
③ MATCH
④ PEARL
⑤ Bryant

064

다음 중 만성 퇴행성 질환의 특성에 대한 설명으로 옳은 것은?

① 확실한 요인이 있다
② 단기적으로 발생한다.
③ 연령증가에 따라 유병률이 감소한다.
④ 한번 회복되면 다시 발생하지 않는다.
⑤ 하나의 원인이 아닌 복합적인 원인에 의한다.

065

다음 중 감염성 질환에 걸리기 쉬운 환자에 대한 설명으로 알맞은 것은?

① 숙주의 감수성이 높다.
② 병원체의 감염력이 낮다.
③ 특이적 저항력을 갖고 있다.
④ 어머니가 인공수유를 시행했다.
⑤ 병원소로부터 병원체가 탈출하지 못한다.

066

치매노인을 부양하는 부부가 1주일 간 여행을 가기 위해 계획하고 있다. 이때 노인을 위해 지역사회간호사가 추천해 줄 수 있는 것은?

① 공동생활가정
② 단기보호시설
③ 주간보호시설
④ 재가복지서비스
⑤ 방문요양서비스

067

암환자 관리를 위한 지역사회간호의 단계별 분류 중 3차 예방에 해당하는 것은?

① 암 치료비 지원 사업
② 암 예방 교육홍보수행
③ 국가 암 조기검진사업
④ 합병증 예방을 위한 자료
⑤ 암환자 및 가족을 위한 자조집단 연계

068

납중독은 위장장애, 팔, 다리의 신근 쇠약이나 마비, 관절통, 현기증 등의 문제를 야기한다. 다음 중 산업장의 납분진으로 인한 납중독 예방과 관리의 방법으로 옳은 것은?

① 바닥에 물을 뿌려 축축하게 유지한다.
② 비중격 점막에 바셀린을 바르면 도움이 된다.
③ 우유, 달걀 흰자를 먹어 급성중독을 완화한다.
④ 고무장갑, 고무앞치마를 이용하여 접촉을 줄인다.
⑤ 따뜻한 물이나 커피를 섭취하여 증상을 완화한다.

069

고기압하에서 감압 시 기화되어 기포를 형성하고 모세혈관에 혈전을 생성하면서 통증성 관절장애 감압병을 일으키는 기체로 옳은 것은?

① 산소
② 질소
③ 수소
④ 이산화탄소
⑤ 일산화탄소

070

메르스 코로나 바이러스에 의한 중동 호흡기 증후군으로 인한 여러 피해가 발생하였다. 이는 지역사회 내에서 어떤 재난에 해당하는 것인가?

① 인적재난
② 물적재난
③ 자연재난
④ 특수재난
⑤ 사회적 재난

071

아동이 초자아와 성 역할을 배울 때 사용되는 방어기전은?

① 승화

② 격리

③ 함입

④ 동일시

⑤ 반동형성

072

입원환자가 간호사에게 고통을 호소한다. 다음 중 가장 먼저 중재해야 하는 상황은?

① "죽고 싶어요."

② "집에 가고 싶어요."

③ "가족들이 너무 보고 싶어요."

④ "존중받지 못하는 기분이 들어요."

⑤ "치료자들이 다 나를 싫어하는 것 같아요."

073

정신건강간호의 모형 중 사회적 모형에 해당하는 것은?

① 의사소통 유형을 분석한다.

② 치료계획에 적극적으로 따른다.

③ 자신의 행동에 대해 책임을 진다.

④ 생각이 떠오르는 대로 자유롭게 표현한다.

⑤ 이발사와 미용사도 배우고 나서 실시할 수 있는 방법이다.

074

다음 중 불안 증세가 있는 환자에게 투약할 수 있는 약물은 무엇인가?

① 디아제팜

② 클로자핀

③ 리스페리돈

④ 할로페리돌

⑤ 이소프로테레놀

075

다음의 대화에서 간호사가 사용한 대화기법은?

> • 환자: "약을 먹기가 싫어요. 이 약을 먹으면 바보가 되는 것 같아요."
> • 간호사: "무슨 말씀을 하시는지 잘 이해를 못하겠네요. 다시 한 번 말씀해 주시겠어요?"

① 경청

② 요약

③ 명료화

④ 정보제공

⑤ 개방적 질문

076

반응성 애착장애 증상으로 옳은 것은?

① 안절부절 못한다.

② 불러도 반응이 없다.

③ 엄마와 떨어지지 않으려 한다.

④ 다른 사람을 방해하고 간섭한다.

⑤ 하나에 집중하지 못하고 산만하다.

077

프로이드가 말한 불안의 역동적 원인으로 옳은 것은?

① 갈등과 위기의 극복 저해
② 어머니와의 애착형성 실패
③ 해결되지 않은 내면의 욕구
④ 각 단계별 발달과제의 성취 실패
⑤ 다른 사람과 관계를 맺는 것에 대한 실패

078

50대 중년 남자 암 재검진 판정을 받았다. 문제 중심 대처로 옳은 것은?

① 잔잔한 음악을 듣는다.
② 가족들에게 원망을 한다.
③ 증상과 원인, 유명한 의사 등을 찾아본다.
④ 나는 건강한 사람이라서 재검은 안 받아도 된다.
⑤ 내 나이 대에는 누구나 있을 수 있으므로 재검을 받는다.

079

지역사회 정신건강에서 3차 예방으로 맞는 것은?

① 집중력이 부족한 아이들을 조기 발견한다.
② 정신질환이 있는 노숙자를 대상으로 직업재활을 한다.
③ 정신질환자 가족에게 항정신병 약물의 부작용을 교육한다.
④ 개인과 사회의 안녕과 질서를 유지하여 발생률을 감소시킨다.
⑤ 일반지역 주민의 스트레스에 대한 관리기술향상을 위한 건강교육을 한다.

080

지역사회 정신건강 간호의 프로그램 특징으로 옳은 것은?

① 재난지역 주민들을 간호한다.
② 개인보다 집단에 초점을 맞춘다.
③ 저명한 전문의를 중심으로 한다.
④ 정신질환자의 기능을 최대한 증진한다.
⑤ 장소가 중요하므로 병원 내에서 중재해야 한다.

081

대상자는 TV에 나오는 사람들이 모두 자신의 이야기를 하고 있으며, 뉴스의 아나운서 또한 자신의 욕을 하고 있다고 말하고 있다. 대상자의 증상으로 옳은 것은 무엇인가?

① 불안
② 죄의식
③ 음성증상
④ 강박행동
⑤ 기괴한 망상

082

조현병으로 입원한 환자 A씨는 세안, 양치질 등의 개인위생을 전혀 하지 않고 있다. 이때 행해질 수 있는 치료요법은?

① 작업요법
② 현실치료
③ 역할요법
④ 행동수정요법
⑤ 정신역동치료

083

시험기간에 과도한 스트레스를 받아 오른쪽 팔의 마비를 호소하는 대학생 환자가 있다. 이렇게 수의근과 감각장애를 호소하는 환자에게 취해야 할 가장 올바른 간호는?

① 진통제를 투여한다.
② 괜찮을 거라며 위로한다.
③ 관련된 검사를 받게 한다.
④ 감정보다 증상에 집중한다.
⑤ 올바른 대응방법을 가르쳐준다.

084

평소엔 정상적으로 의사소통을 하지만, 누군가가 자신에게 비판을 하게 되면 예민해지고 남 탓을 하는 대상자 A씨에게 내릴 수 있는 가장 적합한 간호진단은?

① 절망감
② 무력감
③ 자긍심 저하
④ 비효율적 대응
⑤ 사고과정 장애

085

35세 양극성 장애 환자 A씨는 병동 내 다른 환자와 간호사 및 치료진을 의심하고, 방어적인 태도를 보이고 있다. 이때 가장 적합한 간호중재로 알맞은 것은?

① 다인실을 사용하게 한다.
② 자신의 감정을 표현하도록 격려한다.
③ 활동 프로그램에 전부 참여하게 한다.
④ 다른 환자들과 이야기를 할 때 동참시킨다.
⑤ 여러 사람들을 만날 수 있도록 사회적 접촉의 기획을 늘려준다.

086

남편과 이혼 이후 우울증을 겪고 있는 여성 환자의 자살 위험 징후로 가장 위험한 것은?

① 불면을 호소한다.
② 매일 장을 보러 간다.
③ 방에서 나오지 않는다.
④ 주변 사람들과 소통이 적다.
⑤ 자신의 물건을 주변사람들에게 나누어 준다.

087

20대 여자환자가 얼마 전부터 잠을 자지 않고 쉬지 않고 이야기하며, 성적인 말을 하고 쇼핑을 많이 하는 모습을 보이고 있다. 이 환자에게 주어야 할 약물로 적절한 것은?

① Naloxone
② Fluoxetine
③ Bicarbonate
④ Benzodiazepine
⑤ Lithium Carbonate

088

43세 조현병을 앓고 있는 남자환자 A씨는 안절부절 못하는 모습을 보이면서 병동 내 다른 환자들과 의료진에게 의심을 갖고 공격적이며 적대적인 태도를 보이고 있다. A씨에게 내릴 수 있는 간호진단으로 옳은 것은?

① 사회적 고립
② 자기간호 결핍
③ 사회적응 장애
④ 자아 정체성 장애
⑤ 타인에 대한 폭력위험성

089

우울장애로 내원한 25세 여자환자 A씨는 식욕부진으로 음식을 섭취하지 않고 있다. 이때 A씨에게 취해줄 수 있는 가장 적절한 간호중재는 무엇인가?

① 위관영양을 시행한다.

② 스스로 먹을 때까지 둔다.

③ 먹어야 한다고 환자를 설득한다.

④ 일정한 시기에 식사를 하도록 한다.

⑤ 원하는 음식을 먹을 수 있도록 준비해 준다.

090

선택적 부주의가 나타나고 지각의 영역이 좁아지며, 한 문제에만 집중하는 경향을 보이는 불안의 정도는?

① 경증불안

② 공황장애

③ 중증불안

④ 중등도 불안

⑤ 일시적 불안

091

마리화나 중독 증상으로 옳은 것은?

① 서맥

② 무동기

③ 에너지가 넘쳐난다.

④ 신체적 의존이 있다.

⑤ 벌레가 기어 다니는 것 같아서 긁는다.

092

연구소에 근무하고 있는 남성 A씨는 집에 물을 틀고 온 것 같다고 계속 걱정하면서, 연구소와 집을 오가며 이를 확인하는 양상을 보인다. A씨의 증상에 해당하는 것은?

① 전환

② 격리

③ 보상

④ 상징화

⑤ 강박행동

093

알코올 중독으로 입원한지 2일 된 환자 A씨가 "벌레가 바닥에서 기어 다녀요. 내 피부를 뜯고 있어요!"라고 호소할 때, 간호사가 A씨에게 해줄 수 있는 중재로 옳은 것은?

① 무시한다.

② 수액을 주입한다.

③ 억제대를 적용한다.

④ 자조집단과 연계한다.

⑤ 활동요법에 참여시킨다.

094

대상자가 스스로 생각을 정리할 수 있게 해주는 치료적 의사소통 기법은?

① 반영

② 침묵

③ 질문

④ 명료화

⑤ 정보제공

095

인지장애가 있는 노인 대상자 A씨는 계속 세탁물을 접었다 폈다 하면서 불안해하고 있다. A씨에게 취해주어야 할 간호중재로 옳은 것은?

① 익숙한 물건을 치운다.
② 매번 새로운 현실을 제공한다.
③ 가족들과 격리하여 입원시킨다.
④ 다양한 자극을 주어 관심을 돌린다.
⑤ 기본적인 생활을 할 때 세탁물을 접는 활동을 노인에게 하도록 한다.

096

25세 여성 대상자 A씨는 167 cm, 35 kg으로, 현재 계속 음식을 먹는 것을 거부하고 있다. A씨에게 나타날 수 있는 증상으로 가장 옳은 것은?

① 음식을 과다하게 섭취한다.
② 음식과 요리에 관심이 없다.
③ 자신의 체중이 적절하다고 생각한다.
④ 음식을 먹고 난 뒤에 하제를 복용한다.
⑤ 자신의 외모에 대한 칭찬을 받아들이지 못한다.

097

수면장애로 인해 지속적인 졸음, 피로를 호소하는 중년 여성 대상자 A씨의 수면의 질을 향상시키기 위해 해주어야 하는 교육으로 옳은 것은?

① 졸릴 때마다 잔다.
② 잠들기 전에 격렬한 운동을 한다.
③ 잠들기 전에 음식을 많이 먹는다.
④ 자기 전에 수면제 대신 알코올을 제공한다.
⑤ 침실 주변에 수면과 관련 없는 물건을 제거한다.

098

결혼한 지 얼마 안 된 30대 남성 대상자가 조루증에 대한 문제를 호소하면서 "저는 남자가 아닌 것 같아요."라고 말한다. 이때 간호사가 해 줄 수 있는 말로 가장 적절한 것은?

① "아무런 문제가 없습니다."
② "임신은 남자의 문제, 책임입니다."
③ "성에 대한 느낌을 말로 표현해보세요."
④ "비뇨기계에 문제가 있으니 정밀검사를 받아보세요."
⑤ "가정을 꾸려가는 것은 남자의 의무이므로 꼭 해야 하는 것입니다."

099

자동차 타이어에 펑크를 내고 친구들에게 폭력을 행사하는 15세 아동 A군이 병원에 입원하였다. A양에게 시행해야 할 간호중재로 가장 적절한 것은?

① 격리시킨다.
② 규칙을 어기면 즉시 처벌을 한다.
③ 병동 내 다양한 활동에 참여하게 한다.
④ 엄격하고 일관된 태도로 병동의 규칙을 알려준다.
⑤ 대인관계를 향상시키기 위해 다인실을 쓰게 한다.

100

A양은 산만하고 정신없이 돌아다니며 지나치게 부산스럽다. A양의 부모에게 제공할 수 있는 교육으로 가장 적절한 것은?

① 다양한 활동을 참여하게 한다.
② 여러 활동을 한 번에 끝내게 한다.
③ 활동을 끝까지 지속하도록 강요한다.
④ 긍정적이고 성공적인 경험을 제공한다.
⑤ 실패한 행동에 대해 강력하게 혼을 내고 체벌한다.

101

사람들과 관계 맺기를 극도로 두려워하는 성격장애에 해당하는 것은?

① 편집성
② 분열성
③ 회피성
④ 반사회성
⑤ 히스테리성

102

다음 중 성숙위기를 겪고 있는 대상자에게 간호사가 제공할 수 있는 가장 적절한 중재는?

① 결혼 전 상담을 시행한다.
② 남편을 잃은 아내를 상담한다.
③ 남자친구와 헤어진 여성을 상담한다.
④ 실직한 가장의 스트레스 정도를 사정을 한다.
⑤ 태풍으로 집이 침수된 대상자에게 연계해 줄 수 있는 지역사회 자원을 찾는다.

103

조현병 환자 A씨는 병동에서 천장을 보고 "저리 가!" 라고 소리치면서 겁에 질려 있다. 간호사의 반응으로 가장 적절한 것은?

① "화내지 마세요."
② "이상한 소리를 하시네요.
③ "아무 소리도 안 들리는데요?"
④ "병원에서는 소리를 지르면 안 됩니다."
⑤ "두려워하고 계시군요. 무엇 때문에 그러시나요?"

104

가정폭력 피해자의 태도로 맞는 것은?

① 자기중심적이다.
② 의존적이고 무기력하다.
③ 술과 약물 등에 의존한다.
④ 상황이 변할 것이라고 무작정 믿는다.
⑤ 공격적 충동이나 폭력적인 성향을 자제하지 못한다.

105

애인과 싸우고 나서 목걸이를 사주는 남자친구의 행동에서 드러난 방어기제는?

① 함입
② 취소
③ 승화
④ 동일시
⑤ 주지화

001

병원의 최고관리자 계층이 지역사회 연구 결과에 따라 병원에 노인센터를 새로 개설하고자 한다. 이때 이루어져야 하는 기획의 종류는 무엇인가?

① 운영 기획
② 전술적 기획
③ 전략적 기획
④ 단기적 기획
⑤ 주관적 기획

002

최고관리자가 병원의 비전을 새롭게 설정하고자 직원들의 의견을 모으는 공모전을 실시했다. 이와 같은 의견 수집방법은 어떤 형식의 의견 수집방법에 해당하는가?

① 운영적 의사결정
② 관리적 의사결정
③ 집단적 의사결정
④ 전략적 의사결정
⑤ 비정형적 의사결정

003

조직구성원들 상호간의 대화나 토론 없이 각자 서면으로 아이디어를 제출하고 토론 후 의사결정을 하는 기법으로 옳은 것은?

① 모델링
② 시각화
③ 명목집단법
④ 델파이 기법
⑤ 브레인스토밍

004

다음과 같은 간호제도의 특징을 가진 나라로 옳은 것은?

- 입원환자의 임상간호에 총력을 기울였다.
- 간호사 사이의 직업적 규율은 엄격했으나 단결력을 이룩하였다.
- 간호사 면허 제도를 통과시키기 위해 법적투쟁을 하였다.
- 강의보다 병원 내에서의 실습교육을 중요시하였다.

① 영국
② 독일
③ 미국
④ 프랑스
⑤ 네덜란드

005

윤리적 딜레마 상황에서 다음의 상황은 간호과정의 어디에 해당되는가?

- 핵심적인 윤리적 문제를 찾는다.
- 관련된 문제를 명확히 안다.
- 관련된 가치를 파악한다.
- 윤리적 개념 등을 확인한다.

① 사정
② 진단
③ 계획
④ 중재
⑤ 평가

006

베너(Benner)의 이론 중, 능숙하고 융통성 있게 업무를 수행하며, 직관능력이 뛰어난 단계는?

① 전문가
② 초심자
③ 신참자
④ 숙련가
⑤ 적임자

007

간호윤리강령이 필요한 궁극적인 이유로 옳은 것은 무엇인가?

① 윤리적 딜레마를 해결하기 위하여
② 명확한 해결책을 제시하기 위하여
③ 간호사에게 법적인 책임을 묻기 위하여
④ 간호사에게 필요한 모든 윤리적인 지침을 제공하기 위하여
⑤ 간호사가 업무를 하는데 있어서 최소한의 윤리적 지침을 제공하기 위하여

008

의료법 개정 중 1962년도에 개정된 내용으로 옳은 것은?

① 간호고등기술학교가 완전히 폐지되었다.
② '간호원'이라는 명칭이 '간호사'로 개칭되었다.
③ 면허를 위해 보건사회부에서 국가고시제를 시행했다.
④ 보건, 마취, 정신 간호사의 자격인정이 제도화되었다.
⑤ 개업의원과 입원환자 50인 미만의 병원에서 간호조무사 채용을 허가했다.

009

위험한 처치를 하기 전에 환자에게 설명한 후 당사자의 동의를 얻는 것의 궁극적인 목적으로 옳은 것은?

① 환자의 안전을 위해
② 최대한의 치료 효과를 얻기 위해
③ 간호사를 법적으로 보호하기 위해
④ 환자의 자기결정권을 존중하기 위해
⑤ 의료처치의 책임을 환자에게 돌리기 위해

010

효율성과 효과성에 대한 설명으로 옳은 것은?

① 효율성은 투입에 대한 산출이다.
② 효율성은 목표의 적절성을 평가한다.
③ 효과성은 투입된 요소의 양을 평가한다.
④ 효율성은 목표달성의 정도를 나타내는 것이다.
⑤ 효과성은 투입에 대한 산출의 효용을 평가하는 것이다.

011

개인정보 수집과 관련하여 다음 중에 옳은 것은?

① 환자의 동의와 상관없이 개인정보를 수집한다.
② 환자 보호자의 동의하에 환자의 개인정보를 수집한다.
③ 허용한 범위 내에서 대리인은 개인정보 이용이 가능하다.
④ 환자 대리인의 동의를 얻고자 환자의 개인정보를 수집한다.
⑤ 환자가 19세 미만인 경우, 법정 대리인의 동의를 받고 개인정보를 수집한다.

012

허시-블랜차드 리더십 유형 중, 구성원들의 성숙도가 가장 높을 때 필요한 리더십 유형으로 옳은 것은?

① 지시적 리더십
② 설득적 리더십
③ 참여적 리더십
④ 위임적 리더십
⑤ 후원적 리더십

013

최고관리자가 수간호사와 구성원 간의 관계, 권한, 상황적 변수 등을 고려하여 병동에 맞는 수간호사를 배치하는 과정은 어떤 이론에 부합하는 과정인가?

① 특성 이론
② 관리격자 이론
③ 상황 대응 이론
④ 경로-목표 이론
⑤ 상황적합성 이론

014

조직 구성원들이 공유하는 사고방식과 행동방식, 기본 가치 체계를 말하는 것으로 조직성과와 관련이 있는 것은 무엇인가?

① 조직문화
② 조직목표
③ 조직규칙
④ 조직역사
⑤ 조직환경

015

간호사 경력개발제도의 의의로 옳은 것은?

① 간호사의 임금을 높인다.
② 간호사의 이직률을 높인다.
③ 간호사의 학습욕구를 충족한다.
④ 간호사의 업무 능률을 향상시킨다.
⑤ 간호사 개인의 능력을 개발해서 궁극적으로 조직의 발전에 기여한다.

016

간호 관리료 차등제의 기준이 되는 사항으로 옳은 것은?

① 병상 확보율
② 입원 환자 수
③ 외래 환자 수
④ 간호사 확보율
⑤ 허가된 병상 수

017

다음과 관련된 것은?

- 간호부의 철학과 가치
- 간호전달체계
- 환자의 종류와 수
- 병원의 구조와 설비

① 간호수가 산정
② 간호인력 모집
③ 환자 중증도 분류
④ 간호 제공 효율성
⑤ 간호사 임금 책정

018

다음 중 라인(line)조직의 특징으로 옳은 것은?

① 조직이 신축성이 있다.

② 창의성을 발휘할 수 있다.

③ 권한과 책임의 소재가 명백하다.

④ 다수의 지지와 만족을 이끌어낸다.

⑤ 집단 구성원들의 의견을 수렴하여 합리적인 결정을 할 수 있다.

019

40명의 환자가 있는 병동의 간호 관리자가 전문간호사 1명, 신규간호사 1명, 간호조무사 1명으로 하여금 환자 15명을 담당하게 하였고, 집담회 등의 방법을 통해 적절한 간호방법을 찾도록 하였다. 이때 적용된 간호방법으로 옳은 것은?

① 사례관리

② 팀 간호방법

③ 일차 간호방법

④ 모듈 간호방법

⑤ 기능적 간호방법

020

최고관리자가 새로운 직무를 만들어 낸 후, 직무의 방법, 업무 등을 확정하려고 할 때 기술해야 할 것으로 옳은 것은?

① 직무평가

② 직무설계

③ 직무분류

④ 직무기술서

⑤ 직무명세서

021

직원을 훈육할 때 관리자가 취해야 하는 태도로 옳은 것은?

① 구성원의 행동과 의미를 파악한다.

② 조직의 규칙을 융통성 있게 적용한다.

③ 직원이 잘못을 했을 때, 신속하게 처벌한다.

④ 행위가 아닌 사람에 초점을 맞추고 훈육한다.

⑤ 경각심을 심어주기 위해 공개적으로 훈육한다.

022

수간호사가 환자의 종류에 따라 간호 인력을 분배하려고 할 때 도움이 되는 것으로 옳은 것은?

① 환자분류체계

② 처방전달체계

③ 간호기록체계

④ 전자의무기록체계

⑤ 의료영상전송체계

023

다음 중 서비스 마케팅 믹스 중 촉진에 해당하는 것은?

① 수가

② 상품

③ 홍보

④ 유통

⑤ 서비스

024

올바른 물품 관리 방법에 해당하는 것은?

① 비품 파손 시 총무과에 연락한다.

② 환자 수대로 알코올 솜을 준비한다.

③ 린넨은 환자 수의 5배 이상을 비치해 둔다.

④ 물품이 다 떨어지고 난 후에 새로운 물품을 주문한다.

⑤ 유통시한이 길게 남은 것부터 앞에 비치해두고 사용한다.

025

소급평가와 동시평가에 대한 설명 중 옳은 것은?

① 동시평가는 설문지를 통해 이루어진다.

② 동시평가는 즉각적인 평가반영이 가능하다.

③ 소급평가는 입원 중인 환자 면담과 관찰을 통해 이루어진다.

④ 동시평가의 경우, 간호를 제공받은 대상자 본인은 혜택을 받을 수 없다.

⑤ 입원 중인 환자의 만족도와 간호의 질을 높일 수 있는 것은 소급평가이다.

026

다음의 설명에 해당하는 의사소통 유형으로 옳은 것은?

- 공시적인 리더는 있으나 리더의 권력 집중도는 낮다.
- 조직 구성원 간의 의사소통이 원활하다.
- 모든 구성원들이 연결되어 있다.
- 구성원 간의 거리가 멀어지면 의사소통 전달의 정확성이 떨어진다.

① Y형

② 원형

③ 사슬형

④ 수레바퀴형

⑤ 완전연결형

027

직원관리에서 내적보상에 해당하는 설명으로 옳은 것은?

① 긴 오프를 주는 것이다.

② 직원의 임금을 올려주는 것이다.

③ 명절이 되면 직원에게 선물을 주는 것이다.

④ 직원이 업무를 잘 수행했을 때, 병동 차원에서 상품을 제공하는 것이다.

⑤ 병동 내 의사결정에 참여할 수 있게 해주고, 직원의 의욕을 올려주는 것이다.

028

헤파린을 투여해야 하는 환자에게 간호사의 실수로 인슐린을 투약한 것을 투약 후에 발견했다. 그 결과 환자가 식은땀을 흘리며, 혼수상태에 빠졌다. 이는 무슨 사건에 해당하는가?

① 근접오류

② 위해사건

③ 무해사건

④ 이차사고

⑤ 적신호사건

029

VRE가 나오는 환자 간호에 관한 설명으로 옳은 것은?

① 환자 병실에서 나와서 가운을 벗는다.

② 침대 옆에 감염 표시 스티커를 부착한다.

③ 환자는 격리 병실을 사용할 필요가 없다.

④ 환자의 배설물은 일반 쓰레기통에 버린다.

⑤ 정맥주사를 할 때에는 장갑을 끼지 않아도 된다.

030

환자 안전과 관련하여 간호사가 취할 수 있는 조치로 옳은 것은?

① 바닥에 물이 있으면 즉시 닦는다.
② 환자가 침상 위에 있을 때에는 침상난간을 올릴 필요가 없다.
③ 낙상을 방지하기 위해 인지능력이 저하된 환자에게 진정제를 투여한다.
④ 환자가 운동을 할 때에는 보호자나 간호사의 동행 없이 홀로 하도록 한다.
⑤ 아동 환자의 경우, 낙상 위험이 있으므로 가능한 침대의 높이는 높게 한다.

031

다음에 관한 설명으로 옳은 것은?

- 간호를 제공하는데 필요한 인적자원이 표준에 부응하는지 여부를 평가한다.
- 병원 경영을 효율적으로 하도록 유도한다.
- 시설, 장비, 조직체계 관리 등이 이에 해당한다.

① 구조적 평가
② 과정적 평가
③ 결과적 평가
④ 구조적 평가, 과정적 평가
⑤ 과정적 평가, 결과적 평가

032

간호사가 조직 내에서 겪을 수 있는 개인 간 갈등의 원인에는 개인적 요인, 업무적 요인, 조직적 요인이 있다. 이 중에 조직적 요인에 해당하는 내용으로 옳은 것은?

① 시간적 압박
② 환자와의 갈등
③ 복잡한 조직 계층화
④ 업무의 모호한 기준
⑤ 간호사의 상반된 가치관

033

분권화 조직과 관련된 설명으로 옳은 것은?

① 조직의 수직관계가 강화된다.
② 통일성과 전문성이 강조된다.
③ 창의성과 혁신성이 결여된다.
④ 참여 의식 권장과 자발적 협조를 유도한다.
⑤ 권한이 중앙 또는 상위기관에 집중되어 있다.

034

일선관리자의 간호단위 관리활동으로 옳은 것은?

① 특정 환자의 치료를 계획한다.
② 우울한 환자의 이야기를 들어준다.
③ 간호 단위의 간호 업무량을 조사한다.
④ 간호부서의 연간 계획과 예산을 수립한다.
⑤ 조직 전반의 장기적인 전략적 계획을 수립한다.

035

수술 후 산소호흡기를 단 채로 중환자실로 온 환자가 하루가 지난 후에 의식을 회복하였다. 이 환자가 억제대가 아프다며 제거해달라고 요구할 때 간호사에게 적용되는 원칙으로 옳은 것은?

① 정의의 원칙
② 선의의 간섭주의
③ 악행금지의 원칙
④ 사전 동의의 원칙
⑤ 자율성 존중의 원칙

036

다음은 환자의 상완에서 측정한 혈압이 110/80 mmHg였고, 대퇴에서 측정한 혈압은 140/90 mmHg였다. 이 환자에게 적용해야 하는 간호중재는?

① 의사에게 즉시 보고한다
② 15분 후에 다시 측정한다.
③ 좌, 우측 혈압을 측정한다.
④ 30분 휴식을 취한 후 재측정한다.
⑤ 정상적이므로 특별한 중재가 필요없다.

037

한 여성 대상자의 임상적 수치가 다음과 같다. 관련하여 발생할 수 있는 증상은?

- 적혈구 450만/mm^3, 백혈구 4,950/mm^3
- Hb 8.5 g/dL, Hct 13.2%
- I/O 3,300/2,800 ml

① 무증상
② 영양과다
③ 체액부족
④ 체액과다
⑤ 영양부족

038

50세 남성 박 씨는 폐암 수술을 받고 회복 중에 있다. 대상자에게 호흡 증진을 위해 Pursed-lip breathing 호흡을 교육시켰다. 어떠한 효과를 위해 실시하는 것인가?

① 잔기량 감소
② 흡기량 증가
③ 과소환기 극복
④ 세기관지 허탈 방지
⑤ 폐포에서 가스교환 증가

039

10년 전부터 만성 폐쇄성 폐질환을 앓고 있는 대상자에게 지속적으로 산소를 공급하고 있다. 구강간호가 필요한 이유로 가장 적절한 것은?

① 대상자의 입맛이 떨어지기 때문이다.
② 구강 분비물이 너무 많아지기 때문이다.
③ 구강내 점막이 점차 건조해지기 때문이다.
④ 대상자의 안위감을 증진시키기 위해서이다.
⑤ 산소가 체내로 잘 확산되게 하기 위해서이다.

040

NS 1,000 ml에 Vitamin 1 ample을 시간당 90 ml씩 투여하려고 한다. gtt/min를 계산하면? [1 cc=20 gtt]

① 15
② 23
③ 30
④ 40
⑤ 60

041

환자에게 내관을 삽입하기 전에 시행하는 것으로 옳은 것은?

① 베타딘으로 소독한다.

② 70% 알코올로 소독한다.

③ 일회용 장갑을 사용한다.

④ 내관에 찬 습기는 문제가 되지 않는다.

⑤ 내관을 다시 끼우기 전에 내부를 흡인한다.

042

50세 남성 김 씨에게 구풍관장이 처방되었다. 간호사가 김 씨에게 구풍관장을 실시하는 이유를 설명한 것으로 가장 적절한 것은?

① 수분공급

② 약물치료

③ 기생충 제거

④ 장내 가스 제거

⑤ 분변을 부드럽게 함

043

40세 김 씨는 배출관장 처방으로 관장용액 주입 도중에 복통을 호소하였다. 이 때 간호사가 할 중재로 옳은 것은?

① 관장액을 더 높게 올린다.

② 복부마사지를 하면서 계속 넣는다.

③ 심호흡을 시키면서 속도를 늦춘다.

④ 멈추고 지속할 수 있는지 확인한다.

⑤ 즉시 관장을 중지하고 카테터를 제거한다.

044

다음은 배뇨장애 중 비정상소견에 대한 설명 중 옳은 것은?

① 핍뇨: 24시간 배뇨량이 50 ml 이하

② 무뇨: 24시간 배뇨량이 200 ml 이하

③ 다뇨: 24시간 배뇨량이 3,000 ml 이상

④ 긴박뇨: 소변보는 것을 시작하기 어려운 경우

⑤ 배뇨곤란: 배뇨하는 간격이 1시간 이내인 경우

045

60세 최 씨는 유치도뇨관을 적용 중으로 환자에게 필요한 간호중재로 옳은 것은?

① 내과적 무균법으로 삽입한다.

② 멸균증류수로 방광을 세척한다.

③ 일주일 넘게 유치도뇨를 적용한다.

④ 신체질환이 없으면 수분섭취를 격려한다.

⑤ 소변을 채취할 때는 배액관을 열어 놓는다.

046

환자의 체위변경 시 간호사가 사용하는 신체 역학으로 가장 올바른 것은?

① 허리 힘을 최대한 사용한다.

② 무릎을 구부리고 다리 근육을 이용한다.

③ 중력선과 신체 기저가 겹치지 않도록 한다.

④ 척주 회전근을 사용하여 물건을 들어올린다.

⑤ 무거운 물건을 들 때 척추근과 상지근육을 사용한다.

047

다음은 가장 깊은 수면의 단계로 성장 호르몬의 분비가 증가하고 몽유병이 나타나는 수면의 단계는?

① REM
② NREM 1
③ NREM 2
④ NREM 3
⑤ NREM 4

048

다음은 격리방침 중에서 일반적으로 모든 대상자에게 적용해야 하는 지침은?

① 역격리
② 표준주의
③ 접촉주의
④ 비말주의
⑤ 공기주의

049

30세 남성 김 씨는 충수돌기염 수술 후 장음소리가 났다. 대상자에게 제공할 수 있는 식이는?

① 경식
② 연식
③ 전유동식
④ 맑은 유동식
⑤ 특별치료식이

050

다음은 국소투여 시 안약 점적으로 올바른 방법으로 점적한 간호는?

① 안약을 넣은 뒤, 눈을 깜박인다.
② 고개를 정상측으로 틀어서 점적한다.
③ 하안검 중간 또는 끝에서 약을 점적한다.
④ 언제나 정상 측에 먼저 점적한 후 환측에 점적한다.
⑤ 생리식염수를 이용하여 외안각에서 내안각으로 닦아준다.

051

다음 중 감염관리에서 외과적 무균법으로 옳은 것은?

① 허리 위에서 손을 움직인다.
② 멸균포에 깨끗한 거즈를 추가한다.
③ 멸균키트에 멸균액이 튄 것을 사용한다.
④ 멸균증류수를 키트에 가까이 대고 따른다.
⑤ 손을 씻을 때 팔꿈치로부터 손끝으로 물이 흘러내리게 한다.

052

비위관으로 영양을 공급을 적용 중인 환자에게 위관에 있는 내용물을 흡인하여 30 ml가 나왔다. 이 환자에게 어떤 중재가 필요한가?

① 흡인된 내용물을 버린다.
② 영양액을 100 ml만 주입한다.
③ 처방대로 위관영양을 실시한다.
④ 내용물을 다시 넣고 의사에게 알린다.
⑤ 내용물을 다시 넣고 물을 30 ml 넣은 후 영양액을 주입한다.

053

중심정맥관을 가지고 있는 환자가 청색증, 빈맥, 저혈압을 호소했다. 이 환자에게 발생한 예상질환으로 옳은 것은?

① 패혈증
② 혈관손상
③ 레이노병
④ 공기색전증
⑤ 저혈량성 쇼크

054

70세 여성 김 씨는 고관절치환술 후 출혈 발생으로 헤모글로빈수치가 감소하였다. 농축적혈구를 수혈할 때의 중재방법으로 올바른 것은?

① 포도당과 함께 투여한다.
② 18~22 G의 바늘을 사용한다.
③ 수혈 시 속도는 60~100 gtt/min로 한다.
④ 거름망은 공기 색전을 예방하기 위한 것이다.
⑤ 응고를 방지하기 위해 수혈팩을 상온에 둔다.

055

70세 이 씨는 무의식으로 중환자실에 입원한지 15일이 되었다. 체위 변경 중 천골부위 발적과 표피 및 진피까지 침범하는 욕창이 발생하였다. 이 욕창의 단계는?

① 1단계
② 2단계
③ 3단계
④ 4단계
⑤ 5단계

056

삼출물이 많은 3단계의 깊고 좁은 궤양을 회복시키는 데 적절한 드레싱은?

① 거즈 드레싱
② 투명 드레싱
③ 하이드로 겔(hydrogel)
④ 하이드로 콜로이드(hydrocolloid)
⑤ 칼슘 알지네이트(calcium alginate)

057

다음 중 냉요법이 금기시되는 환자는?

① 염좌
② 통증
③ 부종
④ 관절염
⑤ 레이노병

058

다음은 임종환자 간호 중 사후처치 절차로 옳은 것은?

① 눈을 감겨준다.
② 의치를 제거한다.
③ 이름표를 제거한다.
④ 베개를 빼서 머리를 낮춰준다.
⑤ 팔찌 등의 장신구를 제거하지 않는다.

059

간호사 A가 대상자에게 억제대 적용 시 주의사항으로 옳은 방법은?

① 환자가 원하면 풀어준다.
② 간호사가 임의로 수행한다.
③ 환자의 동의를 받지 않는다.
④ 피부 위에 강한 힘으로 고정한다.
⑤ 억제대는 침상 난간이 아닌 침상 틀에 고정한다.

060

다음 중 감염 예방을 위한 내과적 무균법으로 옳은 것은?

① 손 씻기 후 건조를 예방하기 위해 로션을 바른다.
② VRE 환자의 방에서 나올 때, 가운을 밖에서 벗는다.
③ 감염병 환자의 물품을 정리한 후, 물로 손을 씻는다.
④ 눈에 보이지 않는 오염이 있을 때에는 알코올 젤로 소독 가능하다.
⑤ 멸균통 뚜껑을 들고 있을 때, 멸균된 영역과 닿은 면이 위로 가게 든다.

061

다음 중 진통제를 경구투여할 수 있는 환자는?

① 무의식 환자
② 연하곤란 환자
③ 금식 중인 환자
④ 위관흡인을 적용 중인 환자
⑤ 비위관으로 영양공급 중인 환자

062

다음 중 관절과 그 움직임이 맞게 짝지어 진 것은?

① 슬관절 – 내전, 외전, 회전
② 팔꿈치 관절 – 회내, 회외, 회전
③ 손목관절 – 굴곡, 과신전, 회내, 회외
④ 견관절 – 내전, 외전, 굴곡, 신전, 회전
⑤ 손가락관절 – 외전, 내전, 굴곡, 신전, 과신전

063

목발보행 전, 시행할 운동으로 적절한 것은?

① 상지 운동
② 하지저항 운동
③ 하지 등척성 운동
④ 수동관절가동범위 운동
⑤ 능동관절가동범위 운동

064

다음 중 비특이적 면역에 해당하는 것은?

① 세포독성 반응
② 해부생리적 반응
③ 세포매개성 반응
④ 항체매개성 반응
⑤ 면역복합체 과민반응

065

낙상 경험이 있으며, 눈이 침침하고, 근력이 저하된 할머니에게 가장 위험한 간호문제로 옳은 것은?

① 낙상 위험
② 기동성 장애
③ 신체상 장애
④ 자가간호 결핍
⑤ 감각지각 장애

066

조산사가 변사체를 발견하였을 때, 누구에게 신고해야 하는가?

① 보건소장
② 시 · 도지사
③ 시 · 군 · 구청장
④ 관할 경찰서장
⑤ 보건복지부 장관

067

다음 중 당해 보수교육을 필수적으로 받아야 하는 사람은?

① 전공의
② 신규간호사
③ 가정전문간호사
④ 의학대학 대학원 재학생
⑤ 간호대학 대학원 재학생

068

다음 중 의료법 상 의료지도원을 두어야 하는 곳은?

① 보건복지부
② 국 · 공립병원
③ 질병관리본부
④ 건강생활증진센터
⑤ 권역응급의료센터

069

조산원 수련을 실시할 수 있는 병원의 분만 건수 기준으로 옳은 것은?

① 월 50건 이상
② 월 100건 이상
③ 월 200건 이상
④ 월 300건 이상
⑤ 월 400건 이상

070

환자가 의식이 없을 때 의료기록을 열람할 수 있는 사람으로 옳지 <u>않은</u> 것은?

① 환자의 배우자
② 환자의 직계존속
③ 환자의 직계비속
④ 배우자의 직계비속
⑤ 배우자의 직계존속

071

다음 중 의료인이 될 수 있는 자는?

① 금치산자
② 한정치산자
③ 향정신성의약품 중독자
④ 전문의가 의료인으로서 일할 수 없다고 판단한 정신 질환자
⑤ 모자보건법을 위반하여 금고형을 선고 받았으나 그 형이 모두 끝난 자

072

우리나라에서 요양병원을 개설하려 할 때 어떤 조치를 취해야 할 것인가?

① 시 · 도지사의 허가
② 시 · 군 · 구청장 신고
③ 시 · 군 · 구청장 허가
④ 시 · 도지사에게 신고
⑤ 보건복지부장관의 허가

073

전파가능성을 고려하여 발생 또는 유행 시 24시간 이내에 신고하여야 하고, 격리가 필요한 다음 각 목의 감염병은?

① 뎅기열
② 일본뇌염
③ B형 간염
④ 디프테리아
⑤ 유행성 이하선염

074

제2급감염병 환자가 일시적으로 종사할 수 <u>없는</u> 직업은?

> ㄱ. 물품포장업
> ㄴ. 집단급식소
> ㄷ. 선박제조업
> ㄹ. 식품접객업

① ㄹ
② ㄱ, ㄷ
③ ㄴ, ㄹ
④ ㄱ, ㄴ, ㄷ
⑤ ㄱ, ㄴ, ㄷ, ㄹ

075

마약류 취급자 중 시 · 도지사의 허가를 맡아야 하는 사람은?

① 마약류 관리자
② 마약류 도매업자
③ 마약류 소매업자
④ 마약류 수출입업자
⑤ 마약류 취급학술연구자

076

마약류 수출입업자가 마약을 판매할 수 있는 사람은?

> ㄱ. 마약류 제조업자
> ㄴ. 마약류 원료사용자
> ㄷ. 마약류 도매업자
> ㄹ. 마약류 소매업자

① ㄹ
② ㄱ, ㄷ
③ ㄴ, ㄹ
④ ㄱ, ㄴ, ㄷ
⑤ ㄱ, ㄴ, ㄷ, ㄹ

077

다음 중 부가급여로 옳은 것은?

① 치료비
② 이송비
③ 장제비
④ 수술비
⑤ 약제비

078

다음 중 검역감염병으로 옳은 것은?

① 폐렴
② 뎅기열
③ 인플루엔자
④ 신증후군출혈열
⑤ 조류인플루엔자 인체감염병

079

건강보험심사평가원의 업무로 옳은 것은?

① 요양급여의 지급
② 의료시설의 운영
③ 가입자 및 피부양자 자격 관리
④ 건강보험에 관한 교육 및 홍보
⑤ 요양급여비용의 심사 및 심사기준 및 평가기준의 개발

080

지역보건법상 보건지소는 누구의 감독하에 있는가?

① 보건소장
② 시도지사
③ 관할 경찰서장
④ 질병관리본부장
⑤ 보건복지부장관

081

후천성면역결핍증 환자를 진단한 의사와 의료기관이 취해야 할 조치는?

ㄱ. 관할 보건소장에게 신고한다.
ㄴ. 배우자와 모든 접촉자를 검사한다.
ㄷ. 배우자 및 성 접촉자에게 필요한 사항을 지도한다.
ㄹ. 예방접종을 권유한다.

① ㄹ
② ㄱ, ㄷ
③ ㄴ, ㄹ
④ ㄱ, ㄴ, ㄷ
⑤ ㄱ, ㄴ, ㄷ, ㄹ

082

지역보건의료계획에 공통적으로 포함되는 사항으로 알맞은 것은?

① 지역현황과 전망
② 지역보건의료계획의 달성목표
③ 보건의료자원의 조달 및 관리
④ 지역보건의료업무의 감독과 관리
⑤ 의료기관의 병상수급에 관한 사항

083

특정수혈부작용의 종류로 옳지 <u>않은</u> 것은?

① 사망
② 입원치료를 요하는 질병
③ 장애인복지법에 의한 장애
④ 바이러스 등에 의한 감염성 질병
⑤ 과거의 헌혈 경험에 의한 부작용

084

교통사고를 당한 아동이 경찰관과 함께 응급실에 이송되어 왔다. 당장 처치를 하지 않으면 심신상의 중대한 장애를 가져올 수 있는 상황에서 의료진이 취해야 할 행동은?

① 동행한 경찰관의 동의를 무조건 받아야 한다.
② 지체되더라도 보호자의 동의를 기다려서 받아야 한다.
③ 의료진 2명 이상의 동의를 받아 응급처치를 시행해야 한다.
④ 보호자나 동행인, 의료인의 동의 없이 응급처치를 시행할 수 있다.
⑤ 보호자의 동의가 없더라도 의료진 1명 이상의 동의를 받아 응급처치를 시행할 수 있다.

085

국민건강증진법에서 시장·군수·구청장이 보건소장에게 하게 할 수 있는 건강증진사업으로 옳은 것은?

ㄱ. 보건교육 및 건강 상담
ㄴ. 영양 관리
ㄷ. 질병의 조기발견을 위한 검진 및 처방
ㄹ. 지역사회의 보건문제에 관한 조사·연구

① ㄹ
② ㄱ, ㄷ
③ ㄴ, ㄹ
④ ㄱ, ㄴ, ㄷ
⑤ ㄱ, ㄴ, ㄷ, ㄹ

NOTE

1교시	_____ / 105문항
	/ 95분
2교시	_____ / 105문항
	/ 95분
3교시	_____ / 85문항
	/ 80분

2회 실전 모의고사

1교시

001

장기이식환자의 조직적합성 검사에 해당되는 것은?

① HLA
② 전혈검사
③ ANA검사
④ 혈청단백검사
⑤ 면역글로불린검사

002

유방의 덩어리가 만져져 내원한 대상자를 촉진하였을 때 악성으로 의심할 만한 소견은?

① 통증이 있는 부드러운 결절
② 압통이 없는 0.3 cm의 림프절
③ 탄력적이고 경계가 명확한 결절
④ 윤곽이 규칙적이며 움직이는 결절
⑤ 피부가 함몰되어 있으며 딱딱한 결절

003

손, 발, 무릎에 통증 및 염증, 얼굴에 나비모양 홍반이 있는 자가면역 질환자에 대한 교육 시 가장 강조할 내용은?

① 야외활동을 권장한다.
② 근력강화운동을 권장한다.
③ 고지방, 고열량 식이를 권장한다.
④ 증상이 호전되면 투약을 중단한다.
⑤ 전신부종, 소변량 감소 증상이 나타나는지 관찰한다.

004

독사에게 한쪽 다리를 물린 환자에 대한 응급처치로 적절한 것은?

① 입으로 독을 빨아낸다.
② 물린 부위를 알코올로 소독한다.
③ 물린 곳을 심장보다 아래로 유지한다.
④ 지혈대로 묶어서 동맥혈류를 차단한다.
⑤ 다리를 움직여보며 독이 퍼진 정도를 사정한다.

005

금속성 목걸이를 한 부위에 가려움증과 국소발적, 수포, 부종이 나타났을 때 가장 적절한 검사는?

① Patch test
② Punch biopsy
③ Wood's lamp test
④ Direct smear test
⑤ Tzanck smear test

006

통증이 있는 수포성 발진이 신경절을 따라 편측성으로 발생하고 가려움증이 있을 때 복용해야 하는 약물은 무엇인가?

① 항생제
② 스테로이드제
③ 항히스타민제
④ 항바이러스제
⑤ 비스테로이드성 항염증제

007

병실 바닥에서 발작을 일으키는 환자에게 가장 우선적으로 해야 할 간호중재는?

① 침대로 옮긴다.
② 산소를 공급한다.
③ 억제대를 적용한다.
④ 설압자로 입안을 벌려준다.
⑤ 주변의 위험한 물건을 치운다.

008

항암화학요법으로 다음의 검사 결과를 나타내는 오심, 구토가 심한 환자에게 예견되는 문제는?

- 혈중 알부민: 2.0
- Hct: 58%
- Na: 150 mEq/L
- 요비중: 1.3

① 저산소증
② 혈압증가
③ 체중증가
④ 체온하강
⑤ 소변량 감소

009

PQRST 통증사정 척도에서 "S"에 대한 사정 시 간호사가 환자에게 할 수 있는 질문은 무엇인가?

① "통증의 양상이 어떠한가요?"
② "어떻게 할 때 통증이 악화되나요?"
③ "어디가 아픈지 정확히 알려주세요."
④ "언제부터 아팠나요? 얼마나 자주 아픈가요?"
⑤ "0점부터 10점까지 중 통증의 강도가 어떤지 숫자로 알려주세요."

010

요추 4-5에서 추간판탈출증을 보이는 환자에게서 나타나는 증상은?

① 두통이 현저하다.
② 허리통증이 발로 방사된다.
③ 허리를 굽히면 통증이 완화된다.
④ 허리의 통증이 견갑골로 방사된다.
⑤ 허리통증과 복통이 함께 나타난다.

011

B형 간염 환자가 다음의 증상을 보이고 있다. 가장 최우선으로 실시해야 하는 중재는 무엇인가?

- 전신 황달
- 지속적인 피로감 호소
- AST와 ALT 증가

① 침상안정을 한다.
② 고지방식이를 한다.
③ 일상활동을 격려한다.
④ 수분 섭취를 제한한다.
⑤ 모든 방문객을 제한한다.

012

다음 증상의 환자에게 실시해야 하는 우선적인 검사로 가장 적절한 것은 무엇인가?

- 식욕부진, 어지럼증, 소화불량
- 좌상복부의 덩어리 촉진
- 대변 잠혈
- Helicobacter pylori (+)

① 바륨관장
② 위내시경
③ 담낭조영술
④ 결장경 검사
⑤ Bernstein test

013

응급실에 내원한 환자의 검진결과가 다음과 같을 때 어떤 질병을 예상할 수 있는가?

- RLQ 통증
- 오심, 구토 호소
- WBC 12,000/mm^3
- Rovsing's sign (+)
- 폐쇄근검사 (+)

① 담낭염
② 위궤양
③ 복막염
④ 장폐색
⑤ 충수돌기염

014

30분 전부터 강한 복통을 호소하며 복막염이 의심되는 환자가 있다. 어떤 증상을 확인해야 하는가?

① 복부강직
② 증가한 심호흡
③ 복부의 결절 촉진
④ 복부대동맥 잡음 청진
⑤ 청진 시 장운동의 증가

015

20년 전부터 위궤양을 앓고 있는 환자가 다음 증상을 호소하며 입원하였다. 가장 필요한 중재는 무엇인가?

- WBC 22,000/mm^3
- 복부팽만, 상복부의 강한 통증
- 오심, 구토
- 호흡과 맥박 증가, 혈압 저하

① 복와위를 취해준다.
② 복부를 마사지해준다.
③ 섭취량과 배설량을 사정한다.
④ 경구로 수분을 섭취하게 한다.
⑤ 따뜻한 찜질팩을 복부에 적용한다.

016

구강섭취가 불가능해 PEG수술(경피적내시경위조루술)을 한 대상자에게 적절한 간호는 무엇인가?

① 24시간마다 관을 교환한다.
② 24시간마다 잔류량을 확인한다.
③ 영양액 주입 후 앙와위를 취해준다.
④ 영양액 주입 후 200 ml 물을 주입한다.
⑤ 잔류량이 200 ml를 넘으면 영양액 주입을 보류한다.

017

위전절제술 후 어지러움, 오심, 구토, 설사, 심계항진, 발한, 현기증, 무력감 등의 증상을 예방하기 위한 가장 적절한 중재는 무엇인가?

① 식사 후 반좌위를 취해준다.
② 고탄수화물 식이를 제공한다.
③ 소량씩 6회에 나눠 식사한다.
④ 식사 중 수분섭취를 권장한다.
⑤ 식사 전 위장관 운동 촉진제를 투여한다.

018

간경화 환자에게서 복수가 증가하는 기전으로 가장 적절한 설명은?

① 복막감염으로 인한 삼출물의 배출 때문이다.
② 고단백혈증으로 교질삼투압이 증가하기 때문이다.
③ 문맥압 상승으로 인한 정수압이 증가하기 때문이다.
④ 수분과 전해질의 정체로 인해 혈장 삼투압이 증가하기 때문이다.
⑤ 항이뇨 호르몬의 감소로 수분과 나트륨이 체내에 정체되기 때문이다.

019

식도정맥류 출혈 환자에게 vasopressin을 사용한 후 주의 깊게 관찰해야 하는 것은?

① 통증 감소
② 맥박 감소
③ 체온 감소
④ 혈압 상승
⑤ 호흡수 감소

020

복부 담낭절제술이 계획된 환자에게 빠른 회복을 위한 수술 후 관리에 대해 교육 내용으로 가장 알맞은 것은?

① "앙와위를 취해 호흡을 원활하게 해야 합니다."
② "통증이 있어도 기침과 심호흡을 참아야 합니다."
③ "진통제는 증상을 악화시키므로 투여하지 않습니다."
④ "배액관으로 피가 일주일 정도 나오는 것은 정상입니다."
⑤ "담즙주머니(T-tube)는 수술 부위보다 낮게 유지해야 합니다."

021

당뇨병 환자에게 지난 3개월간의 혈당조절 상태를 파악하기 위해 사용하는 검사지표는?

① 당화혈색소 5.5%
② 공복혈장혈당 150 mg/dL
③ 혈중 C-peptide 3 ng/dL
④ 혈중 인슐린 농도 20 mU/dL
⑤ 식후 2시간 혈장혈당 200 mg/dL

022

당뇨병을 10년간 앓은 환자가 최근 NPH 용량을 늘렸다. 오전 식후 2시간이 지난 뒤 얼굴이 창백해지고 식은땀을 흘려 혈당을 재보니 50 mg/dL이었다. 가장 우선적인 중재는?

① 운동시간 확인
② 의식수준 사정
③ 식사량 사정
④ 15분 후 혈당 재측정
⑤ 15분 후 활력징후 측정

023

다음 중 결장암의 위험요인으로 알맞은 것은?

① 정상 체중
② 저지방 식이
③ 저섬유 식이
④ 운동량 증가
⑤ 저단백 식이

024

급성 신부전 환자에게 속효성 인슐린을 사용하는 이유로 알맞은 것은?

① 혈당 농도를 증가시키기 위해
② 혈중 인산 농도를 증가시키기 위해
③ 혈중 칼륨 농도를 감소시키기 위해
④ 혈중 칼슘 농도를 감소시키기 위해
⑤ 혈중 나트륨 농도를 감소시키기 위해

025

다음의 혈액 수치를 보고 예상할 수 있는 질환은?

- 사구체 여과율: 30 ml/min
- 혈청 칼륨농도 6.0 mEq/L
- 혈청 BUN 57 mg/dL
- 혈청 크레아티닌 18. 5 mg/dL
- pH 7.30, PaO$_2$ 92, PaCO$_2$ 40, HCO$_3^-$ 20

① 당뇨
② 요결석
③ 만성 신부전
④ 급성 신우신염
⑤ 급성 사구체 신염

026

신장이식수술 후 3개월 사이에 급성 거부반응과 관련된 교육으로 옳은 것은?

① 저체온
② 혈압 감소
③ 체중 감소
④ 소변량 감소
⑤ 상부 옆구리 통증

027

방광염을 치료하고 있는 환자가 "같은 증상이 세 번이나 반복되는데 이유를 모르겠어요."라고 질문할 때, 해야 할 질문으로 알맞은 것은?

① "물을 많이 드셨나요?"
② "소변의 양이 많았나요?"
③ "소변을 볼 때 작열감이 드나요?"
④ "면으로 된 헐렁한 속옷을 입으셨나요?"
⑤ "처방받은 약을 모두 꾸준하게 복용하였나요?"

028

경요도 절제술을 시행한 후 방광세척을 하고 있는 환자의 소변 배출량이 주입량보다 적을 경우, 우선적인 중재로 옳은 것은?

① 수분섭취를 제한한다.
② 치골상부를 압박한다.
③ 주입량을 증가시킨다.
④ 요도 카테터를 제거한다.
⑤ 요도 카테터의 개방성을 확인한다.

029

요루전환술을 시행한 후, 요루를 가지고 있는 환자에게 적용할 중재로 옳은 것은?

① 소변주머니는 가득 찰 때마다 비운다.
② 소변주머니를 세척할 때, 뜨거운 물을 사용한다.
③ 요루 주머니의 구멍은 요루의 크기와 딱 맞게 자른다.
④ 소변의 냄새가 강해지게 하는 음식의 섭취를 제한한다.
⑤ 요루 주위의 피부는 강알칼리성 비누를 이용하여 세척한다.

030

급성기 류마티스 관절염 환자가 급성으로 부종과 통증을 호소하며 운동하기 어려워한다. 이때 제공할 수 있는 간호중재로 가장 적절한 것은?

① 일상생활을 격려한다.
② 부종 부위에 온찜질한다.
③ 통증 부위를 마사지한다.
④ 침상안정을 취하도록 한다.
⑤ 관절범위 이상으로 운동하도록 한다.

031

만성통풍 환자의 요산 생성을 억제하기 위한 약물로 적절한 것은?

① Aspirin
② Tyrenol
③ Colchicine
④ Allopurinol
⑤ Probenecid

032

요추간판탈출이 있는 요통환자에게 재발 예방을 위한 퇴원교육은?

① 엎드려서 휴식을 취한다.
② 번갈아 가면서 양쪽 다리를 꼬아준다.
③ 물건을 들 때 무릎보다 허리를 굽힌다.
④ 서 있을 때 한 발을 발판에 올리고 있는다.
⑤ 굽 높은 신발이 허리 만곡 유지에 도움이 된다.

033

2시간 전 발목 염좌를 입은 환자가 부종과 통증을 호소한다. 즉시 시행할 간호중재로 가장 적절한 것은?

① 온찜질한다.
② 환부를 낮춘다.
③ 탄력붕대를 한다.
④ 손상 부위를 마사지한다.
⑤ 손상 부위에 수동적 ROM 운동을 실시한다.

034

고관절전치환술을 시행한 환자에게 합병증인 고관절 탈구의 증상을 교육하였다. 환자가 올바르게 이해했다고 볼 수 있는 반응은?

① "다리를 꼬는 것은 문제 없겠군요."
② "외적인 문제는 없지만 통증이 심하군요."
③ "통증은 없지만 다리가 돌아갈 수 있군요."
④ "수술부위에 극심한 통증이 있고, 다리 길이가 짧아져요."
⑤ "탈구를 예방하기 위해서는 의자보다 바닥에 앉아야겠군요."

035

십자전방인대파열 수술 후 5일째인 환자가 부종과 통증을 호소하면서 운동을 하기 힘들다고 한다. 적절한 간호로 옳은 것은?

① 환측 다리를 높인다.
② 절대 안정을 취하도록 한다.
③ 부종 완화를 위해 온찜질을 한다.
④ 침대에 앉아서 환측 다리를 내려 혈액순환을 촉진시킨다.
⑤ 빠른 회복을 위해 지속적 수동운동 기계(CPM)를 적용한다.

036

다음 심전도를 나타내는 부정맥은?

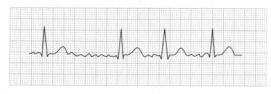

① 심방세동
② 심실세동
③ 동성서맥
④ 동성빈맥
⑤ 심실조기수축

037

울혈성 심부전 환자의 맥박이 갑자기 1분 동안 150~170으로 상승하였다. 이때 가장 적절한 간호진단은?

① 배뇨장애
② 운동장애
③ 자가간호결핍
④ 심박출량 저하
⑤ 급성통증(흉통)

038

급성 심근경색을 나타내는 지표는?

① ESR 감소
② CRP 감소
③ 백혈구 감소
④ CK-MB 감소
⑤ 심전도상 ST 분절 상승

039

다음 설명에 맞는 전도장애는?

- P파 정상
- PP 간격 정상
- RR 간격 정상
- P파와 QRS파가 완전히 따로 박동함

① 좌각블럭
② 1도 블럭
③ 2도 블럭(Mobitz I)
④ 2도 블럭(Mobitz II)
⑤ 3도 블럭

040

다음 약물 중 심근수축력을 증가시키고 심박동수를 낮추는 약물은?

① 디곡신(digoxin)
② 프로세마이드(furosemide)
③ 프로프라놀롤(propranolol)
④ 스피로놀락톤(spironolactone)
⑤ 니트로글리세린(nitroglycerin)

041

급성 심근경색 환자가 갑자기 의식이 없고, 맥박도 측정되지 않았으며 심전도에도 P, QRS, T파 모두 나타나지 않았다. 이런 상황에 우선적인 간호는?

① 심폐소생술
② 트렌델렌버그 체위
③ 섭취량/배설량 측정
④ 퀴니딘(quinidine) 투여
⑤ 15분마다 활력징후 측정

042

다음 중 협심증이 가장 위험한 사람은 누구인가?

① 공복혈당 90 mg/dL, 고혈압 가족력
② 저밀도지방단백질(LDL) 200 mg/dL, 흡연자
③ 중성지방 125 mg/dL, 운동에 열심인 70대 남성
④ 혈압 100/70, 신체활동을 잘 하지 않는 젊은 여성
⑤ 총콜레스테롤 180 mg/dL, 스트레스를 많이 받은 사람

043

인공판막 대치술을 받은 사람이 환자에게 와파린 투여 시, 주의 깊게 봐야 할 검사항목은?

① BT
② PT
③ CBC
④ TDM
⑤ aPTT

044

울혈성 심부전 환자가 푸로세마이드(furosemide)를 복용하고 있다. 섭취를 권장하기에 가장 좋은 식품은?

① 우유
② 바나나
③ 감자칩
④ 훈제 고기
⑤ 아이스크림

045

버거씨병으로 우측 무릎 하 절단술을 받은 환자가 수술 이후 우측 발가락의 찌르는 듯한 통증을 호소하였다. 이러한 통증을 무엇이라고 하는가?

① 작열통
② 자상통
③ 환상지통
④ 심인성 통증
⑤ 대상포진 후 신경통

046

35세 남자 환자 A씨가 6개월 전 고혈압을 진단받고 자신의 질병 관리법에 대한 교육을 이수한 뒤 귀가하였다. 진단 후 6개월 만에 외래 진료를 받으러 온 A씨는 직장 생활로 인해 극심한 스트레스를 받고 있으며, 현재 하고 있는 운동은 없고, 흡연 및 음주 중이라고 하였다. 가장 우선적인 간호진단은?

① 지식 부족
② 급성 통증
③ 심박출량 감소
④ 치료지시 불이행
⑤ 비효율적 조직관류

047

다음 중 심부정맥혈전증(DVT) 환자에게 적용 가능한 간호중재는 무엇인가?

① 좌위를 취해준다.
② 하지를 상승시킨다.
③ 환측 다리를 마사지해준다.
④ 절대 침상 안정을 취하게 한다.
⑤ 환측 다리에 얼음팩을 적용한다.

048

본태성 고혈압 환자가 퇴원교육을 받은 후 반응으로 적절한 것은?

① 증상이 있을 때 약을 복용합니다.
② 운동할 때는 약을 중단해야 합니다.
③ 약물은 내 마음대로 조정이 가능해요.
④ 증상이 사라지면 약을 중단해도 됩니다.
⑤ 의사가 중단하라고 할 때까지 중단하지 않아야 해요.

049

항암화학요법을 받고 있는 백혈병 환자의 출혈 관리법으로 옳은 것은?

① 수분을 제한한다.
② 치실을 사용한다.
③ 2~3일 간격으로 구강관리를 한다.
④ 소변과 대변에 혈액이 섞여 있는지 확인한다.
⑤ 공기 침요를 사용하고 가능한 움직이지 않도록 한다.

050

재생불량성 빈혈 환자에게 교육할 내용으로 맞는 것은?

① 아스피린 제제를 복용한다.
② 예방적으로 항생제를 투약한다.
③ 주기적으로 수혈을 받아야 한다.
④ 생과일과 생야채를 많이 섭취한다.
⑤ 피로하지 않을 정도로만 활동을 유지한다.

051

다음 중 즉각적인 결핵 치료가 필요한 상황은?

① 혈액검사(+), 객담배양검사(−)
② 흉부X선검사(+), 객담배양검사(+)
③ 혈액검사(+), 투베르쿨린반응검사(+)
④ 흉부X선검사(−), 투베르쿨린반응검사(+)
⑤ 객담배양검사(−), 투베르쿨린반응검사(+)

052

급성 인두염 환자에게 10일치의 항생제가 처방되었다. 환자가 "증상이 없는데 항생제를 복용해야 하나요?"라고 간호사에게 물을 때 적절한 간호사의 답변은?

① "증상이 없으니 항생제를 복용하지 않아도 됩니다."
② "증상이 없어도 10일간 처방된 항생제를 복용해야 합니다."
③ "증상이 없으니 중단해도 되지만 대신 인두 세척을 열심히 하세요."
④ "증상이 없으니 중단해도 되지만 증상이 나타나면 다른 약을 복용하세요."
⑤ "증상이 없으니 중단해도 되지만 증상이 나타나면 처방된 항생제를 복용하세요."

053

흡연을 하고 있으며 체질량 지수가 25 kg/m² 인 천식 환자의 폐기능검사 결과 노력성 호기량이 70%였다. 이 환자에게 적용할 중재로 가장 적절한 것은?

① 금연
② 수분섭취
③ 침상안정
④ 체중 감량
⑤ 고농도 산소 투여

054

다음 증상을 보이는 환자에게 가장 적절한 병실 환경은?

- 증상: 객혈, 야간발한, 체중감소
- 검사 결과: 객담배양검사 시 3회 AFB (acid fast bacillus) 양성

① 양압이 적용된 1인실
② 햇빛이 잘 드는 1인실
③ 인적이 드물고 조용한 1인실
④ 인공호흡기가 비치된 중환자실
⑤ 다른 호흡기 환자가 있는 다인실

055

후비공 심지를 적용 중인 환자에게 필요한 간호로 적절한 것은?

① 기침을 격려한다.
② 코를 풀도록 한다.
③ 구강 호흡법을 교육한다.
④ 고개를 뒤로 젖히게 한다.
⑤ 온찜질을 적용한 후 냉찜질을 적용한다.

056

급성 세균성 편도선염 환자에게 우선적으로 중재할 것은?

① 절대안정을 취한다.
② 항생제를 투여한다.
③ 저단백식이를 제공한다.
④ 오렌지 주스를 마시게 한다.
⑤ 생리식염수 함수를 제한한다.

057

만성 기관지염 환자가 객담이 끈적거려 뱉어내기가 힘들다고 할 때 해야 할 중재는?

① 흉식호흡을 권장한다.
② 복식호흡을 권장한다.
③ 횡격막 호흡을 권장한다.
④ 분무요법과 진동요법을 한다.
⑤ 6 L 산소를 비강캐뉼라로 공급한다.

058

대상자의 호흡기계 검사 결과가 다음과 같았다. 제공해야 하는 간호로 가장 적절한 것은?

- 폐기능 검사: 폐활량 3 L, 잔기량 2.5 L, FEV_1 60%
- ABGA: PO_2 60 mmHg, PCO_2 60 mmHg

① 휴식을 취하게 한다.
② 심호흡을 하도록 한다.
③ 찬 공기에 노출시킨다.
④ 고농도 산소를 투여한다.
⑤ 기관지확장제를 투여한다.

059

수술 후 혈압 상승, 불규칙한 호흡, 의식저하 등의 증상을 보이는 환자에게 우선적으로 내릴 간호진단은?

① 수술로 인한 불안
② 마비로 인한 운동장애
③ 마비로 인한 자가간호결핍
④ 부동으로 인한 피부통합성장애
⑤ 뇌내압 상승으로 인한 비효율적 뇌조직관류

060

뇌내출혈로 개두술을 받은 환자의 혈압이 180/60 mmHg, 서맥 등의 증상 보일 때의 가장 적절한 중재는?

① 발살바 수기법 교육한다.
② 기침, 심호흡을 격려한다.
③ 변비 시 관장을 시행한다.
④ 침상머리를 30° 상승시킨다.
⑤ 흡인은 15초 이상 시행한다.

061

오른쪽 안면 신경마비 시 증상으로 옳은 것은?

① 왼쪽 입이 처짐
② 왼쪽 입이 아픔
③ 오른쪽 이마 주름이 많아짐
④ 오른쪽 눈이 감기지 않음
⑤ 오른쪽 비순주름이 뚜렷해짐

062

Romberg 검사 시 양성에 해당하는 것은?

① 섰을 때 환측으로 기울어진다.
② 무릎을 굽혔을 때 환측이 낮다.
③ 서서 눈을 감고 균형을 잡았을 때 흔들린다.
④ 대상자의 코와 검진자의 손을 왔다갔다 할 때 손이 심하게 떨린다.
⑤ 발바닥을 발가락 쪽으로 긁었을 때 발가락이 앞뒤로 왔다갔다 한다.

063

신경계 반사 검사 중 표재성 반사에 해당하는 것은?

① 복부반사
② 슬개건 반사
③ 삼두근건 반사
④ 이두근건 반사
⑤ 상완요골근건 반사

064

경추손상 환자 이동 시 간호중재로 가장 적절한 것은?

① 측위
② 복위
③ 목을 고정함
④ 목을 과신전함
⑤ 허리에 쿠션을 넣음

065

상행성 마비가 진행되고 있는 길랑-바레 증후군 환자의 가장 우선적인 간호중재는?

① 변비 개선
② 배설량 측정
③ 의사소통 증진
④ 호흡기능 유지
⑤ 자가간호 결핍

066

척추가 손상되지 않은 무의식 환자의 기도유지를 위해 취해주어야 할 자세는 무엇인가?

① 측위
② 앙와위
③ 쇄석위
④ 파울러씨 체위
⑤ 트렌델렌버그 체위

067

중증 갑상샘 기능저하증 환자에게 우선적인 간호진단은 무엇인가?

① 발한과 관련된 피부손상
② 과다행동과 관련된 피로
③ 안구돌출과 관련된 불편감
④ 대사율 저하와 관련된 저체온
⑤ 대사율 증가와 관련된 체중감소

068

갑상샘 기능항진증 환자가 갑자기 투약을 중단했을 때 나타나는 갑상샘 위기로 적절한 것은?

① 고열
② 서맥
③ 변비
④ 저혈당
⑤ 혈압상승

069

쿠싱증후군 환자에게 교육해야 할 내용으로 적절한 것은 무엇인가?

① 침상안정을 취한다.
② 먼저 눈을 보호한다.
③ 수분섭취를 제한한다.
④ 고지방식이를 제공해준다.
⑤ 호흡기질환 감염자와 가까이 있지 않게 한다.

070

다음 환자에게 가장 적절한 간호중재는 무엇인가?

- 귀에서 이물감이 느껴짐
- 이명, 난청
- 갑자기 어지러움을 느낌

① TV를 보며 주의를 돌린다.
② 의사에게 항생제 처방을 받는다.
③ 귀에 이물질이 들어간 것이므로 빼낸다.
④ 조용하고 어두운 방에서 휴식을 취한다.
⑤ 증상이 완화될 때까지 머리를 흔들게 한다.

071

여성중심간호에서 여성에 대한 관점으로 옳은 것은?

① 수동적 존재이다.
② 의료제공자에게 의존한다.
③ 약물을 통해 건강을 지킨다.
④ 스스로 건강관리를 할 수 있다.
⑤ 의학정보를 이해할 능력이 없다.

072

월경주기가 불규칙하면서 월경통, 월경과다의 증상을 보이고, 오심·구토를 호소하는 가임기 여성 A씨에게 증상 개선효과가 있는 피임 방법으로 가장 적절한 것은?

① 콘돔
② 경구피임약
③ 난관결찰술
④ 배란주기법
⑤ 자궁내장치

073

30세 여성 A씨는 월경 직전 유방 자가검진을 하고 작은 몽우리가 만져진다며 걱정을 한다. 간호사가 취할 수 있는 적절한 간호중재는?

① 조직검사를 해야 한다고 설명한다.
② 몽우리를 절제해야 한다고 설명한다.
③ 생리시작 후 일주일 이내에 다시 검진하도록 한다.
④ 통증이 없는 몽우리는 걱정하지 않아도 된다고 한다.
⑤ 유두 분비물이 없으면 몽우리가 만져져도 괜찮다고 설명한다.

074

25세 여성 A씨는 월경 3~5일 전부터 골반통, 복부 불편감, 유방압통, 우울감을 경험한다고 호소하였다. 대상자는 이 증상들이 일상생활에 지장을 주기는 하지만 월경이 시작된 후 바로 사라진다고 말한다. 간호중재로 가장 적절한 것은?

① 저단백식이를 권장한다.
② 카페인 섭취를 권장한다.
③ 정신과 진료를 권장한다.
④ 초콜릿과 같은 고탄수화물 섭취를 권장한다.
⑤ 월경일지를 작성하고 증상을 관리하도록 권장한다.

075

초등학교 여학생을 대상으로 초경과 관련된 성교육을 하려고 한다. 교육 내용으로 적절한 것은?

① 초경을 하면 처녀막이 사라진다.
② 초경을 하는 동안 샤워하면 안 된다.
③ 초경을 하고 2년 동안은 임신이 되지 않는다.
④ 초경은 질병이 아니라 정상적인 생리적 변화이다.
⑤ 초경 시 통증이 심하니 진통제 복용이 필수적이다.

076

폐경기 여성에서 나타나는 골다공증의 원인은 무엇인가?

① 에스트로겐 저하
② 프로게스테론 저하
③ 장내 칼슘흡수 증가
④ 융모성선자극호르몬 상승
⑤ 혈청 고밀도 지단백 상승

077

월경이 규칙적이던 38세 A씨는 전자궁절제술을 받을 예정이다. 수술 후 폐경이 될 것을 걱정하는 여자에게 간호사의 설명으로 옳은 것은?

① "안면홍조가 나타나므로 자외선 차단 크림을 바르세요."
② "골다공증 위험이 있으므로 고칼슘식이를 하세요."
③ "에스트로겐이 분비되므로 폐경증상은 나타나지 않습니다."
④ "근육의 탄력성이 저하되므로 운동을 피해야 합니다."
⑤ "위축성 질염 발생 위험이 굉장히 높아집니다."

078

항암치료를 받고 있는 난소암 환자에서 감염위험이 높아지는 이유는 무엇인가?

① ESR 감소
② 혈소판 증가
③ 적혈구 증가
④ 혈색소 증가
⑤ 백혈구 감소

079

모닐리아성 질염의 위험요인으로 가장 적절한 것은?

① 결핵
② 당뇨
③ 매독
④ 경관염
⑤ 진통제

080

출산 경험이 있는 40대 여성이 월경통과 월경과다의 증상을 보인다. 비임신 상태인데 정상보다 큰 자궁이 촉진된다면, 예상되는 질환은 무엇인가?

① 자궁경관염
② 자궁내막증
③ 자궁경부암
④ 자궁선근증
⑤ 자궁내막증식증

081

60대 여성이 3도 자궁탈출증을 진단받았다. 근본적인 치료법은 무엇인가?

① 원추절제술
② 난소절제술
③ Pap smear
④ 에스트로겐 복용
⑤ 질식 자궁절제술

082

30대 젊은 부부가 난임으로 검사를 받으려고 한다. 가장 우선적으로 시행하는 검사는 무엇인가?

① 정액 검사
② 고환 검사
③ 쉴러 검사
④ 전립샘 검사
⑤ 자궁 난관 조영술

083

임신 6주차에 접어든 임산부 A씨가 5주 전 쯤에 감기약을 복용했다며 태아기형에 대해 걱정하고 있다. 이때 간호사의 설명으로 가장 적절한 것은?

① "주요 기관 형성 이전이므로 걱정하지 않으셔도 됩니다."
② "임신 중 감기약 복용은 자궁 내 성장 발달을 지연시킵니다."
③ "감기약은 태아기형과는 관계가 없으니 걱정하지 않으셔도 됩니다."
④ "수정 시기에 관계없이 약물 복용은 위험하므로 인공유산이 필요합니다."
⑤ "수정 이후 세포분열이 가장 활발한 시기이므로 치료적 유산이 필요합니다."

084

현재 8주인 임산부 A씨는 첫 임신 때 26주에 분만하고 바로 아이가 사망했으며, 두 번째 임신은 현재 두 살인 딸아이로 39주에 분만하였고 유산 경험은 없다고 한다. A씨의 산과력을 기록한 것으로 알맞은 것은?

① 1-0-0-1
② 0-1-0-1
③ 0-0-1-1
④ 0-1-1-0
⑤ 1-1-0-1

085

임신을 진단받은 여자의 마지막 월경일이 2020년 10월 10일부터 10월 15일까지이다. 네겔 법칙에 근거한 분만 예정일은?

① 2021년 7월 13일
② 2021년 7월 17일
③ 2021년 7월 22일
④ 2021년 8월 7일
⑤ 2021년 8월 12일

086

임부가 자주 불편감을 호소하는 가슴앓이(heartburn) 증상의 주된 원인은 무엇인가?

① 정신적 긴장
② hCG에 의한 알레르기 증상
③ 자궁의 증대로 인한 심낭벽 마찰
④ 위 점막에서 분비되는 염산 분비
⑤ 프로게스테론에 의한 위장 운동의 저하

087

정기적인 산전관리로 임신성 고혈압을 조기발견하기 위해 무엇을 측정해야 하는가?

① 체중측정, 혈압측정, 단백뇨 측정
② 소변검사, 혈당측정, 태아심음 측정
③ 질분비물 확인, 대변검사, 심음 측정
④ 태동 관찰, 자궁저부 높이, 선진부 확인
⑤ 태향 관찰, 질분비물 검사, 태아심음 측정

088

29세 여성이 좌하복부에 칼로 찌르는 듯한 통증과 질 출혈을 주호소로 응급실에 방문하였다. 검진 결과 월경 2번을 거르고 임신 반응 검사에서 양성을 보였다. 이때 예상되는 문제는?

① 전치태반
② 계류 유산
③ 자궁내막증
④ 자궁외 임신
⑤ 자궁경관무력증

089

임신성 고혈압인 산모 A씨에게 $MgSO_4$를 주었다. 이때 약물 투여를 중단해야 하는 상황은?

① 태아 심음: 150회/분
② 산모 맥박: 70회/분
③ 산모 호흡: 10회/분
④ 산모 수축기 혈압: 140 mmHg
⑤ 산모 배뇨량: 100 ml/시

090

임부에서 임신 초기 감염 시 태아로 하여금 선천성 심장 질환, 청력 장애, 백내장의 증상 발현을 야기하는 질환은 무엇인가?

① 풍진
② 결핵
③ 홍역
④ 콜레라
⑤ 장티푸스

091

단태아를 임신한 임부가 병원을 방문하였다. 사정결과가 다음과 같을 때 예상되는 임신 주수는?

- 임부는 첫 태동을 느끼지 못했다.
- 도플러로 태아 심음을 들을 수 있다.
- 자궁저부가 치골결합 바로 위에서 만져진다.

① 4주
② 8주
③ 12주
④ 16주
⑤ 20주

092

임신 38주인 임부에게 레오폴드 촉진법을 시행했을 때 정상 질식분만이 가능한 경우는?

① 아두가 골반입구에 고정되어 있다.
② 산모의 배꼽 위에서 태아의 심음이 들린다.
③ 복부 아래쪽에서 크고 부드러운 것이 만져진다.
④ 자궁저부 위치에서 단단하고 둥근 것이 만져진다.
⑤ 복부 전면에서 여러 결절이 만져지고 등은 만져지지 않는다.

093

태아의 태향을 결정할 때 두정위의 준거지표는?

① 턱
② 뺨
③ 천골
④ 후두골
⑤ 대천문

094

분만 시 개대와 소실이 되는 일차적 원리는 무엇인가?

① 통증
② 복직근 수축
③ 산부의 힘주기
④ 자궁 하부의 강직
⑤ 자궁의 규칙적인 이완과 수축

095

경관 개대 8 cm인 경산부 A씨는 너무 아프다고 호소하면서 진통제를 달라고 요청하였다. 간호사가 진통제를 주지 않는 이유를 설명할 때 가장 적절한 것은?

① "산후 회복이 오래 걸립니다."
② "태아 호흡이 감소할 수 있습니다."
③ "분만 시간이 지연될 수 있습니다."
④ "산후 약물 중독 위험성이 증가합니다."
⑤ "진통제를 써도 분만 진통이 사라지지 않습니다."

096

임신 40주차로 정상 분만이 진행 중인 초산부가 제왕절개를 고려할 수 있는 상황으로 알맞은 것은?

① 양막파열
② 생리적 수축륜
③ 분만 1기 잠재기 8시간 소요
④ 이완기 자궁내압 8 mmHg 이하
⑤ 지속적인 후방후두위(POP) 관찰

097

조기진통이 있는 산모에게 리토드린(Yutopar)을 투여하였더니 심계항진과 손 떨림 증상이 나타나고, 심박동수 130~140회/분, 혈압 90/60 mmHg으로 확인되었다. 이때 제공해야 할 간호로 알맞은 것은?

① 우측위를 취하게 한다.
② 수액 주입속도를 올린다.
③ 산모의 사지를 마사지한다.
④ 혈중 칼륨농도를 사정한다.
⑤ 리토드린의 용량을 낮추거나 정맥주입을 중단한다.

098

분만예정일이 2주 지난 산모 A씨에게 유도분만을 진행하자 하였더니 A씨가 그 이유를 물었다. 이에 대한 간호사의 설명으로 알맞은 것은?

① "양수가 과다해지기 때문입니다."
② "태반기능이 저하되기 때문입니다."
③ "태반유착의 가능성이 높아지기 때문입니다."
④ "저체중아가 될 확률이 높아지기 때문입니다."
⑤ "선천성 기형아의 확률이 높아지기 때문입니다."

099

다음 중 옥시토신 투여를 중단해야 하는 상황으로 가장 적절한 것은?

① 자궁수축 간격 3~4분
② 자궁수축 기간 90~95초
③ 자궁 이완기압 8 mmHg
④ 자궁 수축기압 65 mmHg
⑤ 태아심박동수 120~125회/분

100

정상분만한 산모에게 메틸에르고노빈을 투여하고자 할 때 우선 확인하여야 할 사항은?

① 체온
② 혈압
③ 소변량
④ 깊은힘줄반사
⑤ 헤모글로빈 수치

101

정상 분만 후 8시간째인 산모가 자연배뇨를 여러 번 했는데 시원한 느낌이 들지 않는다고 호소하였다. 우선적인 간호중재는?

① 마사지
② 혈압 측정
③ 잔뇨량 측정
④ 회음부 간호
⑤ 정체도뇨 삽입

102

제왕절개분만 후 산모가 갑자기 안절부절하며 심한 흉통과 호흡곤란을 호소한다. 사정결과 빈맥, 저혈압과 청색증이 확인되었을 때 예상되는 건강문제는?

① 유방염

② 폐색전증

③ 자궁파열

④ 신우신염

⑤ 자궁내막염

103

2시간 전 분만을 한 여성이 질 출혈을 호소하여 간호사가 복부를 촉진하자 제와 2 cm 위에서 물렁하고 부드러운 자궁이 만져졌다. 우선적으로 해야 할 간호는?

① 옥시토신을 투여한다.

② 자궁절제술이 필요하다.

③ 자궁저부를 마사지한다.

④ 질 패킹을 하여 지혈한다.

⑤ 정상과정이므로 걱정할 필요가 없다고 한다.

104

산모 A씨가 왼쪽 다리의 열감과 부종을 호소하여 간호사가 산모의 상태를 관찰했을 때 Homan's sign 양성으로 확인되었다. 적절한 중재는?

① 보행을 격려한다.

② 왼쪽 다리를 상승시킨다.

③ 항응고제 투여를 중단한다.

④ 왼쪽 다리에 마사지를 시행한다.

⑤ 왼쪽 다리의 관절범위 운동을 한다.

105

분만이 끝난 산모가 회음부에 통증을 호소하여 간호사가 회음부 시진을 한 결과 1 cm의 혈종이 보였으며 크기가 더 커지지는 않았다. 적절한 간호중재는?

① 수혈을 한다.

② 지혈제를 주입한다.

③ 질 패킹을 시행한다.

④ 외과적 절개 후 배액한다.

⑤ 냉찜질을 하고 진통제를 준다.

001

학령기의 신체 발달에 관한 설명으로 옳지 않은 것은?

① 성장이 일정하지만 느리다.

② 몸무게에서 근육의 비율이 증가한다.

③ 머리둘레, 허리둘레가 키에 비해 감소한다.

④ 안면골보다 두개골의 성장이 더 빨라져 얼굴의 비례가 달라진다.

⑤ 근육의 기능과 강도가 향상되지만 과도하게 신체활동을 하면 위험하다.

002

아동에게 하는 훈육 중 타임아웃에 대한 설명으로 적절한 것은?

① 한 번 경고한 후 시행한다.

② 격앙되어 흥분된 어조로 훈육한다.

③ 아동의 연령에 상관없이 동일하게 10분간 한다.

④ 아동에게 타임아웃의 규칙에 대해 설명을 할 필요가 없다.

⑤ 공공장소에서 아동이 잘못하면 그 자리에서 즉시 적용한다.

003

Kohlberg의 도덕발달 이론에서 전인습적 수준에 해당하는 아동에 대한 설명으로 가장 적절한 것은?

① 벌을 피하기 위해 행동한다.

② 사회 규칙에 맞는 행동을 한다.

③ 개인의 양심에 따라 행동을 한다.

④ 권위와 법 사회질서를 존중하여 행동한다.

⑤ 최대다수의 최대 이익을 추구하는 방향으로 행동한다.

004

다음은 12개월 아동의 성장발달 검사결과이다. 우선적으로 실시해야 할 중재는?

- 체중: 성장발달곡선의 3백분위수
- 키: 성장발달곡선의 10백분위수
- 운동발달: 스스로 앉을 수는 있으나 지지대를 붙잡고 일어설 수 없음

① 성장발달 유지를 위해 저열량식을 권장한다.

② 정상 성장발달을 보이고 있으므로 현재 상태를 유지한다.

③ 근이영양증이 의심되므로 신경외과에 발달검사를 의뢰한다.

④ 성장발달 지연이 의심되므로 성장발달 전문가에게 의뢰한다.

⑤ 발달성 고관절 이형성증이 의심되므로 근골격계 검사를 의뢰한다.

005

6개월 영아의 감각운동기능을 위해 적절한 장난감은?

① 밀고 끄는 것

② 올라탈 수 있는 것

③ 작은 조각을 맞추어 노는 것

④ 빨대로 비눗방울을 불 수 있는 것

⑤ 손으로 쥐고 흔들어 소리낼 수 있는 것

006

학령기 아동의 치아건강을 위해 적절한 간호는?

① 충치예방을 위해 단당류 섭취를 권장한다.

② 충치예방을 위해 치아에 불소를 도포한다.

③ 잇몸손상 예방을 위해 치실 사용을 금한다.

④ 저작기능 강화를 위해 말린 과일을 권장한다.

⑤ 플라크를 제거하기 위해 거친 칫솔모의 칫솔을 선택한다.

007

영아의 산모가 모유보관에 대해 질문할 때, 교육내용으로 알맞은 것은?

① 새로 짠 모유는 실온보관한다.
② 먹다 남은 모유는 냉장보관한다.
③ 냉장보관 모유는 24시간 이내에 먹인다.
④ 냉동보관 모유는 1년까지 보관 가능하다.
⑤ 냉동보관 모유는 전자레인지에 해동시켜 먹인다.

008

신생아 수유 후 체위는?

① 똑바로 눕힌다.
② 머리를 낮추고 왼쪽으로 눕힌다.
③ 머리를 높이고 왼쪽으로 눕힌다.
④ 머리를 낮추고 오른쪽으로 눕힌다.
⑤ 머리를 높이고 오른쪽으로 눕힌다.

009

출생 3일째인 만삭 신생아(여아)의 신체 사정 시 정상이 아닌 것은?

① 유방 울혈이 있다.
② 질 분비물이 나온다.
③ 눈물이 나오지 않는다.
④ 스카프 징후 양성이다.
⑤ 바빈스키 반사 양성이다.

010

급성 림프구성 백혈병을 진단받고 치료 중인 5세 여아가 식욕부진, 잇몸출혈, 사지통증을 호소한다. 혈액검사 결과 백혈구 1,200/mm^3, 혈소판 18,000/mm^{3}의 수치를 보일 때 적절한 간호중재는?

① 고열에 대비하여 아스피린을 투여한다.
② 변비는 출혈을 야기하므로 하제를 준다.
③ 감염예방을 위해 정맥으로 광범위항생제를 투여한다.
④ 통증에 대한 불안을 감소시키기 위해 또래 친구를 초대한다.
⑤ 관절경축을 예방하기 위해 관절범위 내에서 운동을 실시한다.

011

영아의 고형식이에 관해 교육할 때 옳은 내용은?

① 조제유와 함께 준다.
② 매일 새로운 재료를 준다.
③ 다양한 재료를 섞어서 준다.
④ 계란은 노른자보다 흰자를 먼저 먹인다.
⑤ 처음엔 철분 포함 곡물을 단독으로 먹인다.

012

분리불안에 대한 설명으로 가장 적절한 것은?

① 2개월에 시작한다.
② 무시하면 없어진다.
③ 부모의 잘못된 양육으로 발생한다.
④ 대상영속성이 없어서 생기는 것이다.
⑤ 애착이 잘 형성되지 않아 나타나는 현상이다.

013

4살 유아가 새로운 베개 대신 이전에 쓰던 베개만을 고집한다고 말하는 부모에게 해줄 수 있는 말은?

① "물활론에 의한 현상입니다."
② "부모에 대한 분노의 표현입니다."
③ "자율감에 의한 의식주의의 표출입니다."
④ "퇴행현상이므로 전문의의 진료가 필요합니다."
⑤ "새로운 베개가 마음에 들지 않아 나타나는 현상입니다."

014

소변을 잘 가리던 4살 아이가 평소와 달리 낮잠을 자던 도중 소변을 지렸다. 걱정하는 부모에게 간호사가 해줄 수 있는 말로 가장 적절한 것은?

① "훈육으로 다스려야 합니다."
② "병원에서 발달검사를 해봐야 합니다."
③ "일시적인 현상이므로 옷을 갈아입혀 주세요."
④ "방광염에 의한 것이므로 진단이 필요합니다."
⑤ "배뇨훈련을 처음부터 다시 시작해야 합니다."

015

신체검사 결과 BMI가 90백분위수인 아동에게 해줄 수 있는 중재는?

① 영양섭취를 사정한다.
② 약물요법을 시작한다.
③ 저열량식을 권장한다.
④ 수분 섭취를 격려한다.
⑤ 정상이므로 별다른 중재를 필요로 하지 않는다.

016

사춘기 아동의 성적 성숙에 대한 설명으로 옳은 것은?

① 여아와 남아의 차이가 없다.
② 영양 정도는 영향을 주지 않는다.
③ 여아에게 성적 성숙이 먼저 나타난다.
④ 여아에게 가장 먼저 나타나는 것은 월경이다.
⑤ 남아에게 가장 먼저 나타나는 것은 음모의 발달이다.

017

만성질환을 겪고 있는 학령전기 아동의 간호로 적절한 것은?

① 주사공포증을 개선한다.
② 아예 움직이지 못하게 한다.
③ 또래 아동과 접촉을 차단한다.
④ 학습 활동을 완전히 중단시킨다.
⑤ 낯선 환경이라도 참고 견디게 한다.

018

미이라 억제대의 적응증으로 맞는 것은?

① 골수검사
② 요추천자
③ 경정맥 천자
④ 대퇴정맥 천자
⑤ 유치도뇨관 삽입

019

복부가 팽만되어 있고, 리본 모양의 악취가 나는 대변을 보는 아동의 예상질환은 무엇인가?

① 장 중첩증
② 유문협착증
③ 서혜부 탈장
④ 식도 게실염
⑤ 선천성 거대결장

020

41주 분만 신생아의 양수에 태변이 착색되었고, APGAR score가 1분에 5점에서 5분에 4점으로 바뀌었을 때 가장 적절한 중재는?

① 산소를 공급한다.
② 발바닥을 자극한다.
③ 활력징후를 측정한다.
④ 온열요법을 적용한다.
⑤ 기관내삽관 후 흡인한다.

021

선천성 갑상선 기능저하증 환아에게서 보이는 증상으로 적절한 것은?

① 맥박 상승
② 식욕 증가
③ 골생성 증가
④ 대천문 조기폐쇄
⑤ 혈중 갑상선 자극호르몬 상승

022

아동에서 수분전해질 균형이 특히 중요한 이유는?

① 세포내액이 많아서
② 체표면적이 좁아서
③ 소화흡수가 빨라서
④ 체내 수분 비율이 더 적어서
⑤ 체중당 수분요구량이 높아서

023

모유수유 중인 생후 6개월된 아동이 구토, 열과 함께 경미한 설사 증상을 보인다. 적절한 대처는?

① 48시간 금식시킨다.
② 야채나 과일 위주로 먹인다.
③ 모유 수유를 중단하고 조제유를 먹인다.
④ 구강 재수화 용액과 모유를 조금씩 먹인다.
⑤ 지사제를 투약하고 포도당을 주사로 공급한다.

024

급성 경련성 후두염의 특징은?

① 밤에 갑자기 진행된다.
② 열성 경련과 동반된다.
③ 화농성 객담을 동반한다.
④ 차가운 공기로 유발된다.
⑤ 세균성 호흡기 질환 아동과 접촉한 경우 나타난다.

025

선천적 심장기형을 갖고 태어난 신생아가 다음과 같은 증상을 보인다. 올바른 간호중재는 무엇인가?

> - 심실 중격 결손
> - 폐동맥 협착
> - 우심실 비대
> - 대동맥 우위

① 수유 후 복위로 눕힌다.

② 예방적 항생제를 투여한다.

③ 상 · 하지 맥박을 자주 사정한다.

④ 청색증을 보이면 바로 심전도를 의뢰한다.

⑤ 무산소 발작을 보이면 무릎과 머리가 닿는 체위를 취해준다.

026

9개월 남아가 사탕을 먹다가 캑캑거리며 쓰러졌다. 가장 적절한 간호중재는 무엇인가?

① 손으로 사탕을 꺼낸다.

② 고농도의 산소를 공급한다.

③ 아동의 활력징후를 사정한다.

④ 기관을 절개하여 기도를 확보한다.

⑤ 머리를 가슴보다 60° 정도 내리고 양쪽 견갑골 사이를 강하게 내려친다.

027

편도선 절제술을 받은 아동에서 잘 살펴봐야 할 증상은 무엇인가?

① 혈변을 본다.

② 입으로 호흡한다.

③ 기침을 자주 한다.

④ 침을 자주 삼킨다.

⑤ 맥이 느리고 약하다.

028

아동이 오심과 구토, 검은색 소변, 안와주위 부종으로 응급실에 왔다. 검사결과 Aso titer의 상승, C5 및 C50 보체 감소, 요비중 1.2, 단백뇨 +로 나타났을 때, 아동의 부모에게 간호사가 질문할 내용으로 적절한 것은?

① 아동이 먹은 음식이 무엇인지 파악한다.

② 형제 중에 면역질환이 있는지 물어본다.

③ 가족력이 있는 질병이 있는지 알아본다.

④ 이전에 상기도감염이 있었는지 질문한다.

⑤ 아동에게 알레르기 질환 유무를 파악한다.

029

아동의 골절에 관한 올바른 설명은?

① 어릴수록 치유속도도 빠르다.

② 성장판은 가장 단단한 부위이다.

③ 아동은 성인에 비해 골단막이 강하다.

④ 아동의 뼈는 유연하여 잘 골절되지 않는다.

⑤ 성장판이 충격을 완화시켜 주므로 회복이 빠르다.

030

초등학생 당뇨 환아와 그 보호자에게 자가간호에 대해 교육할 때, 내용으로 가장 적절한 것은?

① 먹고 싶은 것을 마음껏 먹게 한다.

② 체육시간에 신발을 꼭 맞게 신는다.

③ 간식을 가지고 다니는 것을 금지한다.

④ 혼자 혈당을 측정할 수 있는 방법을 교육한다.

⑤ 인슐린 주사 시 가장 흡수가 빠른 복부에 주사한다.

031

간질 아동 부모에게 항경련제 복용과 관련한 교육을 실시할 때 옳은 것은?

① 공복에 섭취한다.
② 증상이 있을 때만 복용한다.
③ 다른 약제와 혼합하여 섭취한다.
④ 6개월~1년 정도만 단기 복용한다.
⑤ 혈청 내 농도를 확인하며 복용한다.

032

수두에 걸린 아동에게 수포와 농포가 발생한 상태이다. 보호자가 유치원에 보내도 되냐고 물었을 때 적절한 간호사의 대답은?

① "전염력은 없으나 열이 나면 휴식하도록 하세요."
② "면역글로불린을 투여한 후 유치원에 가도 됩니다."
③ "농포가 있으면 전염력이 없으니 유치원에 가도 됩니다."
④ "수포가 있으면 전염력이 높으니 유치원에 보내면 안 됩니다."
⑤ "처음 생긴 수포가 가피로 변할 때까지 유치원에 보내면 안 됩니다."

033

아동이 식욕이 저하되어 있고 열이 나며 이하선에 부종과 통증을 호소한다. 아동에게 제공해야 할 음식은?

① 묽은 죽
② 뜨거운 우유
③ 말린 바나나
④ 아몬드가 섞인 아이스크림
⑤ 얼음 섞인 천연 오렌지주스

034

항암화학요법을 받고 있는 5세 아동이 오심, 구토, 구강점막 손상의 증상을 보일 때 적절한 중재는?

① 따뜻한 음식을 제공한다.
② 진통을 위해 아스피린을 투여한다.
③ 금식하고 비경구영양(TPN)을 한다.
④ 생리식염수로 자주 입을 헹구게 한다.
⑤ 알코올이 함유된 구강청결제를 제공한다.

035

가와사키병의 특성에 따른 간호중재로 옳은 것은?

① 급성기에 절대안정과 산소를 공급한다.
② 급성기 염증완화를 위해 항생제요법을 시행한다.
③ 식이는 섬유질이 많은 채소가 곁들인 밥이 좋다.
④ 진단 시 예후가 좋지 않으므로 지지적 간호를 한다.
⑤ 심장상태를 사정하기 위해 정기적인 진단검사를 한다.

036

의료비 상승을 억제하며, 행정 처리가 간편하고 의료의 표준화가 가능한 제도는 무엇인가?

① 봉급제
② 인두제
③ 포괄수가제
④ 총액계약제
⑤ 행위별 수가제

037

WHO가 제시한 일차보건의료의 접근 방법은 무엇인가?

① 의료비 인상
② 병원의 고급화
③ 보건의료인 중심
④ 지역주민들의 참여
⑤ 의료 기술의 전문화

038

인구구조가 다른 지역의 건강수준을 비교할 수 있는 지표는 무엇인가?

① 조사망률
② 영아사망률
③ 성별 사망률
④ 연령별 사망률
⑤ 표준화 사망률

039

다음 자궁경부암 검진표에서 민감도는?

	질병 O	질병 ×
검사 시 양성	40	60
검사 시 음성	10	100

① 10
② 40
③ 60
④ 80
⑤ 100

040

다음 사례를 오렘의 자가간호이론에 적용할 때 옳은 간호체계는?

> 53세 남자 당뇨병 환자는 2개월 전부터 경구혈당강하제를 복용하고 있다. 하지만 당뇨식이와 적절한 운동방법을 몰라 배우고 싶어 한다.

① 교육적 보상체계
② 전체적 간호체계
③ 자가간호 역량체계
④ 자가간호 보상체계
⑤ 자가간호 결핍보상체계

041

특정 병원체가 감염된 환자 중 현성감염으로 인한 사망이나 후유증이 나타나는 정도를 차지하는 비율은?

① 치명률
② 병원력
③ 감염력
④ 발생률
⑤ 유병률

042

SWOT 분석을 통해 목표 달성에 효과적인 긍정적 내부요인과, 조직의 발전을 돕는 외부요인이 있는 조직의 경우 적합한 사업방향은?

① 사업확대
② 사업축소
③ 혁신 전략
④ 방어적 전략
⑤ 사업의 구조조정

043

지역사회 간호사업의 순서로 옳은 것은?

ㄱ. 이용 가능한 자원과 수단을 모두 조사한다.
ㄴ. 구체적 행동 목록을 작성한다.
ㄷ. 적절한 자원을 선택한다.
ㄹ. 이용 가능한 자원과 필요한 자원을 조정한다.

① ㄱ - ㄹ - ㄷ - ㄴ
② ㄱ - ㄷ - ㄹ - ㄴ
③ ㄱ - ㄴ - ㄷ - ㄹ
④ ㄹ - ㄱ - ㄷ - ㄴ
⑤ ㄹ - ㄷ - ㄱ - ㄴ

044

교육수준, 소득수준 등 사회경제적 격차에 의한 건강수준 차이를 일컫는 말은?

① 건강권
② 건강결정
③ 건강증진
④ 건강불평등
⑤ 건강문해력

045

다양한 문화적 배경의 사람들을 간호하고 건강을 증진시키는 데 필요한 간호사의 역량은?

① 문화적 역량
② 대면적 역량
③ 리더십 역량
④ 의사소통 역량
⑤ 비판적 사고 역량

046

PRECEDE-PROCEED 모형을 적용하여 근력강화프로그램을 개발하고자 한다. 다음 중 소인요인(predisposing factor)에 해당하는 것은?

① 근력운동프로그램의 규칙
② 근력운동프로그램의 접근성
③ 근력운동에 대한 개인의 신념
④ 근력운동프로그램 참가에 대한 보상
⑤ 근력운동프로그램에 대한 보건의료인의 태도

047

금연에 실패한 대상자가 1개월 내에 다시 금연을 시도할 의도를 가지고 있다. 범이론 모델을 적용할 때 현재 이 대상자가 해당하는 단계는?

① 행동단계
② 준비단계
③ 유지단계
④ 계획단계
⑤ 계획전단계

048

우선순위 설정을 위한 BPRS 척도(A+2B)×C에서 B에 해당하는 것은 무엇인가?

① 변화 가능성
② 경제적 효과
③ 문제의 크기
④ 문제의 심각도
⑤ 사업의 추정효과

049

비만 학생들의 체중 조절을 위한 12주 프로그램에서 결과평가 지표에 해당하는 것은?

① 체중변화율
② 투입된 자원
③ 자원 활용 횟수
④ 프로그램 참여율
⑤ 프로그램 실시 횟수

050

보건사업과정에서 주도성에 따른 지역주민의 참여 단계 중 가장 적극적인 참여가 이루어지는 단계는 어느 것인가?

① 주도단계
② 도입단계
③ 협력단계
④ 협조단계
⑤ 개시단계

051

지역자원 의뢰 및 연계 시 지역사회간호사가 주의해야 할 것은?

① 가능한 한 개인보다 집단으로 의뢰한다.
② 의뢰기관 정보는 대상자에게 비밀로 한다.
③ 전문가 주도적으로 의뢰여부를 결정한다.
④ 의뢰하기 직전에 대상자의 상태를 다시 확인한다.
⑤ 의뢰서를 들고 직접 의뢰기관을 방문하여야 한다.

052

보건교사의 직무로 알맞은 것은?

① 교직원 건강검진
② 학교 보건계획 수립
③ 학교 내 위생상태 자문
④ 학교 내 독극물 관리 자문
⑤ 학교 내에서 쓰이는 의약품 검사

053

지역사회 통합건강증진사업의 특징으로 옳은 것은?

① 분절적인 사업수행
② 산출중심의 사업평가
③ 중앙집권적 사업수행
④ 보건소 내외 자원과 연계
⑤ 지역환경과 무관한 사업계획

054

다음 표에 따르면 생산인구 100명이 부양하는 노인 수는?

- 0~14세: 40명
- 15~40세: 500명
- 41~64세: 300명
- 65~70세: 150명
- 71세 이상: 10명

① 1명
② 2명
③ 10명
④ 20명
⑤ 40명

055

보건교육의 내용을 구성하는 원리로 맞는 것은?

① 광범위한 주제를 적용한다.
② 고전문헌의 내용을 기반으로 구성한다.
③ 특정한 상황에 적용할 수 있는 내용으로 구성한다.
④ 지역사회 자원을 활용할 수 있는 것으로 구성한다.
⑤ 교육자에게 필요하고 중요도가 높은 것으로 구성한다.

056

각 나라의 건강수준을 비교할 수 있는 지표로, 모자보건, 환경위생 등을 반영하는 것은?

① 모아비
② 조사망률
③ 영아사망률
④ 인구증가율
⑤ 비례사망지수

057

보건교사가 보건교육을 계획할 때 가장 우선적으로 해야 하는 것은?

① 우선순위 결정
② 관련 정보 수집
③ 교육 내용 선정
④ 교육 집행 계획
⑤ 대상자의 요구 사정

058

산업장에서 2시간 동안 의견을 수렴한 후 50명의 보건관리자가 합의를 통해 개선점을 찾으려고 한다. 이에 해당하는 보건교육은?

① 시범
② 심포지엄
③ 분단 토의
④ 집단 토의
⑤ 브레인스토밍

059

듀발(Duvall)의 가족의 발달단계에서 첫 자녀가 15살이 되었을 때 가족의 발달 과업으로 적절한 것은?

① 부부 역할 수립
② 부부관계 재조정
③ 자녀의 사회화 교육
④ 세대 간의 충돌 대처
⑤ 새로운 흥미의 개발과 참여

060

간호사가 방문가정을 대상으로 체계론적 관점에서 간호를 적용하려 할 때 가장 중요하게 고려해야 할 것은?

① 가족구성원의 개인 특성
② 가족구성원의 가용 자원
③ 가족구성원 간의 의사소통
④ 가족구성원의 사회적 기능
⑤ 가족구성원 간의 상호작용을 통한 전체로서의 간호

061

가족을 둘러싸고 있는 다양한 외부체계와 가족구성원의 관계를 그려봄으로써 가족과 외부의 다양한 상호작용을 한눈에 파악할 수 있는 가족사정 도구는?

① 외부체계도
② 사회지지도
③ 가족친밀도
④ 가족 연대기
⑤ 가족 체계도

062

초등학교 5학년 학생이 홍역 진단을 받았을 때, 추가 감염을 예방하기 위해 학교장이 우선적으로 행해야 하는 조치는?

① 감염 학생을 등교 중지시킨다.
② 추가 감염 학생이 있는지 확인한다.
③ 감염 학생 발생에 대해 보건소에 보고한다.
④ 감염 학생 발생에 대해 교육청에 보고한다.
⑤ 감염 학생이 과거 홍역 예방접종을 맞았는지 확인한다.

063

코로나바이러스 감염증-19 예방접종을 통해 얻을 수 있는 후천적 면역은?

① 선천면역
② 인공능동면역
③ 자연능동면역
④ 자연수동면역
⑤ 인공수동면역

064

전국적으로 코로나바이러스 감염증-19 대유행하고 있다. 코로나바이러스 감염증-19 면역력 획득자의 수를 늘려서 유행과 확산을 차단하기 위한 것은?

① 집단면역
② 건강검진
③ 기본감염 재생산수
④ 환자 발견
⑤ 인공수동면역

065

심뇌혈관 질환에 대한 1차 예방 사업은 무엇인가?

① 당뇨, 고혈압 재활 시설 확충
② 당뇨, 고혈압 질병관리 및 치료
③ 당뇨, 고혈압 환자의 등록 관리사업
④ 당뇨, 고혈압 위험인자에 대한 교육
⑤ 당뇨, 고혈압 조기발견을 위한 건강검진 시행

066

지역사회 장애인 재활사업의 궁극적 목표는 무엇인가?

① 질병관리
② 영양관리
③ 합병증예방
④ 사회재통합
⑤ 기능장애 최소화

067

다음 내용에 해당하는 지역사회간호사의 역할은?

> - 대상자의 입장을 대변하고 지지
> - 대상자가 스스로 정보를 얻을 수 있을 때까지 도와줌

① 연구자
② 옹호자
③ 상담자
④ 교육자
⑤ 변화촉진자

068

인구가 밀집되어 있고 고층 빌딩이 많은 도심에서 대기오염이나 복사열 등으로 기온이 다른 주변 지역보다 현저하게 높게 올라가는 현상은?

① 열섬현상
② 기온역전
③ 온실효과
④ 오존층 파괴
⑤ 광화학스모그

069

상수처리방법 중 완속 여과법의 특징은?

① 건설비용이 적게 든다.
② 보통 침전법을 사용한다.
③ 역류세척 청소방법을 사용한다.
④ 높은 탁도에서 사용하는 것을 권장한다.
⑤ 수면 동결이 쉬운 장소에서 사용하는 것이 유리하다.

070

조류인플루엔자 바이러스로 인해 전국적으로 가금류의 살처분 및 매몰로 이어지는 피해가 발생했을 때 이것은 어떤 재난인가?

① 자연재난
② 인적재난
③ 특수재난
④ 해외재난
⑤ 사회적 재난

071

수간호사에게 꾸지람을 듣고 화가 난 간호사 A는 실습 중인 간호학생을 혼냈다. 이때 A씨에서 관찰되는 방어기전으로 옳은 것은?

① 억압
② 전치
③ 전환
④ 투사
⑤ 반동형성

072

대인관계 이론에서 이상행동을 설명하는 것으로 알맞은 것은?

① 발달과업을 과하게 중시할 때 나타난다.
② 자신으로부터 소외되는 것으로부터 기인한다.
③ 의사소통이 비효율적으로 이루어지기 때문에 일어난다.
④ 학습하지 못하거나, 잘못된 행동이 강화되어 나타난다.
⑤ 중요한 사람으로부터 인정받지 못해서 생기는 불안으로 인한 것이다.

073

간호사–대상자 상호작용 시 초기단계에 대한 설명으로 적합한 것은?

① 환자와 계약을 설정한다.
② 간호사 자신에 대해 이해한다.
③ 환자의 현실감과 통찰력을 높인다.
④ 환자에게 독립의 기회를 제공한다.
⑤ 환자의 안정적 문제 해결방안을 강화한다.

074

정신병동에 입원한 환자 A씨가 "상태가 나아지는 것 같지 않아서 걱정이에요."라고 호소한다. 간호사의 반응으로 적절한 것은?

① "의사에게 말해둘게요."
② "바쁘니 나중에 얘기합시다."
③ "무엇이 걱정스러운지 말해주시겠어요?"
④ "치료가 잘 되고 있으니 걱정하지 마세요."
⑤ "우리 병원 의료진들이 훌륭하니 잘 치료될 거예요."

075

입원환자 A씨는 "너희가 아는 세계는 모두 허구다. 모두 내가 조종하고 있는 것이다."라고 말하고 있다. A씨의 증상에 해당되는 것은?

① 사고장애
② 지각장애
③ 지남력 장애
④ 기억력 장애
⑤ 집중력 장애

076

청소년이 친구와 음란물을 본 후 성행위 장면이 계속 생각나고 생각을 중단할 수 없어 고통스럽다고 호소한다. 관련된 것은?

① 강박장애
② 관계망상
③ 사고이탈
④ 사고전파
⑤ 애정망상

077

올란자핀을 복용하는 환자에서 기립성 저혈압이 발생하였다. 이때 간호사가 환자에게 취해야 하는 적절한 중재는 무엇인가?

① 운동을 권장한다.
② 수분섭취를 격려한다.
③ 약물을 즉시 중단한다.
④ 주기적으로 혈압을 측정한다.
⑤ 일어날 때 천천히 일어나게 한다.

078

병동 내 공용 냉장고에 빈번하게 도난이 발생하여 환자들 사이에 의심과 불만이 폭주하고 있어 이에 대한 대책을 마련하기로 하였다. 대책마련으로 적절한 것은?

① 처벌을 강화하겠다고 공고한다.
② 법적처벌기준에 대해 이야기한다.
③ 병동 내 규칙과 감시를 더 강화한다.
④ 의사와 간호사가 회의를 거쳐 결정한다.
⑤ 의료진과 환자들이 함께 대책과 개선안을 마련한다.

079

다음 중 정신질환자에 대한 편견을 없애기 위한 지역정신보건 내용으로 옳은 것은?

① 정신질환자를 조기발견한다.
② 지역정신보건체계를 강화한다.
③ 정신질환자의 인권에 대해 교육한다.
④ 지역 내에 새로운 정신병원을 설립한다.
⑤ 환자들의 빠른 병원 적응을 돕는 훈련을 한다.

080

정신질환자를 대상으로 24시간 동안 정신보건전문가가 함께 지내며 사회 기술을 훈련하는 기관은 무엇인가?

① 위탁가정
② 집단가정
③ 중간치료소
④ 지정아파트
⑤ 공동거주센터

081

다음 중 상황위기는 무엇인가?

① 정년퇴임을 앞둔 남편
② 입시를 앞둔 고3 수험생
③ 기다렸던 자녀를 출산한 산모
④ 자녀를 유치원에 입학시키는 부모
⑤ 회사 공금을 소매치기 당한 경리부 직원

082

정신과에 강제입원한 30대 남성이 간호사실을 노려보며 주먹을 꽉 쥐고 있다. 알맞은 간호중재는 무엇인가?

① 환자 가까이에서 말을 건다.
② 환자에게 되도록 많은 자극을 준다.
③ 혼자 있도록 간호사실 앞에 내버려 둔다.
④ 병동 내 집단활동에 참여하도록 격려한다.
⑤ 진정할 때까지 조용한 곳에서 격리시킨다.

083

40세 여자환자가 같은 병실의 다른 환자들이 자신을 해칠까봐 밤새 한숨도 못 잤다고 호소한다. 적절한 대처는?

① 신체적 접촉으로 안심시켜준다.
② 마사지를 해줌으로써 의존욕구를 충족시켜준다.
③ 걱정하는 바가 사실이 아니니 안심하라고 말한다.
④ 낮에 잠으로써 부족한 수면을 보충할 수 있게 한다.
⑤ 밤에 잠을 잘 수 있도록 혼자 지낼 수 있는 병실로 이동시켜준다.

084

망상환자에 대한 간호사의 간호중재로 가장 적절한 것은?

① 조용히 생각할 수 있게 혼자 있도록 한다.
② 망상환자와 망상의 내용에 대해서 토론한다.
③ 대상자의 망상이 사실이 아님을 증명해준다.
④ 피해망상 환자의 경우 최대한 신체접촉을 삼간다.
⑤ 과대망상 환자의 경우 망상에 대한 설명을 반복하게 한다.

085

우울장애 대상자인 A씨는 병동에서 퇴원 후 두 달이 지났으며, 외래진료를 위해 병원에 오는 것 이외에는 전혀 외출도 하지 않고 가족들과도 별 교류 없이 지낸다. A씨에게 우선적으로 내릴 수 있는 간호진단은?

① 방어적 대처
② 언어소통 장애
③ 비효율적 관계
④ 치료 지시 불이행
⑤ 사회적 상호작용 장애

086

조현병을 앓는 환자가 음식을 거부하고 말을 하지 않으며 아무 반응이 없는 증상을 무엇이라고 하는가?

① 거부증
② 강직증
③ 상동증
④ 자동증
⑤ 납굴증

087

37세 여성 A씨는 남편과 사별한 후 이불 밖으로 나오지 않는다. 이때 간호사가 해줄 수 있는 중재는?

① 음악을 크게 틀어준다.
② 혼자 있는 시간을 갖게 한다.
③ 환자 곁에서 말없이 있어준다.
④ 집단프로그램에 참석하게 한다.
⑤ 기분전환을 위해 외출을 권장한다.

088

우울증 환자 A씨는 간호사에게 "이제 곧 편안해질 거예요."라고 말했다. 이에 간호사의 적절한 반응은 무엇인가?

① "왜 그렇게 생각하세요?"
② "처방된 수면제를 드릴게요."
③ "편안해지셨다니 다행이에요."
④ "지금까지는 편하지 않으셨다는 건가요?"
⑤ "편안해진다는 게 자살을 의미하는 건가요?"

089

다음 중 조증 환자에 대한 간호중재로 가장 적절한 것은?

① 밝은 조명을 적용시킨다.
② 조용한 환경에 혼자 있게 해준다.
③ 병동 출입구와 가까운 병실을 준다.
④ 같은 증상을 보이는 환자들과 병실을 함께 쓰게 한다.
⑤ 다양한 소품을 사용하여 집과 같은 환경을 만들어준다.

090

양극성 질환을 겪고 있는 38세 여자 환자가 남편과의 불화로 인해 격앙된 어조로 쉴 새 없이 남편에 대한 불안을 토로하고 있다. 이때 간호사가 할 말로 적절한 것은?

① "왜 이런 태도를 취하는 거죠?"
② "그래서 남편에게 화가 난 거군요."
③ "이런 감정은 누구나 겪는 것입니다."
④ "처음부터 다시 차근차근 말씀해보세요."
⑤ "남편이 아닌 자녀에 대한 이야기를 해보세요."

091

불안에 대한 설명으로 옳은 것은?

① 내·외적인 자극에 의해 발생한다.

② 에너지의 분출형태로서 관찰할 수 있다.

③ 안녕상태에 대한 불편감으로서 객관적인 것이다.

④ 불안이 너무 심해지면 현실을 잘 인식하지 못할 수도 있다.

⑤ 불안은 다른 사람에게 영향을 미치지 않아 상대방이 알 수 없다.

092

전학을 간 17세 청소년 A군은 성적이 하락한 후로 학교에 가는 것을 거부하며, 집안에서 밤낮 없이 게임만 하고 있다. A군에게 내릴 수 있는 간호진단으로 가장 적절한 것은?

① 영양결핍

② 사고장애

③ 지남력장애

④ 비효율적 대처

⑤ 자가간호 결핍

093

다음 중 인위성 장애(허위성 장애)의 특징으로 올바른 것은?

① 외적인 보상이 없을 때 나타나는 현상이다.

② 무의식의 분노가 신체의 증상으로 표현된 것이다.

③ 위기 환경으로부터 도피하기 위해 나타나는 현상이다.

④ 자신에게 질병이 없음에도 신체가 잘못되었다고 강박적으로 생각하는 것이다.

⑤ 경제적 이득이나 처벌면제가 되는 상황적 이득과 같이 외적인 보상이 있을 때 나타난다.

094

모든 일에 대해 불안해하고 걱정하는 증상이 6개월 이상 지속되는 것을 무엇이라고 하는가?

① 공황장애

② 우울장애

③ 범불안장애

④ 특정 공포증

⑤ 사회불안장애

095

외상 후 스트레스 장애에 대한 설명으로 가장 적절한 것은?

① 두려움이 상징적인 대상에게 나타난다.

② 상처받은 사고의 반복적 회상으로 힘들어 한다.

③ 상대방에게 관찰되는 것에 심한 불안을 느낀다.

④ 주로 영화관, 광장 등의 장소에서 공포가 나타난다.

⑤ 대부분의 시간을 강박적이고 긴장한 상태로 보낸다.

096

타인이 자신에게 피해를 입힌다며 걸핏하면 소송하고 싸우며 아내가 일적으로 만나는 사람에 대해서도 이유 없이 의심하는 사람은 어떤 성격장애인가?

① 경계성

② 편집성

③ 조현성

④ 연극성

⑤ 반사회성

097

성격장애를 진단받은 25세 남성 대상자가 정신 검진을 하던 도중 검진을 수행하는 간호사의 외모에 대해 칭찬하고 사적인 질문을 하며 간호사와 대상자 관계를 조종하려고 한다. 이때 올바른 간호사의 반응은 무엇인가?

① 사회적으로 올바른 행동을 하도록 달랜다.
② 대상자의 질문을 무시하고 계속 검진한다.
③ 허용되는 행동, 위반되는 결과를 알려준다.
④ 보호실에서 자신의 행동을 반성하도록 한다.
⑤ 환자가 하고 있는 것을 중지하라고 명령한다.

098

알코올과 교차내성을 일으키는 약물은?

① 카페인
② 니코틴
③ 암페타민
④ 엑스터시
⑤ 벤조디아제핀

099

정신신경 초조 증상을 나타내는 22세 남성이 동공확대 증상과 비중격 궤양을 나타내었을 때 예상되는 남용 약물은?

① 본드
② 아편
③ 대마초
④ 코카인
⑤ 메사돈

100

알츠하이머 진단을 받아 경증신경인지 장애를 보이는 노인에게 알맞은 치료요법은?

① 옛 추억을 되살리는 회상요법
② 자아실현을 할 수 있는 인지치료
③ 후세에게 기억 될 만한 창조적인 봉사활동
④ 새로운 기술습득과 인지기능에 도움이 되는 작업치료
⑤ 여태까지 누리지 못한 즐거움을 누릴 수 있는 오락활동

101

신경성 폭식증의 특징으로 맞는 것은?

① 체중에 무관심하다.
② 대개 사춘기 이전에 발병한다.
③ 섭식행동을 타인에게 개방한다.
④ 정상 혹은 과체중 범위의 체중이다.
⑤ 음식물의 반복적 역류와 되새김이 나타난다.

102

46세 여자가 "요즘 잠을 통 못자고, 잠에 들더라도 자주 깨서 힘들어요."라고 호소하고 있다. 적절한 간호교육 내용은?

① 취침 직전에 운동을 권장한다.
② 취침 전 충분히 음식을 섭취한다.
③ 자고 싶을 때 언제든지 수면을 한다.
④ 아침 기상 시간을 일정하게 유지한다.
⑤ 낮 동안 침상에서 쉬는 시간을 늘린다.

103

발기 장애를 호소하는 환자에 대한 설명으로 적절한 것은?

① 주로 절정기에 일어난다.

② 발기 시 통증을 호소한다.

③ 성적 주체성에 혼란을 겪는다.

④ 성 접촉 시 회피하는 반응을 보인다.

⑤ 타인에게 피해가 가는 방향의 성적 행위를 한다.

104

12세 남아가 학교에서 약한 친구들에게 폭력을 가하고 선생님께 부적절한 행동을 하며 동물들에게 잔인한 행동을 한다. 이 남아의 진단으로 적절한 것은?

① 지적장애

② 품행장애

③ 경계성 성격장애

④ 반사회적 인격장애

⑤ 자폐스펙트럼 장애

105

자폐스펙트럼 장애의 아동이 보이는 반응으로 옳은 것은?

① 또래와 어울린다.

② 적절한 언어발달을 보인다.

③ 눈을 마주치면 환하게 웃는다.

④ 엄마에게 놀아달라고 매달린다.

⑤ 엄마가 가리키는 것을 쳐다보지 않는다.

001

ICN의 주요 업무로 옳은 것은?

① 간호사 근무환경의 질을 평가한다.
② 각국의 간호사업에 대한 정보, 통계를 관리한다.
③ 국제적 재난 발생 시 각국의 간호인력을 차출한다.
④ 각국의 정치에 적극 개입해 인류의 건강에 기여한다.
⑤ 간호실무에 대한 국제적 표준화작업은 필수조항이다.

002

나이팅게일의 업적 및 이념에 대하여 옳은 것은?

① 근대간호교육을 확립하였다.
② 간호사는 자신을 희생해야 한다.
③ 간호를 사명이 아닌 직업으로 보았다.
④ 간호사는 의사와 분리될 수 없다고 보았다.
⑤ 간호란 사람이 아닌 질병을 간호하는 것으로 보았다.

003

다음에서 설명하는 간호전문직의 특성으로 옳은 것은?

> 간호전문지식과 기술을 독점하기 위해 면허 및 위임
> 제도를 확립한 것으로, 영국의 펜위크 여사에 의해
> 확립되었으며 한국은 일제강점기 간호부규칙, 산파
> 규칙에 의하여 이루어졌다.

① 자율성
② 자격제한
③ 교육과 훈련
④ 전문지식과 규칙
⑤ 전문인 단체 형성

004

김 간호사는 근무 중 동료 간호사가 투약사고를 보고하지 않은 것을 발견하였다. 김 간호사의 대처 중 적절한 것은?

① 상황을 모른 척한다.
② 담당의사에게 알린다.
③ 다른 병동의 상황을 파악한다.
④ 투약사고 현황을 파악하여 직속상관에게 직접 보고한다.
⑤ 동료간호사에게 투약사고를 스스로 보고할 것을 권하고 도와준다.

005

환자의 권리 중 의료인에게 질병상태 및 치료법에 대하여 충분한 설명을 듣지 못했을 때 침해받은 권리는?

① 진료 받을 권리
② 알 권리 및 자기결정권
③ 비밀을 보장 받을 권리
④ 개인 요구를 요청할 권리
⑤ 상담 및 조정을 신청할 권리

006

말기 암환자 가족이 "환자에게 암이 아니라고 말해주세요."라고 부탁했다. 간호사가 이를 잘못되었다고 생각했다면 어떤 이론에 근거하였는가?

① 덕의 이론
② 돌봄 이론
③ 통치 윤리론
④ 의무주의 이론
⑤ 공리주의 이론

007

간호사가 간호조무사에게 열 요법을 위임하였는데, 환자가 화상을 입는 사고가 발생하였다. 이때 간호사가 이행하지 못한 의무는?

① 설명의 의무
② 예의의 의무
③ 예측의 의무
④ 확인의 의무
⑤ 결과회피의 의무

008

다음 업무를 수행하는 간호사는?

- 신규간호사의 업무를 관리하고 격려
- 간호사들의 업무 상태를 보고
- 간호사들의 업무배치 및 조정

① 간호부장
② 간호과장
③ 간호감독
④ 수간호사
⑤ 일반 간호사

009

다음 중 전략적 기획에 관한 설명으로 옳은 것은?

① 일선 관리자에 의해 수립된다.
② 주로 단기적인 계획을 다룬다.
③ 단기계획과 상용계획으로 나뉜다.
④ 환경변화에 대처하고 미래지향적이다.
⑤ 중간관리자 층에서 주로 개발되고 수행된다.

010

간호사가 침상 난간을 올려놓자 환자가 올리기 싫다고 거부했다. 이때 올바른 간호는?

① 억제대를 적용한다.
② 환자의 요구를 들어준다.
③ 무시하고 환자에게 다가간다.
④ 환자와 같은 말투로 대응한다.
⑤ 침상 난간을 올려야 하는 이유를 분명히 설명한다.

011

일반 간호사의 의사결정으로 올바른 것은?

① 의료기구의 구입 여부
② 간호 인력과 관련된 계획 수립
③ 조직 전체의 목표와 방향성 설정
④ 제시된 지침이나 업무절차에 따라 수행
⑤ 생산성 향상을 위해 전반적인 계획을 수립

012

목표관리이론(MBO)에 의한 간호단위의 목표설정으로 적절한 것은?

① 최고의 간호를 제공한다.
② 환자를 인격적으로 존중한다.
③ 휴가는 한 달 전에 신청한다.
④ 3회 지각은 1회 결근으로 한다.
⑤ 전년대비 직접간호시간이 30분 증가한다.

013

간호사의 인력을 확보한 수준에 따라 입원환자의 보험료를 지급하는 방식은?

① 인두제
② 포괄수가제
③ 행위별 수가제
④ 환자분류수가제
⑤ 간호관리료 차등지급제

014

간호서비스 마케팅 전략 중 퇴원환자를 대상으로 전화 서비스를 제공하는 것, 원격의료와 같이 환자의 시간과 접근성에 이점을 주는 전략은?

① 촉진
② 유통
③ 제품
④ 홍보
⑤ 가격

015

생산과 기능의 이원화가 이루어질 때 적합한 조직의 유형은?

① 팀 조직
② 직능 조직
③ 프로젝트 조직
④ 매트릭스 조직
⑤ 라인-스태프 조직

016

직무 설계 방법에 대한 설명으로 옳은 것은?

① 직무 충실화는 분업화가 특징적이다.
② 직무 확대는 전문화를 통해 이루어진다.
③ 직무 순환은 직무 충실화의 단점을 개선하기 위한 것이다.
④ 직무특성모형은 개인에 따른 기술의 차이를 고려한 것이다.
⑤ 직무 단순화는 한 사람이 다수의 과업을 하게 되는 것을 말한다.

017

예상 기간 동안 체계적인 진료와 간호 활동을 하기 위한 환자 관리 체계로 적절한 것은?

① 원인-결과도
② 매뉴얼(manual)
③ 어골도(fish bone)
④ 흐름도(flow chart)
⑤ 주경로기법(critical pathway)

018

다음에 해당하는 조직 변화 유형은 무엇인가?

> 최고 전문 관리자는 조직 변화를 위해 분야별 간호 팀장들을 모아서 우선적으로 요구되는 변화의 목표 영역을 함께 설정하고 이를 실무교육에 반영하여 간호사들이 계속적인 변화를 기획, 설계, 이행하도록 한다.

① 강압적 변화
② 기술적 변화
③ 경쟁적 변화
④ 계획적 변화
⑤ 자연적 변화

019

간호사 근무계획표 작성 시 고려해야 할 사항으로 적절한 것은?

① 연구경험
② 간호사 인건비
③ 직무 교육시간
④ 인간관계 능력
⑤ 인력 배치 원칙과 직원의 요구 간의 균형

020

관리자가 인사 고과 시 출퇴근 시간을 잘 지키는 간호사는 전반적으로 환자 간호 절차도 정확히 지킬 것이라고 좋게 평가하는 오류는?

① 혼 효과
② 후광 효과
③ 근접 오류
④ 관대화 경향
⑤ 중심화 경향

021

내적보상과 외적보상에 대해 옳은 설명은?

① 내적보상은 한정적이라서 활용이 어렵다.
② 일을 하며 느낀 만족감의 결과는 외적보상의 한 예다.
③ 내적보상은 심리적 보상으로 비금전적인 방법으로 제공한다.
④ 조직에서의 인정과 자기 성장을 위한 기회는 외적보상의 예다.
⑤ 근무하고 싶은 시간에 일할 수 있게 되는 것은 내적보상의 한 예다.

022

6개월 전에 병원의 규정을 위반하여 면담을 조치 받은 직원이 또 규정을 위반하였다. 간호단위관리자가 적용할 수 있는 다음 단계의 징계는?

① 감봉
② 해고
③ 구두 경고
④ 무급 정직
⑤ 서면 경고

023

알더퍼(Alderfer)의 ERG이론에 대한 설명 중 옳은 것은?

① 존재욕구는 소속감, 애정욕구를 포함한다.
② 존재욕구는 존경욕구와 자아실현욕구를 포함한다.
③ 관계욕구는 자아실현과 자기성장욕구를 포함한다.
④ 성장욕구가 충족되지 않으면 관계욕구가 증대된다.
⑤ 성장욕구가 충족되지 않으면 생리적 욕구의 중요도가 감소한다.

024

호손 효과에 관한 설명으로 옳은 것은?

① 직장 내 분위기와 관련이 없다.
② 비공식적 조직은 성과에 영향을 미친다.
③ 기대가 충족되지 않아도 생산성이 향상된다.
④ 근로자는 물리적, 금전적 보상에 가장 반응한다.
⑤ X이론은 인간의 잠재력이 능동적으로 발휘될 수 있는 여건을 조성하는 것이다.

025

다음 보기와 같은 상황에서 수간호사가 취해야 할 의사 결정으로 옳은 것은 무엇인가?

> 병동 내 신규 간호사는 업무에 적응하지 못하여 시간 내에 일을 끝마치지 못하고 있을 뿐만 아니라 범위를 넘어선 일까지 도맡아 하고 있다. 하지만 경력 간호사는 자신의 일이 아니라며 도우려 하지 않는다. 수간호사는 병원 내 프로젝트 업무에 투입되어 활동하며 병동 일에 관심을 두지 않고 있다.

① 프로젝트 업무에 집중한다.
② 경력 간호사를 불러 꾸중한다.
③ 병동 내 위계질서를 더 강화시킨다.
④ 경력과 능력에 따라 업무를 재조정한다.
⑤ 자신을 프로젝트 업무에서 제외해달라고 한다.

026

변혁적 리더십을 보이는 간호사의 모습으로 알맞은 것은?

① 문제 발생 시 직접 해결한다.
② 통제 위주의 리더십을 보인다.
③ 즉각적, 가시적인 보상으로 동기부여한다.
④ 업무 중심적이고 권위주의적인 리더십을 보인다.
⑤ 조직 구성원들에게 이상적인 목표를 세우고 자아실현 하도록 동기부여한다.

027

협상에 대한 내용으로 옳은 것은 무엇인가?

① 자신의 관점을 확고하게 고집한다.
② 협상자의 행동에 관심을 가지지 않는다.
③ 서로 비난하며 자신의 주장을 내세운다.
④ 서로의 관심도에 대한 자료를 수집한다.
⑤ 자신의 주장과 내용을 상대방에게 모두 개방한다.

028

총체적 질 관리에 대해 올바른 설명은?

① 환자 간호의 질을 향상한다.
② 대상자는 전문의료인과 환자이다.
③ 의료와 관련된 사항에 대해서만 관여한다.
④ 결과에 영향을 미치는 모든 요소를 관리한다.
⑤ 표준을 설정하고 그걸 지키는지 확인하는 것이다.

029

복부수술 환자에 대한 평가에서 구조적 평가는?

① 환자의 신체를 사정한다.
② 환자의 만족도를 평가한다.
③ 복부수술 후 통증양상을 평가한다.
④ 수술 8시간 이후 장음을 청진한다.
⑤ 수술 후 환자교육지침서를 병실 내 구비한다.

030

환자안전과 정확한 투약을 위한 약품관리로 옳은 것은?

① 반드시 의사의 지시대로 투약한다.
② 원활한 투약을 위해 재고는 병동에 둔다.
③ 구두처방 시 기록하고 빨리 서면처방 받는다.
④ 마약주사제 파손 시 깨진 조각까지 정리하여 버린다.
⑤ 사용하고 남은 약품은 다음에 사용하기 위해 잘 둔다.

031

간호사고를 예방하기 위한 관리지침은?

① 위험관리를 체계적으로 제도화한다.

② 개별간호사가 지침을 마련하도록 한다.

③ 전인간호를 위해 표준지침을 최소화한다.

④ 환자와의 신뢰를 위해 비밀리에 처리한다.

⑤ 사고발생 시 보고서 작성과 훈육을 우선시한다.

032

진료과 변동으로 병동이동 시 간호사가 할 일은?

① 수납여부를 확인한다.

② 지역사회와 연계한다.

③ 환의를 입히고 신장과 체중을 측정한다.

④ 환자와 보호자에게 환자 권리에 대해 설명한다.

⑤ 의무기록 누락을 확인하고 전동일지를 작성한다.

033

간호단위에서의 안전관리를 위한 행위로 옳은 것은?

① 사용한 주사기는 바늘의 뚜껑을 닫아서 버린다.

② 안전을 위해 주사바늘이 간호사의 몸 쪽을 향하도록 잡는다.

③ 장갑을 낀 채로 처치했을 경우 손을 따로 씻지 않아도 된다.

④ 환자를 처치한 기구는 소독액에 담갔다가 멸균하거나 소독한다.

⑤ 감염자의 분비물이 손에 묻었을 경우 일반 비누로 손을 닦는다.

034

유치도뇨관이 모자라서 일주일에 평균 2~3회 이상 다른 병동에 유치도뇨관을 빌려 쓰는 병동의 간호사가 해야 할 행동으로 적합한 것은?

① 추가구매하기 전에 필요성에 대한 가치판단을 한다.

② 유치도뇨관은 비품이므로 침대 수에 비례하게 구매한다.

③ 공동구매제도를 활용하여 중앙 물품관리부서에 신청한다.

④ 즉시 필요한 물품이므로 중앙 물품관리부서에 바로 요청한다.

⑤ 간호단위 관리자에게 안전재고량을 확인하고 늘리도록 제안한다.

035

간호 정보 시스템에서 환자분류체계를 활용하는 것의 이점으로 옳은 것은?

① 의사와의 관계 개선

② 적절한 간호인력 배치

③ 직원 훈련 기간의 감소

④ 간호사 간의 유대 강화

⑤ 환자와의 의사소통 증진

036

얕고 빠른 형태의 과호흡과 무호흡이 번갈아 나타나는 호흡 양상은?

① 빈호흡

② 서호흡

③ 쿠스말 호흡

④ 지속흡식성 호흡

⑤ 체인-스토크스 호흡

037

60세 남성 폐렴 환자에게 흉부 물리요법을 적용하려 한다. 흉부타진에 대한 설명으로 적절한 것은?

① 뼈 돌출 부위는 타진하지 않는다.
② 흉골 상부에서 늑골 순으로 타진한다.
③ 흉통을 호소할 시에는 약하게 타진한다.
④ 손가락을 모두 붙이고 손 끝으로 타진한다.
⑤ 부드럽게 압박을 가했다가 서서히 손을 떼면서 타진한다.

038

모세혈관의 혈관통합성을 유지하는 역할을 하는 영양소로 필수적이지만, 과다섭취했을 시 체내에 저장되지 않고 소변으로 배출되는 것은?

① Vit. A
② Vit. K
③ Vit. C
④ Vit. E
⑤ Vit. D

039

만성 폐쇄성 폐질환(COPD) 환자에게 분당 2 L 정도의 저농도 산소를 주는 이유는 무엇인가?

① 호흡을 자극하기 위해서이다.
② 산소에 독성이 있기 때문이다.
③ 이미 산소는 충분하기 때문이다.
④ 호흡 기능이 상실되었기 때문이다.
⑤ 점막의 건조를 방지하기 위해서이다.

040

비위관 삽입과 관련된 내용 중 옳은 것은?

① 비위관을 삽입할 때 불편함을 호소하면 중단한다.
② 비위관이 잘 삽입되지 않을 경우 힘주어 돌려보며 삽입한다.
③ 비위관이 비인두에 도달한 뒤 물을 삼키면서 관을 넘기도록 한다.
④ 비위관이 비인두에 도달한 뒤 고개를 뒤로 젖히도록 하여 삽입한다.
⑤ 삽입 길이는 코에서 검상돌기까지의 길이이며 길이 측정 후 테이프를 붙여 확인한다.

041

기관 흡인과 관련된 내용 중 옳은 것은?

① 흡인시간은 30초 정도를 유지한다.
② 추가흡인 시 10초 간격을 유지한다.
③ 흡인 카테터는 인공기도 직경의 1/2보다 작은 것을 사용한다.
④ Wall O_2를 사용하는 경우 흡인압력은 60~70 mmHg를 유지한다.
⑤ 의식이 있는 대상자의 경우 앙와위를 취하게 한 후 흡인을 실시한다.

042

감염병 환자에게 접촉 시, 간호사의 행동으로 맞는 것을 고르시오.

① 환자 접촉 사이에는 손을 씻지 않아도 된다.
② 사용한 주사바늘은 뚜껑을 다시 씌워서 버린다.
③ 감염 환자가 사용한 의복을 따로 처리할 필요는 없다.
④ 물건들을 만진 후 일반 비누를 이용하여 손을 소독한다.
⑤ 접촉 시 사용한 물건들은 소독액에 담근 뒤 멸균소독하여 사용한다.

043

다음 중 배뇨에 관한 내용으로 가장 옳은 것은?

① 카페인 음료를 마시면 요의가 줄어든다.
② 불안, 스트레스는 내괄약근을 이완시킨다.
③ 이뇨제는 수분전해질 재흡수를 촉진시킨다.
④ 알코올 섭취 시 항이뇨호르몬의 분비가 억제된다.
⑤ 나이가 들수록 방광의 긴장도가 증가하여 빈뇨가 발생하기 쉽다.

044

전신마취 후 2시간이 경과한 남자 환자가 있다. 의식이 돌아와서 요의가 느껴지지만 배뇨가 힘들다고 호소할 때, 가장 적절한 간호중재는?

① 대퇴 안쪽을 문지른다.
② 쪼그려 앉아 있도록 한다.
③ 복부에 찬 물수건을 놓는다.
④ 차가운 물을 회음부에 붓는다.
⑤ 자연배뇨될 때까지 수분섭취를 일정 부분 제한한다.

045

30세 여성 환자의 단순도뇨 삽입과정으로 올바른 것은?

① 앙와위로 체위를 취한다.
② 도뇨관을 총 12 cm 정도 삽입한다.
③ 회음부 소독은 요도구부터 시작한다.
④ 소변이 나오기 시작하면 도뇨관을 2~4 cm 가량 더 삽입한다.
⑤ 도뇨관 삽입 시 대상자에게 숨을 참고 완전히 힘을 빼라고 한다.

046

간호사 A가 성인에게 글리세린 관장을 시행할 때의 과정으로 올바른 것은?

① 우측으로 심스체위를 취한다.
② 직장에 직장튜브를 3~4 cm 삽입한다.
③ 관장액은 35° 이하로 약간 미지근하게 넣는다.
④ 직장 튜브 삽입 시 숨을 들이쉰 채 멈추도록 한다.
⑤ 직장 튜브의 끝을 배꼽 방향으로 향하게 한 뒤 천천히 삽입한다.

047

장기간 침상안정 후 환자에게 체위성 저혈압이 일어나는 이유는?

① 뇌혈류량 증가
② 심박동수 감소
③ 말초혈관 수축
④ 1회 심박출량 증가
⑤ 하지정맥 혈액 정체

048

하지에 석고붕대를 하고 있는 환자의 근위축 및 허약 방지를 위한 운동으로 옳은 것은?

① 수동 운동
② 유산소 운동
③ 등척성 운동
④ 등장성 운동
⑤ 등속성 운동

049

침상에 누워 있는 환자의 엉덩이관절에 대전자 두루마리(trochanter roll)를 적용하려 한다. 다음 중 무엇을 방지하기 위해서인가?

① 내전
② 굴곡
③ 외회전
④ 과신전
⑤ 족저굴곡

050

수면에 영향을 미치는 요인으로 옳은 것은?

① 모르핀을 투여하면 REM수면이 증가한다.
② 심한 스트레스가 있을 시 REM수면이 감소한다.
③ 노인의 경우 NREM수면 중 4단계가 증가한다.
④ 알코올을 과다하게 섭취하면 REM수면이 증가한다.
⑤ 바비튜레이트 계열 약물 투여 시 REM수면이 증가한다.

051

상기도 감염으로 열이 39 °C인 환아에게 적용할 중재로 옳은 것은?

① 활동을 권장한다.
② 수분섭취를 늘린다.
③ 여분의 담요를 덮어준다.
④ 저열량 식이를 하도록 한다.
⑤ 75% 알코올 스펀지 목욕을 적용한다.

052

사망 직전에 나타나는 신체 변화로 옳은 것은?

① 혈압 상승
② 안면 강직
③ 따뜻한 피부
④ 사지의 반점
⑤ 강하고 빠른 맥박

053

다음 중 낙상 위험이 가장 높은 환자는?

① 요통이 있는 폐경기 환자
② 3주 전 입원한 고혈압 환자
③ 2일 전 복부수술을 받은 환자
④ 과거 낙상 경험이 있는 어지럼증 환자
⑤ 호르몬제제를 투여 중인 갑상선기능저하증 환자

054

아토피 환아가 피부를 긁지 않도록 할 때 적용하는 억제대는?

① 8자 억제대
② 재킷 억제대
③ 벨트 억제대
④ 전신 억제대
⑤ 장갑 억제대

055

재채기, 기침 시 입과 코를 막도록 하며 마스크를 착용하게 하는 것은 어떤 감염 경로를 차단하는 것인가?

① 침입구
② 탈출구
③ 저장소
④ 전파경로
⑤ 감수성 있는 숙주

056

고무, 종이, 각종 카테터, 내시경을 멸균하는 방법은?

① 건열
② 자비
③ 자외선
④ 고압증기
⑤ 산화에틸렌 가스

057

활동성 결핵 환자로부터 질환이 확산되는 것을 예방하는 것이 중요하다. 격리된 환자에 대한 주의지침으로 옳은 것은?

① 병실 내 양압을 유지한다.
② 혈압계와 체온계는 개별 사용한다.
③ 병실 문을 열어 6회/시간 이상으로 환기시킨다.
④ 환자 90 cm 이내에서는 수술용 마스크를 착용한다.
⑤ 환자가 병실 밖에 나올 시 수술용 마스크를 착용하도록 한다.

058

이동섭자를 꺼내다가 섭자 끝이 섭자통 가장자리에 닿았을 때 옳은 것은?

① 그대로 사용한다.
② 새 이동섭자를 사용한다.
③ 섭자통에 소독액을 부어 놓는다.
④ 섭자 끝을 소독솜으로 닦아 사용한다.
⑤ 드레싱세트 안의 멸균섭자를 이용한다.

059

다음은 투약관련 약어이다. 약어와 뜻이 바르게 짝지어진 것은?

① pc – 식전
② stat – 즉시
③ OD – 왼쪽 눈
④ prn – 경구로
⑤ kvo – 응급 시

060

배출보다 흡수가 빠른 약물을 지속적으로 투여할 때 생길 수 있는 것은?

① 내성
② 의존성
③ 축적효과
④ 금단현상
⑤ 알레르기 반응

061

정맥주입을 통해 지속적으로 화학치료를 받아야 하는 환자가 갖는 중심정맥관으로, 혈전형성 위험이 적고 장기간 사용할 수 있는 것은?

① 정맥절개관
② 터널형 카테터
③ 피하이식형 포트
④ 비터널형 카테터
⑤ 말초삽입형 중심정맥 카테터

062

인슐린 주사를 같은 부위에 계속해서 놓을 때 발생하는 부작용은 무엇인가?

① 혈종
② 부종
③ 괴사
④ 혈관파열
⑤ 피하조직 경화

063

미골 부위에 3단계 욕창이 발생하고 요실금이 있는 환자에게 트라마돌 50 mg (2 ml)을 근육주사하려 한다. 가장 우선적인 주사 부위는 어디인가?

① 삼각근
② 대퇴근
③ 삼두박근
④ 둔부의 복근
⑤ 둔부의 배근

064

침상머리를 상승시킨 상태에서 환자가 홑이불로 고정되어 있을 때 중력에 의해 천골이 미끄러지면서 발생하는 욕창의 발생원인은 무엇인가?

① 중력
② 압력
③ 마찰력
④ 전단력
⑤ 구심력

065

침상안정 중인 뇌압상승 환자의 천골과 대전자에 발적이 생겼다. 이때 취해주어야 할 적절한 자세는 무엇인가?

① 등 지지대를 댄 파울러씨 자세
② 머리에 작은 베개를 대고 엎드린 자세
③ 어깨에 베개를 대고 똑바로 누운 자세
④ 몸을 똑바로 하고 다리를 45° 상승시킨 자세
⑤ 침상 머리를 약간 상승시키고 30° 돌아누운 자세

066

<의료법>상 간호사의 임무는?

① 의료와 보건지도
② 치과의료와 치과보건지도
③ 한방의료와 한방보건지도
④ 조산과 임부에 대한 보건과 양호지도
⑤ 간호요구자에 대한 교육 상담 활동의 기획과 수행

067

<의료법>상 의료인의 결격사유는?

① 마약중독자
② 신체장애인
③ 감염병환자
④ 파산선고를 받은 자
⑤ 향정신성약물을 1회 처방받은 적이 있는 자

068

간호사 실태와 취업상황의 신고는 최초로 면허를 받은 후 몇 년마다 해야 하는가?

① 1년
② 2년
③ 3년
④ 4년
⑤ 5년

069

간호사 보수교육에 관한 설명으로 옳은 것은?

① 보수교육 관계서류는 5년간 보존해야 한다.
② 간호대학 대학원 재학생은 보수교육이 유예된다.
③ 간호사는 보수교육을 연간 8시간 이상 이수해야 한다.
④ 신규 간호사 면허 취득자는 해당 연도 교육시간이 4시간 이상이다.
⑤ 해당 연도에 6개월 이상 간호사 업무에 종사하지 않은 자는 면제된다.

070

감염관리실의 업무는?

> 가. 병원 감염 발생 감시
> 나. 병원 감염 관리 실적 분석
> 다. 직원에게 감염관리교육
> 라. 감염에 대한 직원의 건강관리

① 라
② 가, 다
③ 나, 라
④ 가, 나, 다
⑤ 가, 나, 다, 라

071

의료인의 자격정지 기준으로 맞는 것은?

① 마약중독자
② 다른 이에게 면허증을 빌려준 경우
③ 면허 조건을 이행하지 아니한 경우
④ 자격정지 처분 기간에 의료행위를 한 경우
⑤ 의료인의 품위를 심하게 손상시키는 행위를 한 때

072

감염병 발생을 계속 감시할 필요가 있어 발생 또는 유행 시 24시간 이내에 신고하여야 하는 다음 각 목의 감염병은?

① 콜레라
② 페스트
③ 폐흡충증
④ 말라리아
⑤ 디프테리아

073

다음 중 감염기간 동안 업무종사의 제한이 필요한 감염병은?

① 세균성이질
② 파상풍
③ 유행성이하선염
④ B형 간염
⑤ 인플루엔자

074

검역감염병 의심자에 대한 최대 잠복기간으로 옳은 것은?

① 황열: 5일
② 페스트: 5일
③ 콜레라: 6일
④ 중증급성호흡기증후군: 6일
⑤ 조류인플루엔자 인체감염증: 10일

075

후천성면역결핍증 검진 대상자에 해당하는 자로 옳은 것은 무엇인가?

① 감염인의 동생
② 감염인의 배우자
③ 감염인의 직장동료
④ 감염인의 직계존속
⑤ 감염인 거주 지역 주민

076

국민건강보험 급여가 제한되는 경우로 옳지 <u>않은</u> 것은 무엇인가?

① 고의로 사고를 일으킨 경우
② 국외에서 업무에 종사하는 경우
③ 공단이 요구하는 문서의 제출을 거부한 경우
④ 고의로 요양기관의 지시에 따르지 아니한 경우
⑤ 공무 중 생긴 질병으로 다른 법령에 따른 보험급여나 보상을 받게 되는 경우

077

국민건강보험 가입자의 자격을 취득하게 되는 시기로 적절한 것은 무엇인가?

① 수급권자가 된 날
② 유공자의 자격을 얻게 된 날
③ 유공자 대상에서 제외된 다음날
④ 직장가입자가 국내에 거주하게 된 날
⑤ 사립학교 교직원가입자가 국내에 거주하게 된 다음날

078

지역보건법 상 지역보건의료계획은 몇 년마다 수립하여야 하는가?

① 1년   ② 2년
③ 3년   ④ 4년
⑤ 5년

079

보건 등 직렬의 공무원을 보건소장으로 임용하려는 경우에 해당 보건소에서 이전 최근 몇 년 이상 근무해야 임용 가능한가?

① 1년   ② 3년
③ 5년   ④ 7년
⑤ 10년

080

종합병원에서 마약류의 변질부패가 발생한 경우 마약류 취급자는 지체 없이 누구에게 보고해야 하는가?

① 경찰서장
② 보건소장
③ 시 · 도지사
④ 시장 · 군수 · 구청장
⑤ 식품의약품안전처장

081

4인 이상의 마약류 취급의료업자가 있는 의료기관에서 둬야하는 마약류 취급자는?

① 마약류 관리자
② 마약류 도매업자
③ 마약류 소매업자
④ 마약류 수출입업자
⑤ 마약류 취급 학술연구자

082

응급환자가 2명 이상 발생하였을 때, 응급처치 우선순위의 기준은?

① 수술 필요의 여부
② 응급실에 온 순서
③ 급 · 만성 질환의 여부
④ 소생 · 회복 가능성이 높은 연령
⑤ 의학적 판단에 따른 중한 위급성

083

국가에서 실시하는 평생국민건강관리체계에 해당하는 것은?

① 정신 보건의료
② 구강 보건의료
③ 노인의 건강 증진
④ 감염병의 예방 및 관리
⑤ 만성질환의 예방 및 관리

084

<국민건강증진법>상 해당시설의 전체를 금연구역으로 지정해야 하는 시설인 것은?

① 공항 대합실
② 대학교 운동장
③ 객석 수 100석의 공연장
④ 연면적 500제곱미터의 사무용건축물
⑤ 관중 600명이 들어갈 수 있는 체육관

085

<혈액관리법>상 채혈이 가능한 사람은?

① 체중이 48 kg인 남성
② 체온이 37.8 °C인 사람
③ 맥박이 1분에 110회인 사람
④ 이완기 혈압 110 mmHg인 사람
⑤ 수축기 혈압 100 mmHg인 사람

NOTE